煤矿电工学

张瑞华　主编

山西出版传媒集团
山西人民出版社
山西科学技术出版社

图书在版编目（CIP）数据

煤矿电工学 / 张瑞华主编. -- 太原 ：山西人民出版社，山西科学技术出版社 2014. 7

山西省煤炭中等职业教育系列教材

ISBN 978-7-203-08529-4

Ⅰ. ①煤… Ⅱ. ①张… Ⅲ. ①煤矿-矿山电工-岗位培训-教材 Ⅳ. ①TD6

中国版本图书馆CIP数据核字(2014)第081497号

煤矿电工学

主　　编：张瑞华

责任编辑：武　静

出 版 者：山西出版传媒集团·山西人民出版社·山西科学技术出版社

地　　址：太原市建设南路21号

邮　　编：030012

发行营销：0351-4922220　4955996　4956039

0351-4922127　（传真）　4956038(邮购)

E-mail：sxskcb@163.com　发行部

sxskcb@126.com　总编室

网　　址：www.sxskcb.com

经 销 者：山西出版传媒集团·山西人民出版社

承 印 厂：山西惠民印务有限公司

开　　本：787mm×1092mm　1/16

印　　张：15.75

字　　数：400千字

印　　数：1—3000册

版　　次：2014年7月 第1版

印　　次：2014年7月 第1次印刷

书　　号：ISBN 978-7-203-08529-4

定　　价：42.00元

如有印装质量问题请与本社联系调换

《山西省煤炭中等职业教育系列教材》编委会

前　言

为认真落实山西省政府、山西省煤炭厅对煤炭行业从业人员素质提升的指示精神，适应山西省煤炭资源整合、企业兼并重组后现代化矿井建设对技术技能型人才的迫切需求，推进全省煤矿从业人员“人本安全、培训教育、素质提升”工程实施，促进煤矿企业人才队伍“变招工为招生”素质专业化目标实现，按照课程改革、课堂教学改革方案的要求，加快中等职业教育“送教下矿”培养模式的教材改革，使之适应煤炭工业机械化、信息化、现代化建设的人才需求，按照煤矿生产、建设、安全管理实际和对从业人员的具体要求，在认真调研、广泛征求意见的基础上，我们组织骨干教师对2010版山西省煤矿关键岗位从业人员中等职业教材进行了重新修订。

本系列教材在编写修订过程中着重突出以下特点：1.参照教学计划和教学大纲执行两个课改方案要求；2.新技术、新装备、新工艺单独成章，提高学生对现代化矿井的综合认知；3.将“山西省煤矿六个标准”按各专业要求编入其中，并融入“人人都是通风员”的思想理念；4.编入了企业现场实用的系统知识、技能、工艺；5.教材每章均按系统理论、核心知识点、专业技能训练三部分编写，突出技能训练内容，同时编有复习题，新增了讨论题，力求实现理论联系实际的教学目的；6.本系列教材力求简洁、实用、通俗易懂。

本书主编：张瑞华

编写人员在教材修订过程中，得到了有关领导和专家的支持、帮助，并参考了大量的文献资料和煤矿企业技术资料。在此，向提供帮助的有关专家、领导及企业表示诚挚的感谢！

希望各位教师、企业工程技术人员、专家能够结合煤矿企业发展现状，将更为先进的、适用的专业技术内容提供给我们。

由于时间仓促，编者水平有限，书中难免有不妥之处，恳请广大师生、企业工程技术人员批评指正。

目 录

第一章 煤矿供电安全

第二章 煤矿供电系统

第三章 煤矿供电三大保护

第四章 煤矿输变电设备

第五章 煤矿低压电气设备

第六章 煤矿高压电气设备

第七章 矿用电气设备防爆

第八章 煤矿常用电工工具、测量仪器、仪表

第九章　新技术、新设备、新工艺

第十章　山西省煤矿“六个标准”涉及内容

附　录

第一章　煤矿供电安全

第一部分　系统理论知识

第一节　煤矿供电概述

煤矿是一个特殊的行业，电力是煤矿企业的主要动力，但是煤矿不仅生产环境复杂，而且自然条件恶劣，存在水、火、瓦斯、煤尘、顶板五大自然灾害。同时随着煤矿机械化程度的提高，井上、下各个系统大量地使用电气设备，而这些设备在这样的生产环境中又极易受到损坏，这样轻者影响生产，重者可能造成井下人员触电，甚至电气火花引起火灾或煤尘瓦斯爆炸事故。因此，为了适应煤矿生产的特殊性，煤矿供电必须满足以下要求。

一、煤矿供电基本要求

（一）供电安全

我国大多数煤矿企业是地下开采，工作环境特殊，为了保证在电能的传输、分配、转换和使用的过程中，不发生人身触电事故和电气事故，从而保证供电安全，首先必须严格按照《煤矿安全规程》《作业规程》《操作规程》的有关规定执行，其次要遵守各工作岗位的规章制度。

（二）供电可靠

由于全矿井突然停电会使主要通风机停止运转，井下无风造成瓦斯积聚，一旦送电，可能引起积聚的瓦斯爆炸；一旦停电，水泵不能排水，时间长了，可能造成淹井事故；升降人员的立井提升系统是井下作业人员在遇到安全威胁或井下灾害时的安全出口之一，一旦停电，会对出入井人员的安全造成威胁；有封闭火区的矿井，全矿停电后，可能出现一氧化碳和瓦斯外泄，造成中毒或窒息事故；对有抽放瓦斯设备的矿井，一旦停电，会使抽放瓦斯的设备停止运转，井下瓦斯大量涌出，造成井下瓦斯积聚、超限，在一定条件下引发瓦斯、煤尘爆炸事故。因此矿井供电一定要保证供电连续、不间断，即供电可靠。

为保证供电可靠，《煤矿安全规程》441条规定：矿井应有两回路电源线路（图1-1）。当任一回路发生故障停止供电时，另一回路应能担负矿井全部负荷。年产60000吨以下的矿井采用单回路供电时，必须有备用电源；备用电源的容量必须满足通风、排水、提升等的要求；矿井的两回路电源线路上都不得分接任何负荷；矿井电源线路上严禁装设负荷定量器。

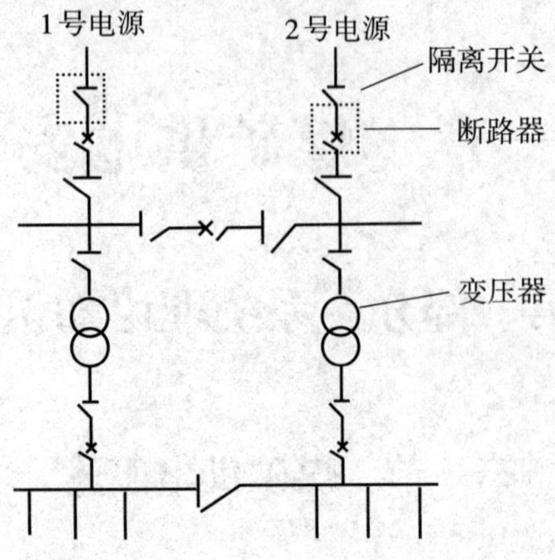

图1-1 两回路电源线路

煤矿有很多电力用户，根据停电所造成的影响不同，也就是电力用户对供电可靠性的要求不同，煤矿电力用户可分为三类。

一类用户(一类负荷)：凡是突然停电，可能造成人员伤亡事故或损坏重要机电设备的用户，均属于一类用户。如：煤矿主通风机、井下主排水泵、副井升降人员提升机等。一类用户应有两个独立的电源供电，以保证供电的可靠性。

二类用户(二类负荷)：凡是突然停电，可能造成较大减产的用户，均属于二类用户。如：煤矿集中提煤设备、地面空气压缩机、采区变电所等。

中小型煤矿企业的二类用户一般由单回路专线供电，但必须有一定数量的供电设备备用，以减少长时间停电造成的影响。大型煤矿企业的二类用户也应有两个独立的电源供电，以保证供电的可靠性。

三类用户(三类负荷)：凡是突然停电，不会造成人员伤亡事故、损坏重要的机电设备或造成较大减产的用户，也就是一、二类以外的用户均属于三类用户。如：煤矿井口机修房等。

对煤矿电力用户进行分类有利于合理安全供电。对于一、二类负荷要更多地关注供电的安全，对于三类负荷关注更多的应该是供电的经济，在运行中一旦出现故障，需要切除部分负荷时，首先应该切除的是三类负荷，必要时再切除二类负荷，以确保一类负荷的供电需求。

(三)供电质量好

衡量供电质量好坏的指标有两个：一个是电压的偏移。所谓电压偏移，是指用电设备在运行中，实际的端电压与其额定电压的偏差。用电设备对一定范围内的电压偏移具有适应能力，但随着电压偏移的增大，用电设备的性能将会恶化，严重时会造成设备的损坏。因此，我国对用电设备电压偏移的允许值做了具体的规定，其35kV及以上供电和对电压有特殊要求的用户允许偏差为+5%~-5%；10kV及以上高压供电和低压用户允许偏差为+7%~-7%；低压照明用户为+5%~-10%。而煤矿井下低压电网的偏移范围为±5%，电压过高会使设备发热、绝缘损坏，过低会使流过设备的电流增大，甚至烧毁设备。

另一个是频率的稳定，交流电的频率对交流电动机的性能有着直接的影响，频率的变动会影响交流电动机的转速。一般来说，频率的保证是电力部门的任务，按照我国《电力工业技术管理法规》的规定，电力系统的频率应保持50Hz，其偏差规定300万kW及以上的系统不得超过±0.2Hz，在不足300kW的系统不得超过±0.5Hz，一般允许偏差为0.2~0.5Hz。

针对煤矿企业供电质量差、能源浪费严重的问题，煤矿企业从经济、安全考虑，应针对影响煤矿井下供电质量的几个主要因素，提出相应的改进措施。

（四）供电经济

供电经济是指在满足上述三项要求的前提下，使供电系统的投资和运行达到最佳。具体来讲，就是要保证各变电所与电网基本投资少、电材料消耗小，供电系统中的电能损耗、维护费用少。

上述煤矿供电基本要求既是相互关联又是相互制约的。在解决具体问题时，应进行综合分析，以求得到最佳的技术和经济效益。

二、煤矿安全用电的其他要求

煤矿安全用电除上述要求外，还应该遵守以下要求。

（一）"三无""四有""两齐""三全""三坚持"的内容

"三无"：即电缆的连接应无鸡爪子、无羊尾巴、无明接头。

"四有"：即有过流和漏电保护装置，有螺钉和弹簧垫圈，有密封圈和挡板，有接地装置。

"两齐"：即电缆悬挂整齐，设备硐室清洁整齐。

"三全"：即防护装置全，绝缘用具全，图纸资料全。

"三坚持"：即坚持使用检漏继电器，坚持使用煤电钻，照明和信号综合保护，坚持使用风电和瓦斯电闭锁。

煤电钻必须使用设有检漏、漏电闭锁、短路、过负荷、断相、远距离启动和停止煤电钻功能的综合保护装置。每班使用前必须对煤电钻综合保护装置进行1次跳闸试验。

（二）"十不准"

原煤炭部制定了井下电气安全10条措施。其中，在"严禁违章指挥，违章作业"中规定，井下供电必须做到"十不准"：

（1）不准带电检修；

（2）不准甩掉漏电继电器、煤电钻综合保护和局部通风机风电、瓦斯电闭锁装置；

（3）不准甩掉无压释放器、过电流保护装置；

（4）不准明火操作、明火打点、明火爆破；

（5）不准用铜、铝、铁丝等代替保险丝；

（6）停风、停电的采掘工作面，未经检查瓦斯，不准送电；

（7）有故障的供电线路，不准强行送电；

（8）电气设备的保护装置失灵后，不准送电；

（9）失爆设备、失爆电器，不准使用；

（10）不准在井下拆卸矿灯。

（三）"三专两闭锁"的内容

《煤矿安全规程》第128条规定：高瓦斯矿井、煤（岩）与瓦斯（二氧化碳）突出矿井、低瓦斯矿井中高瓦斯区的煤巷、半煤岩巷和有瓦斯涌出的岩巷掘进工作面正常工作的局部通风机必须采用三专供电，即专用开关、专用电缆、专用变压器。专用变压器最多可向4套不同掘进工作面的局部通风机供电；备用局部通风机电源必须取自同时带电的另一电源，当正常工作的局部通风机发生故障时，备用局部通风机能自动启动，保持掘进工作面正常通风。

第128条还规定，使用局部通风机供风的地点必须实行风电闭锁，保证当正常工作的局部通风机停止运转或停风后能切断停风区内全部非本质安全型电气设备的电源。使用2台局部通风机同时供风的，2台局部通风机都必须同时实现风电闭锁。

"两闭锁"即风电闭锁、瓦斯电闭锁。其具体要求是：局部通风机停止运转时立即切断停风区内全部非本质安全型电气设备的电源；局部通风机启动前，若供风区域内瓦斯超限，局部通风机不会启动；解除闭锁，人工启动局部通风机排放瓦斯后才能正常运转；局部通风机启动，工作面风量符合要求后，才可向供风区域内送电；正常工作中，当供风区域检测点瓦斯超限切断相应控制区域内的动力电源时，局部通风机仍照常运转。每10天至少进行一次甲烷风电闭锁试验，每天应进行一次正常工作的局部通风机与备用局部通风机自动切换试验，试验期间不得影响局部通风，试验记录要存档备查。

第二节　触电的危害及其预防

随着煤炭资源的整合，煤炭工业规模化、集约化、机械化、现代化水平明显提升，电能及电气设备在煤矿的广泛应用，人体接触电气设备的机会也随之增加，而由于煤矿从业人员普遍缺乏安全用电、供电的知识，又由于煤矿井下的特殊工作环境，就很容易发生触电事故，既影响生产，又危及人身安全。因此，了解触电事故的原因及预防措施就尤为重要。

一、触电及触电的危害

（一）触电的概念

触电是指人体触及带电体，或人体接近高压带电体时有电流流过人体的事故。

（二）触电的危害

按电流对人体伤害程度的不同，触电一般分为电击和电伤。

1.电击：是指电流通过人体内部器官，如大脑、心脏、呼吸系统和神经系统，从而使之受到损坏的现象。电击多数可置人于死地，所以是最危险的。

电击的主要特征有：

（1）致命电流较大使人体内部造成伤害。

（2）灼伤、电烙印和皮肤金属化。低压触电在人体的外表没有显著的痕迹，但是高压触电会产生极大的热效应，导致皮肤烧伤，严重者会被烧黑。

2.电伤：是指电流通过人身某一局部或电弧烧伤人体胳膊、腿、面部等造成体表器官破坏的现象。当烧伤面积不大或程度不深时，及时得到救治不会有生命危险。

尽管在煤矿的触电死亡事故中，绝大多数是由电击造成的，但其中大约70%的含有电伤成分，所以预防电伤具有更加重要的意义。电伤的主要特征有：

（1）电烧伤，这是由电流的热效应造成的；皮肤金属化，是在电弧高温的作用下，金属微粒渗入皮肤，使皮肤粗糙而张紧造成的。

（2）电烙印，是在人体与带电体接触的部位留下的永久性斑痕。斑痕处皮肤失去原有弹性、色泽，表皮坏死，失去知觉。

(3)机械性损伤,是电流作用于人体时,由于中枢神经反射和肌肉强烈收缩等作用导致的机体组织断裂、骨折等。

(4)电光眼,是发生弧光放电时,由红外线、紫外线及可见光对眼睛造成的伤害。

(三)触电的方式

煤矿触电事故,按照接触电源情况不同,常分为单相触电、两相触电和跨步电压触电三种。

1.单相触电。如果人站在大地上,人体的某一部位接触到一相带电时,因为大地是导电体,所以就会造成触电,称为单相触电(图1–2)。

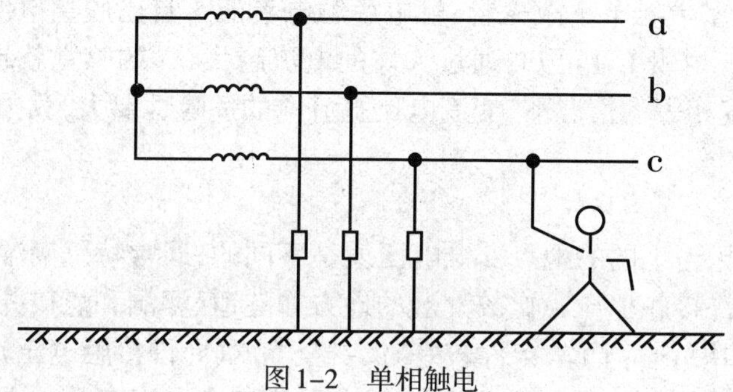

图1–2　单相触电

2.两相触电。人体的两个不同部位同时接触两相带电体时,电流就会通过人体,从一根电线流到另一根电线,从而形成回路,使人触电,称为两相触电(图1–3),这时人体所受到的电压是电网线电压,因此触电的后果更严重。

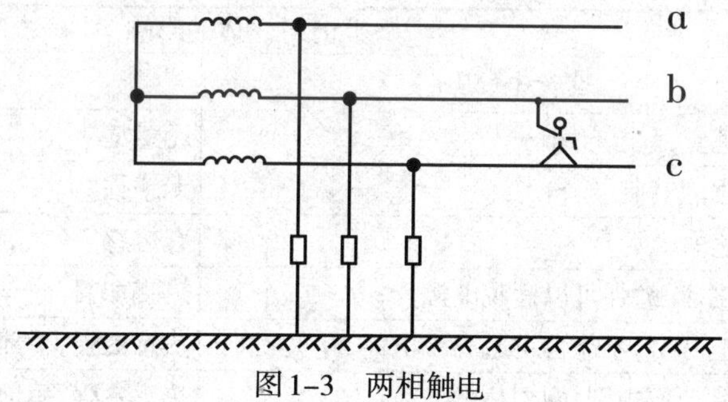

图1–3　两相触电

3.跨步电压触电。当井下电气设备发生接地故障或在埋设接地极的地点,接地电流在流入大地时会通过地面扩散,在地面上形成电位分布,这时如果人体在接地短路点附近行走,在两脚之间会形成一定的电位差,就是跨步电压,这种触电就叫跨步电压触电。跨步电压的大小与入地电流的大小、两脚之间的跨距、两脚的方位以及离接地点的远近等很多因素有关。人的跨距一般按0.8m考虑,由于跨步电压触电受很多因素的影响以及地面电位分布的复杂性,不同人在同一故障接地点附近遭到跨步电压电击时,完全可能出现截然不同的后果。

煤矿井下高压故障接地处或有较大电流流过的接地装置附近,都可能出现较高的跨步电压,应该引起煤矿企业的重视,人员应尽量避免在此逗留,如不可避免时,应走碎步或跳跃通过。

目前煤矿触电死亡事故中大部分是由于开关、电缆及电动机绝缘损坏发生漏电而造成的单相触电。

二、触电危害的影响因素

影响人体触电的危险性与很多因素有关，如电流的种类、频率、大小、通过的途径，触电时间长短以及人体电阻大小等。

（一）电流

电流是导致触电伤害的最主要、最直接的因素。在触电事故中，并不是所有的触电都会导致人的死亡，就大多数触电事故来看，触电后触电者能否自己脱离电源，与触电时通过人体的电流大小有关。由表1–1可知，通过人体的电流越大，人的感觉就越强烈，致命的危险也就越大。电流强度相等的情况下，交流电比直流电的危险性要大，我国规定触电的安全极限电流为30毫安。

（二）电压

我国相关法规规定：不同的地点安全电压值是不同的，通常特别潮湿、容易导电的地方，12V为安全电压（允许接触电压）；比较潮湿的地方如隧道、涵洞和煤矿井下，安全电压（允许接触电压）为36V；如果空气干燥，条件较好时，安全电压（允许接触电压）为65V。

当然，安全电压（允许接触电压）还与人体电阻及安全电流有关。人在煤矿井下等高度潮湿的场所，人体出汗或因工作环境影响使皮肤受潮，经常还会发生双手与双脚二者接触有凝露的电气设备的金属外壳或构架等，此时允许接触电压就会有所提高。

表1–1　触电电流大小对人体的影响

触电电流（mA）	此时对人体的影响	
	交流电（50Hz）	直流电
0.6~1.5	开始感觉，手指麻刺	无感觉
2~3	手指强烈麻刺、颤抖	无感觉
5~7	手部痉挛	有热感
8~10	手部剧痛，勉强可以摆脱电源	热感加强
20~25	手迅速麻痹，不能自主脱离带电体，呼吸困难	热感更强，手部轻微痉挛
30~50	心脏跳动不规则，剧烈痉挛	热感更强，手部肌肉不剧烈收缩
50~80	呼吸麻痹，心室开始震颤	热感更加强烈，手部痉挛，肌肉收缩，呼吸困难
90~100	呼吸麻痹，心室经3秒停止跳动	呼吸麻痹
300及以上	作用时间超过0.1秒，则可导致呼吸、心脏麻痹，人体组织遭受电流的破坏	作用时间超过0.1秒，则可导致呼吸、心脏麻痹，人体组织遭受电流的破坏

（三）频率

50~60HZ的工频交流电对人体的伤害最严重，频率偏离工频值越远，对人体的伤害越轻。如：频率很低或者很高的电流触电危险性比较小些。

（四）触电时间

触电时间越长对人体的危害越大。因为电流通过人体时间越长，由于人体发热出汗以及电流对人体组织的电解作用，使人体电阻降低，导致流过人体的电流增大，增加了触电的危险程度。也就是说,人摆脱电流的能力随触电时间的延长而降低。

人的心脏收缩、舒张一次中间约有0.1秒的间隙,在此间隙内心脏对电流很敏感,即使电流很小(几十毫安)也会引起心脏麻痹,因此电流持续1秒以上必然与心脏最敏感的间隙重合,将造成很大危害。触电时,如果电击时间极短,人体能耐受高得多的电流而不至于受到伤害;反之电击时间很长时,即使电流小到8~10mA,也可能使人致命。所以,煤矿常将快速断电技术运用在各种保护装置中。正因为触电对人的伤害程度不仅与电流大小有关,而且与电流作用于人身的时间有关,所以我国还规定了不同电压等级下人体与带电部分的允许接触时间(见表1-2)。

表1-2 不同电压等级下人体与带电部分的允许接触时间

电压(V)		127	380	660
允许接触时间(s)	经验值	1	0.57	0.47
	规定值	1	0.40	0.25

(五)人体电阻

人身电阻包括体内电阻和皮肤电阻。体内电阻较小,基本不受外界因素影响,故人身电阻主要是皮肤(角质层)电阻,其数值随人的皮肤状况、触电时间及触电电压的不同而不同。

若皮肤干燥无损时,人身电阻可达10kΩ~100kΩ,而井下,人体要出汗,有煤粉尘附在人体表面,甚至有破口,人身电阻会急剧降低。通常,井下人体的电阻一般为1000~2000Ω,很不稳定,它随环境、温度、出汗、导电的化学物质和尘埃等因素的改变而改变。为安全起见,井下人体电阻一般以1000Ω考虑。

(六)电流通过人体的途径

触电对人体的危害,主要是由于电流通过人体引起的。电流通过心脏、呼吸系统、头部、脊髓、中枢神经系统是最危险的。如:电流通过头部会使人昏迷,电流通过中枢神经会引起中枢神经系统严重失调而导致死亡。从脚到脚危险性是最小的。

(七)人的健康状态

人的健康状态、是否酒醉和精神状态是决定触电危害程度的另一因素。

三、触电的预防措施

了解了影响人体触电的危险性与电流、电压、频率、通过的途径、触电时间以及人体电阻大小等有关,我们就应该在煤矿生产中积极采取预防触电事故的综合措施。

从煤矿生产实践中总结出来的预防触电的措施主要有两方面,一是尽量避免触电的措施,二是减少触电危险的措施。

(一)尽量避免触电的措施

1.将裸露导体的带电设备安装在一定高度(图1-4)。如电机车架空线安装在一定高度。《煤矿安全规程》第356条

图1-4 架线式电机车运输巷道

规定：自轨面算起，电机车架空线的悬挂高度应符合下列要求：在行人的巷道内、车场内以及人行道与运输巷道交叉的地方不小于2m；在不行人的巷道内不小于1.9m；在井底车场内，从井底到乘车场不小于2.2m；在地面或工业场地内，不与其他道路交叉的地方不小于2.2m。

2.将容易接近的设备装在密闭的外壳内，并设闭锁装置（图1–5）。

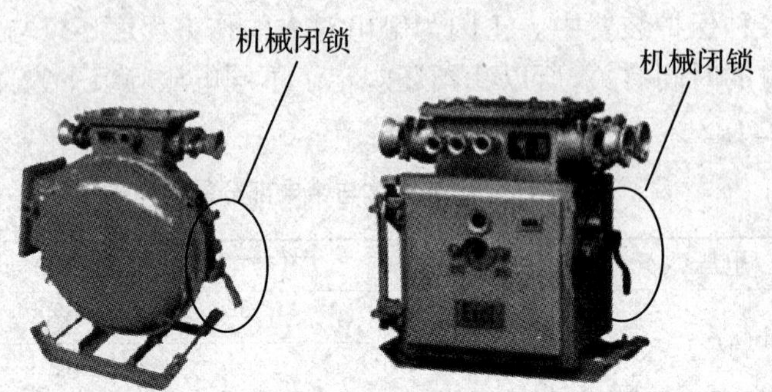

图1–5 电气设备的机械闭锁

3.需经常接触的设备加以绝缘。如煤电钻手把上再加一层绝缘套（图1–6）。

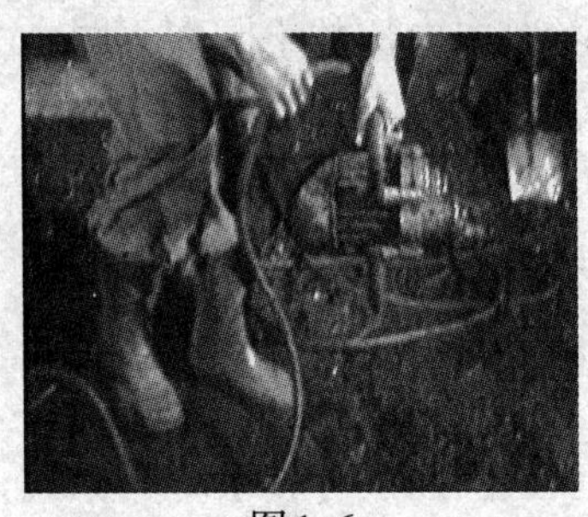

图1–6

4.悬挂各种警示牌。如高压设备硐室外悬挂"高压危险、禁止入内"，硐室入口处悬挂"非工作人员禁止入内"，检修电气设备时，停电闭锁并悬挂"有人工作，禁止送电"。

5.加强用电管理，建立健全安全工作规程和制度，并严格执行各种规定和安全作业制度。

6.使用、维护、检修电气设备时，严格遵守有关安全规程和操作规程。尽量避免带电作业，如必须带电工作时，应使用各种安全防护工具，如绝缘钳和必要的仪表，戴绝缘手套，穿电工绝缘靴等，并设专人监护。

（二）减少触电危险的措施

1.不同的电气设备采用不同的电压等级。

《煤矿安全规程》448条规定：井下各级配电电压和各种电气设备的额定电压等级应符合下列要求：

（1）高压不超过10000V。

（2）低压不超过1140V。

（3）照明、信号、电话和手持式电气设备的供电额定电压不超过127V。

（4）远距离控制线路的额定电压不超过36V。

从《煤矿安全规程》448条可以看出，煤矿井下高低压的划分是以1140V为界限的。也就是说，井下各级配电电压和各种电气设备的额定电压小于等于1140V的为低压，大于10000V的为高压。

2.井下采用变压器中性点不直接接地系统。

《煤矿安全规程》443条规定：严禁井下配电变压器中性点直接接地，严禁由地面中性点直接接地的变压器或发电机直接向井下供电。

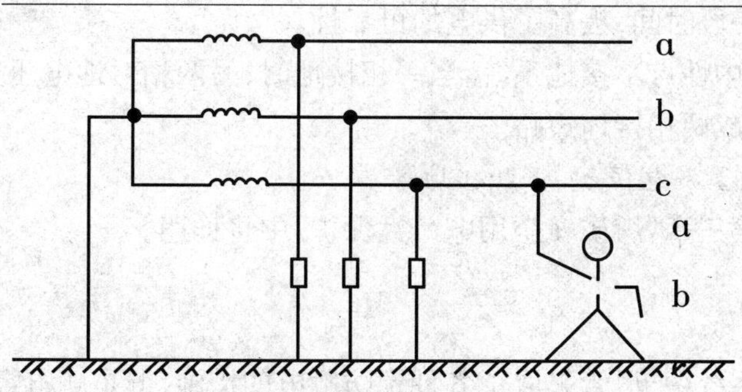

图1–7 变压器中性点直接接地系统

如图1–7所示，在中性点直接接地的系统中，如果发生单相触电事故，则人身触电电压为相电压，这时通过人体的电流为：

$$I_r=\frac{U_x}{R_r} \tag{1–1}$$

对于系统电压为1140/660伏的供电系统，相电压U_x=660伏，人体电阻R_r=1000欧姆，则通过人体的电流为：

$$I_r=\frac{U_x}{R_r}=0.66\text{（安培）}=660\text{（毫安）} \tag{1–2}$$

这个数值远远大于人体的安全极限电流30毫安，所以是绝对危险的。并且在变压器中性点直接接地的系统中，如果发生单相接地故障，在短路点会产生非常大的短路电流，这样足可以引起火灾或瓦斯爆炸事故。

而在变压器中性点不接地系统中（见图1–8），如果发生人身单相触电事故，这时通过人体的电流只有几毫安，相对是安全的。这时即使发生单相接地故障，在短路点的入地电流也很小，不足以引起火灾或瓦斯爆炸事故，但是如果没有漏电保护，这种故障可能会长期存在。此时，如果人站在地上，又触及另一相带电体，则人体相当于跨接于线电压下，线电压是相电压的$\sqrt{3}$倍，所以这时通过人体的触电电流比变压器中性点直接接地系统还要大$\sqrt{3}$倍。为了弥补此不足，在煤矿井下低压电网中必须要装设漏电保护装置。

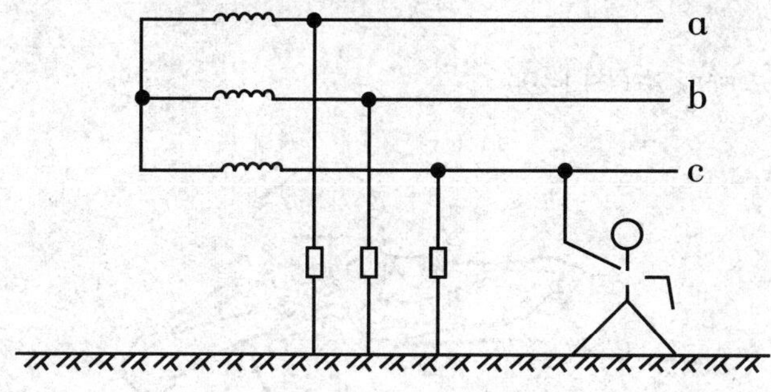

图1–8 变压器中性点不接地系统

变压器中性点不接地系统的优、缺点：

优点：对变压器中性点不接地系统，由于限制了单相接地电流，对通讯的干扰较小；另外单相接地可以运行一段时间，提高了供电的可靠性。

缺点：对变压器中性点不接地系统，当一相接地时，另两相对地电压升高，易使绝缘薄弱地方被击穿，从而造成两相接地短路。

3.井下电网中设置漏电保护、保护接地等。

此部分内容在第三章《煤矿安全用电三大保护》中将详述。

四、触电的救治

煤矿井下供电系统中，尽管采取了各种预防触电的措施，但是触电事故仍然可能发生。在发生触电事故时，现场人员一定要沉着冷静、迅速果断地采取应急措施。针对不同的情形，采取相应的急救方法，争分夺秒地进行抢救。

(一)迅速使触电者脱离电源

发现有人触电，首先要使触电者尽快脱离电源，然后根据具体情况，进行相应的救治。

1.如开关就在触电地点附近，现场人员可立即拉下闸刀或按下停止按钮，断开电源。

2.如触电地点距离开关、停止按钮较远，应迅速用绝缘良好的工具或有干燥木柄的器具砍断电缆或将电缆从触电者身上挑开。

3.如果触及高压电源，应立即通知有关人员停电，或由有经验的人员采取特殊措施切断电源。

(二)及时实施救护

对于触电者，可按以下三种情况分别进行救治。

1.对触电后神志清醒者，要有专人照顾、观察，情况稳定后，方可正常活动；对轻度昏迷或呼吸微弱者，可针刺或掐人中、涌泉等穴位，并送医院救治。

2.对触电后呼吸暂时停止但心脏有跳动者，现场人员应立即采用口对口人工呼吸；对有呼吸但心脏停止跳动者，现场人员则应立刻采取胸外心脏挤压法进行抢救；对于虽有呼吸但微弱者，现场人员则应进行口对口人工呼吸和胸外心脏挤压。

3.如触电者心跳和呼吸都已停止，则须同时采取人工呼吸和俯卧压背法、仰卧压胸法、心脏挤压法等措施交替进行抢救。

(三)救护方法

1.口对口(鼻)人工呼吸法(图1–9)

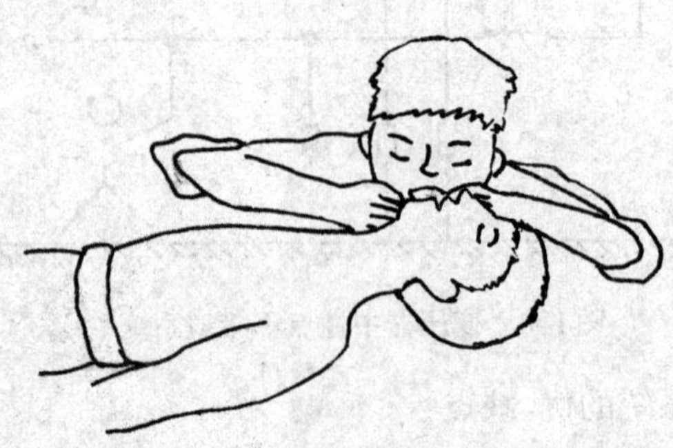

图1–9　口对口人工呼吸法

(1)人工呼吸时,首先要解开触电者的领口和胸部衣服,使其平卧,头向后仰,检查口腔内是否有异物,如有就取出,以保证呼吸道畅通。做人工呼吸时以每分钟15～19次为宜,不要过快或过慢。

(2)救护者深吸一口气后,手捏其鼻孔,嘴对嘴紧贴触电者吹气,使其胸部膨胀,吹气时间约2s。

(3)吹气完毕,立即离开触电者的嘴,并放开捏紧的鼻孔。

(4)如此反复,直到触电者复苏。

2.俯卧压背法(图1-10)

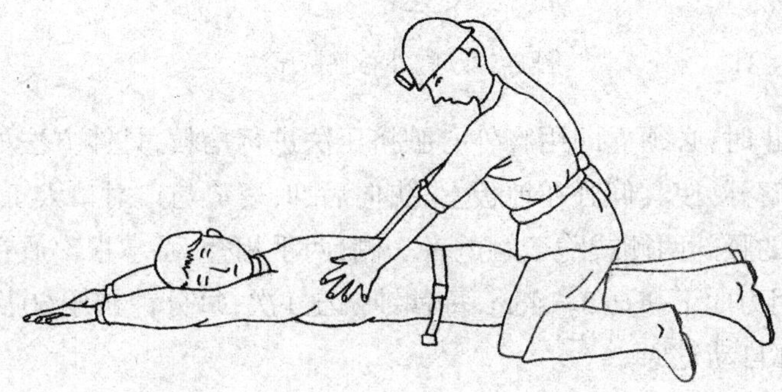

图1-10　俯卧压背法

触电者俯卧,头偏向一侧,一臂弯曲垫于头下。救护者两腿分开,分腿跪于触电者大腿两侧,两手掌心放在触电者背部,拇指靠近脊柱,四指向外紧贴肋骨,用力向下压迫触电者背部,然后两手放松,使触电者胸部自然扩张,空气进入肺部。按照上述方法重复操作,每分钟16～20次。

3.仰卧压胸法(图1-11)

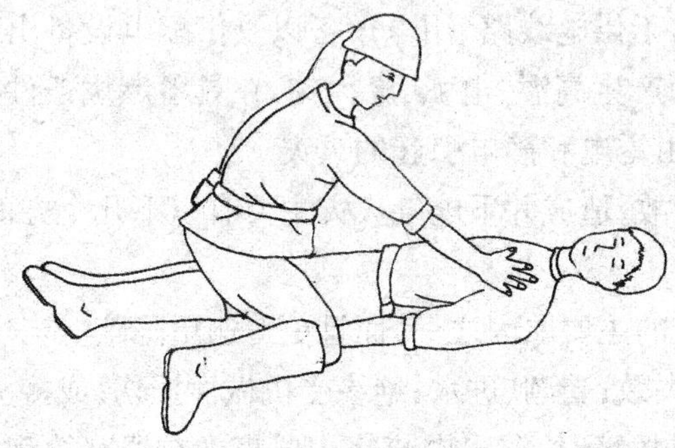

图1-11　仰卧压胸法

触电者仰卧,背后放上一个软垫或衣物使胸部突出,两手伸直,头侧向一边。救护者分腿跪于触电者大腿两侧,面对触电者,两手掌心放在触电者的胸部,大拇指向上,四指伸开,压迫触电者胸部,肺中的空气被压出。然后把手放松,使触电者胸部自然扩张,空气进入肺内。这样反复进行,每分钟16～20次。

4.胸外心脏挤压法(图1–12)

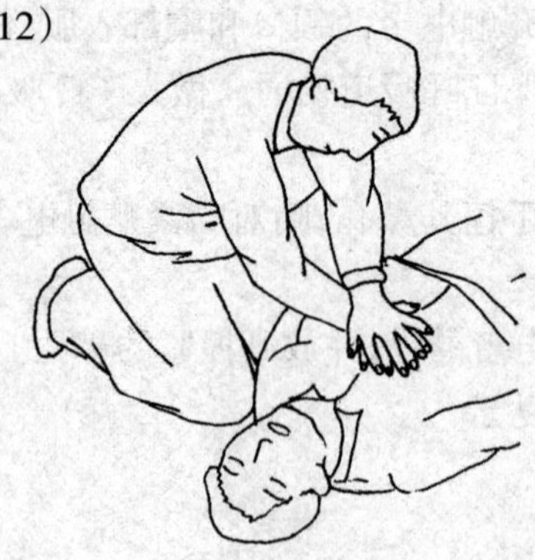

图1–12 胸外心脏挤压法

触电者心跳停止时,必须立即用胸外心脏挤压法进行抢救,具体方法如下:

将触电者衣服解开,使其仰卧在地板上,头向后仰,姿势与口对口人工呼吸法相同,救护者分腿跪在触电者的腰部两侧或跪于触电者一侧,两手相叠,手掌根部放在触电者心口窝上方、胸骨下1/3处,用力向下挤压3~4cm,每秒钟挤压1次,每分钟挤压60次为宜。然后迅速放松,让触电者胸部自动复原。

第三节 煤矿井下电气火灾及其预防

由于矿井中环境复杂,电气设备众多,一旦发生火灾,将造成人员伤亡、设备损坏、资源浪费等重大损失和恶劣的社会影响。在矿井火灾事故中,有一大部分是电气火灾事故,本节将主要介绍造成电气火灾的原因、危害、预防及火灾的扑灭。

一、造成电气火灾的原因

煤矿电气火灾是指由于供电线路、用电设备以及供配电设备出现短路、过负荷、接触不良、漏电、灯具散热不好而产生高温、电弧、电火花,在具备燃烧条件下引燃本体或其他可燃物而造成的火灾,也包括由雷电和静电引起的火灾。

分析煤矿电气火灾事故,造成井下电气火灾主要有以下几个方面原因:

(一)漏电火灾

漏电是引起电气火灾的主要原因之一,而且更普遍更隐蔽。当供电线路、设备线路由于使用时间过长、绝缘老化失效;受潮、进水;绝缘受机械性损伤;或接头绝缘恢复处理不当,使某处绝缘降低或损坏形成故障时,漏电电流将主要集中在线路故障处并通过接地点流入大地,途中产生局部高温,致使附近的可燃物着火。此外,当供电线路、设备某处漏电,在漏电点产生的漏电火花也会引起火灾。

(二)短路火灾

由于两个不同电位的带电体直接相碰或通过电弧短接而发生短路时,电流突然增大,其瞬间的发热量也很大,大大超过了线路正常工作时的发热量,并在短路点易产生强烈的火花和电弧，不仅能使绝缘层迅速燃烧，而且能使金属熔化，引起附近的易燃可燃物燃烧，造成火灾。

（三）过负荷火灾

当供电线路、电气设备过负荷时，会使供电线路、电气设备的温度不断升高，甚至引起其绝缘层发生燃烧，并能引燃导线及附近的可燃物，从而造成火灾。

（四）接触电阻过大火灾

在有较大电流通过的电气线路上，导线、元器件接触不良会增大接触电阻，在接触电阻过大的局部范围内会产生较大的热量，从而引起火灾。

（五）静电火灾

在井下，静电的产生可能是因为：带式输送机的皮带与托辊摩擦，橡胶带在带式输送机卷筒上摩擦，含在空气中的固体混合物与风筒、金属管壁相摩擦等，从而产生静电电弧及火花。静电的电压最高能达到数万甚至数十万伏，极易引起瓦斯爆炸与火灾。

（六）照明设备散热不好引起火灾

井下如果不及时良好地处理照明灯罩上覆盖的煤粉尘，煤粉尘阻碍了照明灯具内部热量的扩散，有时也能引起火灾。

二、电气火灾的危害

一旦发生矿井电气火灾事故，会烧毁电缆、电气设备，火焰借助矿井风流引起瓦斯和煤尘事故，不仅会造成人员伤亡，而且会造成巨大的经济损失。其危害主要表现为：

（一）火烟弥漫井巷，烧毁巷道、井筒、设备或破坏现场工作条件，有时甚至可能引起瓦斯或煤尘爆炸等事故，给矿井生产带来严重影响。

（二）造成矿井电气设备、生产材料的损失和破坏。

（三）火灾造成火风压，往往会导致井下通风系统紊乱。

（四）矿井火灾发生时，会放出各种有毒有害气体，使灾区或火灾波及区域的作业人员吸入有毒气体而中毒、窒息或死亡。

三、预防电气火灾的措施

预防矿井电气火灾的措施主要有：

（一）严格按负荷量选择相应截面的电缆及电气设备，防止过载。同时校验高低压开关设备及电缆的动稳定性及热稳定性。

（二）对输电线路和用电设备必须设短路、过负荷、断相保护，并按《煤矿井下低压电网短路保护装置的整定细则》进行整定和校验灵敏度。

（三）在煤矿井下必须采用经检验合格并取得煤矿矿用产品安全标志的矿用阻燃性橡套电缆。

（四）在煤矿井下，带式输送机、风筒采用矿用阻燃性、抗静电的输送带及风筒。

（五）为防止接触不良，加强高低压电缆接线盒的检查，同时在接线盒处不得有可燃物。

（六）定期对电气设备进行绝缘试验。

(七)井下照明灯应悬挂且必须有保护罩,不准将照明灯放置在易燃物上,不准用灯泡取暖。

四、电气火灾的扑灭

在扑灭电气火灾时,首先要切断电源,视具体情况再采用适合的方法进行灭火。扑灭电气火灾的方法主要有:直接灭火法、隔绝灭火法、混合灭火法 。

(一)直接灭火法

直接灭火法就是用水、沙子(或岩粉)及化学灭火器等,在火源附近直接扑灭火灾或者是消灭火源。

为防止触电,在扑灭电气火灾时应首先切断电源,或直接采用干粉灭火器灭火。

用水灭火时应注意:水能导电,因此用水扑灭电气火灾时,应先切断电源,以防触电;如带油的电气设备引发的火灾,因油比水轻,故水不能扑灭油类火灾。

沙子成本低廉,灭火时操作简便,因此,在机电硐室、材料仓库、炸药库等地方均应设置防火沙箱。通常用沙子来扑灭电气设备火灾与油类火灾。

(二)隔绝灭火法

隔绝灭火法就是在通往火区的巷道中构筑密闭防火墙,阻止空气进入火区,从而使火逐渐熄灭。防火墙构筑时要快,封闭要严,防火墙要少,封闭范围要小。隔绝灭火法是在直接灭火无效时采用的控制火势发展的有效方法。

(三)混合灭火法

混合灭火法就是先用防火墙将火区封闭,然后再采取灌浆、调节风压和充入惰性气体等其他灭火手段来加速火灾的扑灭。

第四节　矿井安全作业制度

为了保证煤矿电气设备安全运行,保证煤矿安全用电、供电,机电人员除了要了解全矿供电系统及设备动态,还应熟悉矿井安全作业制度及其内容,避免违章操作,以便事先预测和判断事故隐患,在发生事故时能按照预先制定的措施做出正确的处理。

为了保证煤矿电气设备安全运行,保证煤矿安全用电、供电,煤矿企业制定的安全作业制度主要有:工作票制度;工作许可制度;停、送电制度;工作监护制度;倒闸和试验操作票制度等。

一、工作票制度

凡须在运行设备上或运行区域内进行检修和试验工作,以及对井下高压电气设备进行检修及对重要线路和重要工作场所进行停、送电时,都必须按照中华人民共和国行业标准《电业安全工作规程》,执行工作票制度,并按工作票规定的内容进行工作。

(一)工作票制度应包括的内容

工作票的主要内容包括:工作地点和工作内容;工作起、止时间;工作负责人(监护人)、工作许可人和工作人员的姓名以及注意事项和安全措施。

（二）工作票的签发

工作票的签发应由熟悉设备情况，熟悉《电业安全工作规程》和《煤矿安全规程》，主管供电的煤矿负责人签发。一式两份填写清楚，其中一份由值班员保存，值班员应将工作票号码、工作任务、工作许可时间及完成工作时间记入操作记录簿中，另一份交由工作负责人（监护人）保存。

如果工作内容、工作人员或工作时间有所变动，应按照上述要求重新填写工作票。

（三）工作票中有关人员应负的责任

1.工作票签发人应负的责任

工作的必要性，工作负责人是否合适，工作人员是否合适和足够，工作票上所写的安全技术措施和组织措施是否正确完备。

2.工作负责人（监护人）应负的责任

检查工作票所写安全技术措施和组织措施是否正确完备，安全技术措施和组织措施是否符合现场实际条件；工作前要对工作人员交代安全注意事项；正确安全地组织工作，结合实际进行安全思想教育；督促、监护工作人员遵守有关规程规定；对不适合的工作人员提出建议。

3.工作许可人应负的责任

负责审查工作票所列安全技术措施和组织措施是否正确完备；安全技术措施和组织措施是否符合现场实际条件；工作现场布置的安全措施是否完善；检查停电设备有无突然来电的危险；对工作票中所列内容如有疑问必须向工作票签发人询问清楚，必要时应要求作详细补充。

4.工作人员

工作人员应认真学习执行《电业安全工作规程》和《煤矿安全规程》，认真学习并熟悉现场安全措施，相互关心、相互监督，保证各项安全措施的实施。

二、工作许可制度

工作许可制度是工作许可人审查工作票中所列各项安全措施后，决定是否许可工作的制度。工作许可人由值班员担任，但不得签发工作票。

工作许可人应认真审查工作票所列安全措施是否正确完备，是否符合现场条件，并应完成施工现场的安全措施。工作许可人还须会同工作负责人检查停电范围内所做的安全措施（停电范围内的安全措施主要有：切断被检修设备的电源，用同电源电压相符的验电笔进行验电、对地放电，并确认检查工作地点的瓦斯浓度在1%以下）。工作许可人必须指明临近的带电部位，对工作地点应以手触试停电设备，证明检修设备确无电压。工作许可人的这一举动是对检修人员生命安全高度负责的体现。工作许可人应对工作负责人说明注意事项，并和工作负责人在工作票上分别签字，但不得擅自变更安全措施及工作项目，完成上述许可手续后，工作班方可开始工作。

在工作中，工作间断、转移，以及工作终结，必须得到工作许可人的许可，所有这些都叫工作许可制度。

三、停、送电制度

为了防止人身触电，在进行检修、搬迁、移动电气设备时，必须遵守停电、验电、放电、装设接地线、设置遮拦和悬挂标示牌等安全用电制度，保证供用电安全。电气设备在进行停电检修时，必须严格执行谁停电，谁送电的停、送电制度，中间不得换人，严禁约时停、送电。配电室的门应关门加锁，严禁其他人员操作送电。

(一) 停电

高压配电装置停电时，应先断开断路器，后断开隔离开关，防止带负荷拉隔离开关产生电弧烧伤工作人员和损坏设备。拉闸后，应立即在开关操作把手上悬挂"严禁合闸，有人工作"的警示牌。低压设备停电时，应先切断电源，再打开隔离开关。

(二) 验电、放电、挂接地线

线路、设备停电后，应先用同电源电压相符的验电笔进行验电、对地放电，经证明设备、线路确无电压后，立即对被检修设备挂接地线，并设防护遮栏后方可进行工作。

装接地线时，应先接接地端，再接导线端，接地线应连接可靠。拆除接地线的顺序与此相反。装、拆接地线时，操作人员应戴绝缘手套，人体不得碰触接地线。

在煤矿井下，验电、放电、装拆接地线的操作，只有瓦斯浓度在1%以下，且有瓦斯检查员在场时方可进行。

(三) 送电

在设备检修完毕，恢复送电以前，工作负责人必须检查有无工具、材料等遗留在线路或设备上，确认拆除了三相短路的接地线等异常情况才可送电。恢复送电时，必须由原来执行停电并悬挂"严禁合闸，有人工作"警示牌的操作人员亲自取下此牌，然后方可合闸送电。

高压配电装置合闸送电时，与停电顺序相反，即先合隔离开关，再合断电器。

同时，《煤矿安全规程》还规定，严禁在漏电保护装置失灵或安装之前，强行送电；严禁用取下熔断器的方式对干线或分支线路进行停电操作。

四、高压倒闸、试验操作票制度和工作监护制度

为了保证人身安全，防止因误操作而引起事故或设备损坏，操作高压电气设备还应该遵守高压倒闸制度、试验操作票制度和工作监护制度。

操作之前，操作人及监护人应根据线路图或模拟板认真核对操作票中的操作项目，并经值班负责人审核签字。

倒闸操作，必须由两人挂靠执行，其中一人监护，一人操作。操作人和监护人必须由经过培训、考试合格并经批准后的人员担任，其中对操作现场和设备比较熟悉，级别较高的一人做监护人，操作中执行监护复诵制度，操作结束后，应进行复查。

特别重要和复杂的倒闸操作，应由熟练的值班员操作，由值班负责人监护。除特殊情况外，交接班时一般不进行倒闸操作。

在进行高压试验时，同样应由两人执行，其中一人监护，一人操作。操作人和监护人必须由经过培训、考试合格并经批准后的人员担任。试验现场应设遮拦，并悬挂"高压危险"

的警示牌，并派专人看管，若被测试设备的两端不在同一地点，两端均需派人看管。在倒闸、试验操作过程中，操作人员应使用经过试验合格的专用绝缘工具，并按《煤矿安全规程》规定戴绝缘手套、穿电工绝缘靴或站在绝缘台上。

在整个高压倒闸、试验操作过程中，监护人必须始终在工作现场，除了检查工作票所写安全技术措施和组织措施是否正确完备、是否符合现场实际条件，工作前对工作人员交代安全事项，正确安全地组织工作，结合实际进行安全思想教育，督促、监护工作人员遵守有关规程规定外，还要及时纠正操作人违反安全的动作。原则上监护人不参加具体操作，专职监护人不得兼做其他工作。

第二部分　专业核心知识点

本章专业核心知识点主要包括以下内容：

1.对煤矿的供电应满足供电安全、供电可靠、供电质量好、供电经济的四个基本要求 。
2.不同类型的煤矿负荷应采用的供电方式。
3.煤矿井下预防触电的措施。
4.电气火灾的预防措施及扑灭电气火灾时的注意事项。
5.“三专两闭锁”的内容、作用及适用范围。
6.煤矿企业安全作业制度。

第三部分　专业技能训练

技能一　风电闭锁、瓦斯电闭锁的安装要求

1.在《煤矿安全规程》规定的地点（见表1–3）安装甲烷传感器即瓦斯探头。

表1–3　　甲烷传感器的安装地点、报警浓度、断电浓度、复电浓度和断电范围

甲烷传感器设置地点	报警浓度	断电浓度	复电浓度	断电范围
低瓦斯和高瓦斯矿井的采煤工作面	≥1.0%CH_4	≥1.5%CH_4	<1.0%CH_4	工作面及其回风巷内全部非本质安全型电气设备
煤（岩）与瓦斯突出矿井的采煤工作面	≥1.0%CH_4	≥1.5%CH_4	<1.0%CH_4	工作面及其进、回风巷内全部非本质安全型电气设备
高瓦斯和煤（岩）与瓦斯突出矿井的采煤工作面回风巷	≥1.0%CH_4	≥1.0%CH_4	<1.0%CH_4	工作面及其回风巷内全部非本质安全型电气设备
专用排瓦斯巷	≥2.5%CH_4	≥2.5%CH_4	<2.5%CH_4	工作面内全部非本质安全型电气设备
煤（岩）与瓦斯突出矿井采煤工作面进风巷	≥0.5%CH_4	≥0.5%CH_4	<0.5%CH_4	进风巷内全部非本质安全型电气设备
采用串联通风的被串采煤工作面进风巷	≥0.5%CH_4	≥0.5%CH_4	<0.5%CH_4	被串采煤工作面及其进、回风巷内全部非本质安全型电气设备
采煤机	≥1.0%CH_4	≥1.5%CH_4	<1.0%CH_4	采煤机电源
低瓦斯、高瓦斯、煤（岩）与瓦斯突出矿井的煤巷、半煤岩巷和有瓦斯涌出的岩巷掘进工作面	≥1.0%CH_4	≥1.5%CH_4	<1.0%CH_4	掘进巷道内全部非本质安全型电气设备

续表 1–3

高瓦斯、煤（岩）与瓦斯突出矿井的煤巷、半煤岩巷和有瓦斯涌出的岩巷掘进工作面回风流中	≥1.0%CH_4	≥1.0%CH_4	<1.0%CH_4	掘进巷道内全部非本质安全型电气设备
采用串联通风的被串掘进工作面局部通风机前	≥0.5%CH_4	≥0.5%CH_4	<0.5%CH_4	被串掘进巷道内全部非本质安全型电气设备
掘进机	≥1.0%CH_4	≥1.5%CH_4	<1.0%CH_4	掘进机电源
回风流中机电设备硐室的进风侧	≥0.5%CH_4	≥0.5%CH_4	<0.5%CH_4	机电设备硐室内全部非本质安全型电气设备
高瓦斯矿井进风的主要运输巷道内使用架线电机车时的装煤点和瓦斯涌出巷道的下风流处	≥0.5%CH_4			
在煤（岩）与瓦斯突出矿井和瓦斯喷出区域中，进风的主要运输巷道内使用的矿用防爆特殊型蓄电池电机车	≥0.5%CH_4	≥0.5%CH_4	<0.5%CH_4	机车电源
在煤（岩）与瓦斯突出矿井和瓦斯喷出区域中，主要回风巷内使用的矿用防爆特殊型蓄电池电机车	≥0.5%CH_4	≥0.7%CH_4	<0.7%CH_4	机车电源
兼做回风井的装有带式输送机的井筒	≥0.5%CH_4	≥0.7%CH_4	<0.7%CH_4	井筒内全部非本质安全型电气设备
瓦斯抽放泵站室内	≥0.5%CH_4			
利用瓦斯时的瓦斯抽放泵站输出管路中	≤30%CH_4			
不利用瓦斯、采用干式抽放瓦斯设备的瓦斯抽放泵站输出管路中	≤25%CH_4			
井下临时抽放瓦斯泵站下风侧栅栏外	≥1.0%CH_4	≥1.0%CH_4	<1.0%CH_4	抽放瓦斯泵

2.甲烷传感器要垂直悬挂于巷道上方，距顶梁≤300mm，距巷道壁≥200mm，顶板坚固、无淋水、维护方便的地点。

3.安全监控设备的供电电源必须取自被控开关的电源侧，严禁接在被控开关的负荷侧。

4.设备的开、停传感器安装在局部通风机开关负荷侧。

5.风筒传感器安装在风筒末端约40米处。

6.风电闭锁的实现，详见电磁启动器的联锁控制。

7.装置外形应无砸伤，观察窗、指示灯应无损坏，其联锁开关应处于闭锁状态。

8.设备之间必须使用专用阻燃电缆或光缆连接，严禁与调度电话电缆或动力电缆等共用。

9.检查接线完成后，经检查接线正确无误，方可通电调整使用。

技能二　风电闭锁、瓦斯电闭锁的调试、维护

1.每天必须检查“两闭锁”装置及电缆是否正常，设备发生故障时，必须及时处理，在故障期间必须有相应安全措施。

2.甲烷传感器、便携式甲烷检测报警仪等采用载体催化元件的甲烷检测设备，必须每7天调校1次。每7天必须对甲烷超限断电功能进行测试。

3.风电闭锁、瓦斯电闭锁装置的安装地点发生改变时，要对其重新进行调试、检查。

复习题

1.简述“三无”“四有”“两齐”“三全”“三坚持”的内容。

2.原煤炭部在“严禁违章指挥,违章作业”中规定的井下供电必须做到“十不准”的内容有哪些?

3.什么是触电?触电有哪些危害?

4.预防触电的措施有哪些?触电急救的方法有哪些?各在何种情况下采用?

5.井下人体电阻、我国规定的极限安全电流值、安全接触电压各是多少?

6.电气火灾产生的原因是什么?

7.电气火灾有哪些危害?如何预防矿井电气火灾的发生?

8.简述“三专两闭锁”的内容、作用及适用范围。

9.对风电闭锁、瓦斯电闭锁安装有哪些要求?

10.为了防止停风和瓦斯超限时发生瓦斯爆炸事故,“两闭锁”应满足哪些要求?

11.工作票制度的具体内容是什么?工作票由谁签发?工作负责人、操作人员和工作许可人的安全责任是什么?

讨论题

1.煤矿对供电的基本要求有哪些?如何保证这些要求?

2.煤矿电力负荷如何进行分类?煤矿企业哪些用户为一类负荷,应如何保证一类负荷供电的可靠性?

3.扑灭电气火灾有哪些方法,各适用于哪种场合?扑灭电气火灾时应注意什么问题?

4.为了保证煤矿电气设备安全运行,保证煤矿安全用电、供电,煤矿企业制定的安全作业制度有哪些?

第二章 煤矿供电系统

第一部分 系统理论知识

第一节 煤矿供电系统

一、煤矿电能来源

《煤矿安全规程》规定:矿井应有两回路电源线路。当任一回路发生故障停止供电时,另一回路应能担负矿井的全部负荷。两回路电源线路上都不得分接任何负荷。煤矿电能一般取自电力网中两个不同区域的变电所或发电厂,确有困难则分别取自同一区域变电所或发电厂的不同母线段上。

煤矿用电来自电力系统的区域变电站或发电厂,输出电压一般为110kV,送到煤矿变电所的电压是10~35kV。为保证煤矿供电的可靠性,煤矿地面变电所有两个独立的电源。距供电电源较近时,用平行双回路方式供电;距供电电源较远时,一般由电源送一回路,另外在相邻矿区地面变电所之间设一回路联络线,保证每个煤矿地面变电所有两个独立电源。

图2-1为一典型的煤矿电能来源系统图。从图中我们可以看出,煤矿电能取自电力网中两个不同区域的变电所或发电厂的供电,煤矿电能来源系统中各发电厂之间的供电线路相互联系,具有供电可靠、经济的特点。

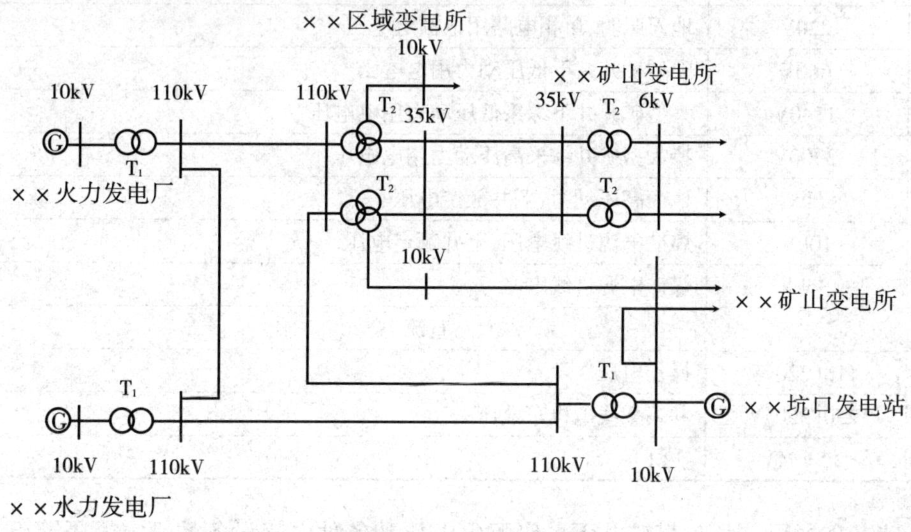

图2-1 典型的煤矿电能来源系统图

G——发电机;T_1——升压变压器;T_2——降压变压器

(一)发电厂

发电厂就是把机械能、化学能、太阳能、核能、引力能等转换成电能的场所。根据一次能源的不同,发电厂通常有水力发电厂(机械能→电能)、火力发电厂(化学能→内能→电能)、风力发电厂(太阳能→机械能→电能)、核能发电厂。发电厂通常建在能源比较丰富的地方。

发电厂转换成的电能电压较低,而煤矿企业又远离发电厂,为了减少电能损耗、提高供电质量,这时就需要利用发电厂的升压变压器将电压升高到110kV、35kV或10kV再输送给各煤矿企业用电。

(二)变电所

变电所就是接收、转换(主要是改变电压)、分配电能的场所。变电所又分为输电变电所、配电变电所和变流所。在变电所内只有受电、配电设备而无变电设备(变压器)的叫配电所;在变电所内尽管有变压器,但只是将交流转换成直流的叫变流所。

二、煤矿电压等级

(一)煤矿电压等级

为了协调设计、制造、使用部门,为了批量生产和统一供电,我国规定了统一的额定电压。根据煤矿生产的特殊性,煤矿井下电网与地面三相四线制电网不同,《煤矿安全规程》规定了煤矿常用的电压等级及用途。(表2-1)

表2-1　　煤矿常用的电压等级及用途

序号	电压等级	用途
		交流电
1	36 V	远距离控制回路的额定电压
2	127V	井下照明、信号、电话和煤电钻用额定电压
3	220V	地面照明、单相电路用电额定电压
4	660V	中型矿井井下低压动力用电电压
5	1140V	大型矿井井下综采低压动力用电电压
6	3300V	特大型矿井综采高压动力用电电压
7	6kV	地面高压动力、下井额定电压
8	10kV	煤矿电源进线电压、下井额定电压
9	35kV	煤矿电源进线电压
		直流电
1	110(220)V	操作电压
2	250(550)V	井下架线电机车电压
3	2.5V 4V	矿灯

《煤矿安全规程》规定,煤矿井下各级配电电压和各种电气设备的额定电压等级,应符合下列要求:①高压,不超过10000V;②低压,不超过1140V;③照明、信号、电话和手持式电气设备的供电电压,不超过127V;④远距离控制线路的额定电压,不超过36V;⑤采区电气设

备使用3300V供电时，必须制定专门的安全措施。

（二）煤矿供电线路电压等级的选择原则

煤矿供电线路电压等级的选择，主要取决于输送功率的大小和输送距离的远近。因为输送功率越大、线路中的电流越大、输送距离越远，线路上的电能损耗越大，所以，输送功率越大、输送距离越远，所选的电压等级越高。反之，输送功率越小、输送距离越近，所选的电压等级越低。

在输送功率一定的条件下，提高供电的电压等级，可以减少电能损耗，从而提高供电的可靠性及经济性。这也是目前煤矿下井电压常采用10kV高压下井的原因之一。

（三）煤矿10kV与6kV高压下井的比较

2010年版《煤矿安全规程》中规定，井下配电电压高压不应超过10kV。由于目前煤矿下井电压常采用10kV高压下井，因此很有必要分析一下煤矿10kV电压直接下井供电的意义。

1.简化了供电线路

煤矿电源可以直接取自电力系统的10kV电网，不需要地面设置10kV/6kV变压器，因而供电系统大为简化，且提高了供电可靠性，同时节约了大量投资和运行费用。

2.降低了电能损耗

在输送功率、线路阻抗与负荷功率因数相等的条件下，10kV线路的电能损耗低于6kV线路的电能损耗。

3.提高了输电能力

在线路阻抗与负荷功率因数相等的条件下，10kV线路的输电能力高于6kV线路的输电能力。

4.减少了下井电缆的截面积大小

因为功率的大小等于电压、电流和功率因数的乘积，所以在功率因数一定的条件下，输电线路电压等级越高，流过线路的电流就越小，而选择电缆截面积大小就要依照流过电缆的电流来确定，因此10kV高压下井所需电缆截面积要小于6kV高压下井所需电缆截面积。

5.提高了供电质量

频率和电压是衡量电能质量的两个基本指标，虽然它们主要是由电网来调整，但对用户来说，供电质量主要是指供电末端的电压质量，即线路电压损失百分值要小，由于10kV线路的电能损耗低于6kV线路的电能损耗，这一点在前面已经说过，所以提高了供电质量。

综上所述，我们可以看出10kV高压下井系统在可靠性、经济性、电能损耗、电压质量与电力部门的电网并网等方面均优于6kV系统。

三、煤矿供电系统

煤矿供电系统一般由各电压等级的相互供配电用的各类电缆、地面变电所、中央变电所、采区变电所、移动变电所、工作面配电点等组成。

目前，煤矿采用的供电系统有深井供电系统和浅井供电系统两种。

煤矿供电系统到底选用深井供电系统还是浅井供电系统，决定于井田范围、煤层倾角、煤炭埋藏深度、矿井负荷、矿井产量、开采方法、矿井涌水量大小及机械化程度。

(一)深井供电系统(图 2-2)

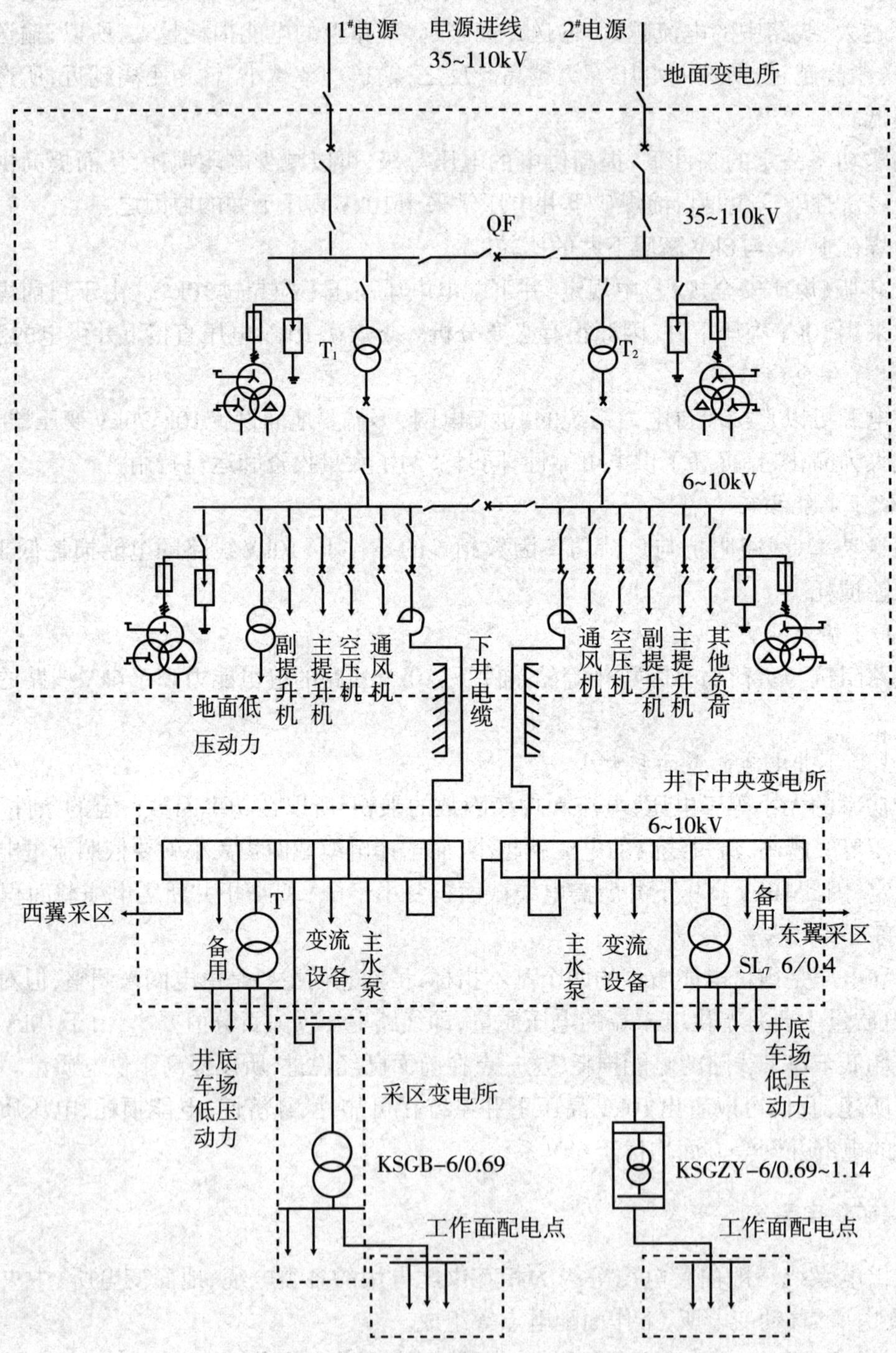

图2-2　煤矿典型的深井供电系统

1.适用范围

当煤层埋藏较深(大于150米)、机械化程度高、井下用电负荷较大时,一般采用深井供电系统。

2.特征

由图2-2煤矿深井供电系统,我们可以看出深井供电系统的特征是由地面变电所、井下中央变电所和采区变电所构成三级高压供电。

地面变电所由来自电力系统的10kV(35kV)双回路电源架空线路引入煤矿地面变电所。这两回路电源线路经过两台主变压器降为6~10kV,一部分供给地面高压设备,如:矿井提升机、通风机、空气压缩机用电,地面一类及二类用电设备均由两段母线供电。另一部分双回路沿井筒下井,进入井下中央变电所,供井下各类负荷用电。地面低压动力及照明的用电由地面变电所内的低压变压器供给。

双回路电源架空线路引入煤矿地面变电所及双回路沿井筒下井,进入井下中央变电所,保证了供电的可靠。

井下中央变电所电能来源于地面变电所沿井筒下井的双回路线路,主结线采用单母线分段,保证供电不间断,如将主水泵的供电分别接在两段母线上,井下车场低压用电由设在中央变电所的降压变压器供电。另外,用高压电缆将10(6)kV高压电能送至采区变电所及移动变电站,向采区用电设备供电。井底车场的低压动力的用电由井下中央变电所的低压变压器将电压变为660V(380V)供给。井底车场及附近巷道和硐室照明由照明综合保护装置,将电压变为127V供给。

井下采区变电所由中央变电所高压母线上引出的电缆进行供电。采区变电所内的降压变压器将高压转变为低压,然后利用低压电缆将低压电送至工作面配电点,再分别被送至各采掘工作面。

移动变电站接受由井下采区变电所配出的高压电能,然后将高压电转变为低压电送至各采掘工作面,移动变电站随着采掘工作面的推进而推进。

3.深井供电的意义

(1)各变电所的配电柜和各采区的配电装置可以集中管理,方便维护和日常检修。

(2)对于井下各配电点的检修及对各保护进行试验时方便停、送电,保证了安全。

(3)三级高压供电因生产需要增加负荷时,便于井下新增采掘工作面的配电。

(4)各变电所中可以集中地查看各供电区域的用电情况及故障发生的范围。

(二)浅井供电系统

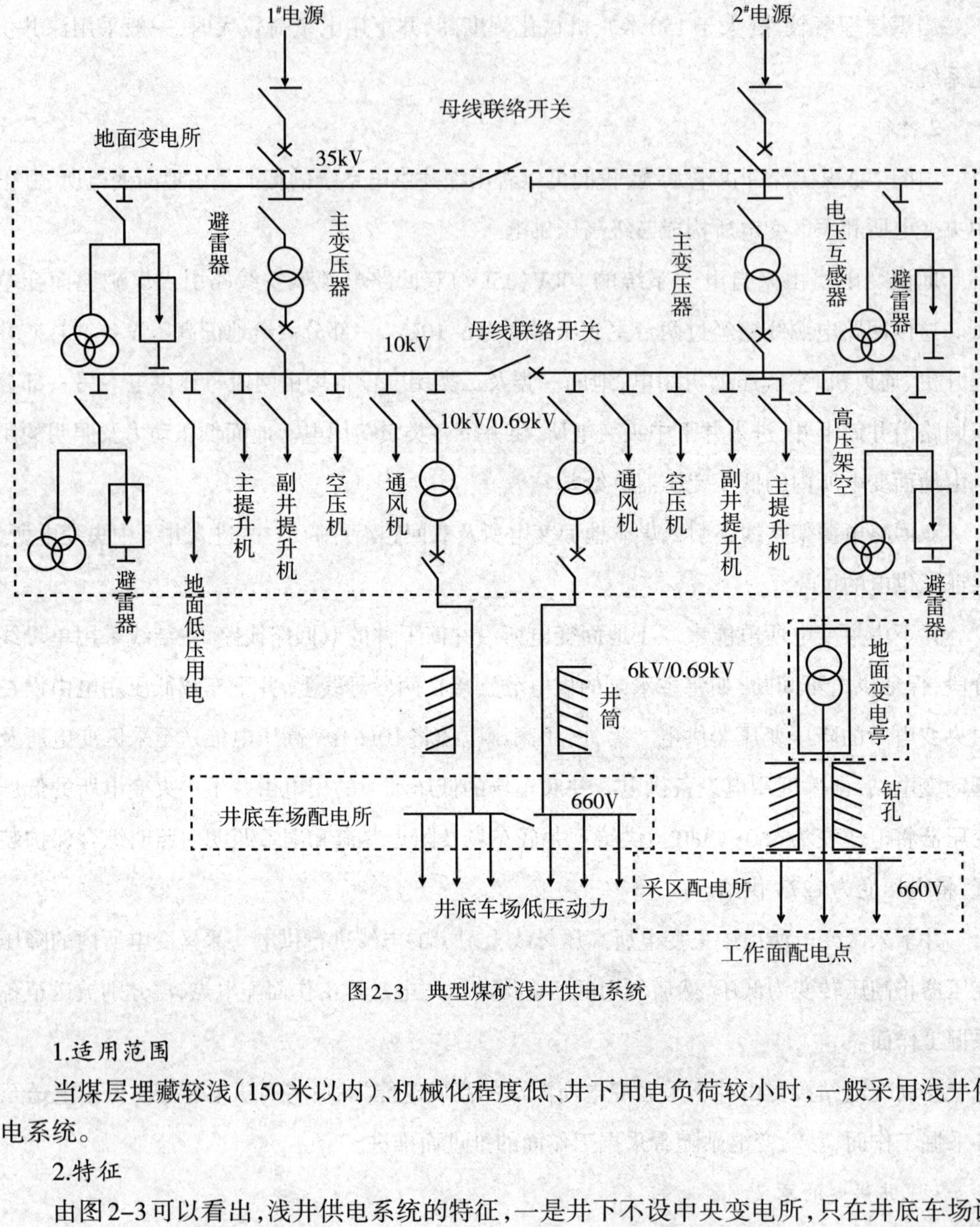

图2-3 典型煤矿浅井供电系统

1.适用范围

当煤层埋藏较浅(150米以内)、机械化程度低、井下用电负荷较小时,一般采用浅井供电系统。

2.特征

由图2-3可以看出,浅井供电系统的特征,一是井下不设中央变电所,只在井底车场设配电所,二是由地面变电所、井底车场配电所和采区配电所构成两级供电。

3.浅井供电系统的方式

浅井供电系统主要有三种方式,图2-3是浅井供电系统图,煤矿可以根据其具体情况,经过分析比较来确定最合理的供电系统。

第一种方式:地面设有地面变电所,井下不设中央变电所,只在井底车场附近设低压配电所。将地面变电所的高压电能通过降压变压器转变为低压后，用低压电缆沿井筒将它送到井底车场附近设的低压配电所，然后供给井底车场及其附近巷道中的各低压设备用电。对采区供电可以采用在地面设置与采区位置相对应的低压变电亭，将矿井地面变电所的高压电能用高压电缆送到该变电亭，由该变电亭内的降压变压器将高压转变为低压，然后用低压电缆经钻孔将其送到该采区的低压配电所，再配送给各采掘工作面低压配电点。当然，为了防止钻孔塌落，钻孔内敷设电缆时应该加装套管。

适用：这种供电方式主要用于井下涌水量小，不需要设高压水泵，同时煤矿井下采区用电负荷小的煤矿企业。

特点：这种供电方式节省了昂贵的高压用电设备及高压电缆，减少了变电所的构筑费用，也减少了煤矿井下发生高压触电的危险，更经济、安全。但敷设电缆时需要加装套管而且套管不能回收。

第二种方式：当煤矿井下涌水量较大，需要用高压水泵排出矿井水，但采区用电负荷不大，而且采区又远离井底车场时，可采用这种方式供电。

这种方式是：地面设有地面变电所，井底车场附近也设中央变电所，但对采区供电采用在地面设置与采区位置相对应的低压变电亭，将矿井地面变电所的高压电能用高压电缆送到该变电亭，由该变电亭内的降压变压器将高压转变为低压，然后用低压电缆经钻孔将其送到该采区的低压配电所，再配送给各采掘工作面低压配电点。

第三种方式：当采区负荷较大，有高压用电设备时，可以采用在地面设置与采区位置相对应的高压变电所，将矿井地面变电所的高压电能用高压电缆送到该变电所，然后用高压电缆经钻孔将其送到井下该采区配电所，再配送给各采掘工作面低压配电点。井底车场及其附近巷道中的用电，可视具体情况，在井底车场设配电所或中央变电所。

第二节　煤矿各级变电所

一、地面变电所

煤矿地面变电所是全矿供电的中心，担负着煤矿矿井的受电、变电、配电任务。煤矿地面变电所是一降压变电所，地面变电所包括室外主变压器、室内高低压开关柜及保护系统等。

(一)煤矿地面变电所的位置确定

1.煤矿地面变电所确定原则

(1)尽量靠近负荷中心和接近入井电缆井筒，以减少电缆消耗，降低电能损耗。

(2)进出线要方便。

(3)设在常年主导风向上风侧并避开污染源。

(4)地形和地质条件符合变电所位置要求。如，要考虑防洪防雷击，不应设在塌陷区等危险区和排废场。

(5)交通方便,有一定的扩容空间。

2.煤矿地面变电所的布置

一般10kV及以下电压等级的配电装置采用户内成套配电装置,35kV及以上电压的采用户外架构式配电装置。

要满足运行时电气设备和人员的安全以及检修维护和搬运的方便,对室内外的配电装置的各个部件,规定了最小的电气绝缘间距。

(二)地面变电所主结线

变电所的主结线是指由各种电气设备如变压器、断路器、隔离开关、互感器、避雷器等所连接成的受电、变电和配电的电路系统。

地面变电所主结线的形式与变电所设备的选择、布置、运行的可靠性和经济性以及继电保护的配置都有密切的关系,它是变电所设计的重要环节。在拟定变电所主结线方案时,应满足可靠、简单、安全、运行灵活、经济合理、操作维护方便和适应发展等基本要求。变电所主结线图常用单线表示。

变电所的主结线分三部分:一次结线、二次母线结线和配出线的结线。

1.地面变电所一次结线

变电所一次结线是指受电线路与主变压器之间的结线。

(1)线路—变压器组结线(图2-4)。

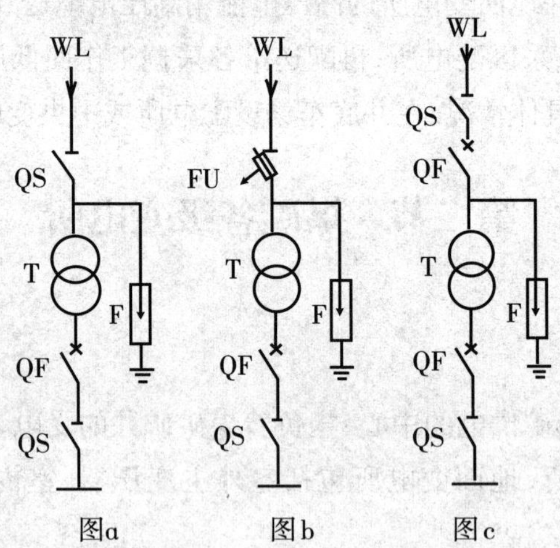

图2-4　线路—变压器组结线

a进线开关为隔离开关;b进线开关为熔断器;c进线开关为断路器、隔离开关

有三种形式:

①用隔离开关作为进线开关。适用线路短,变压器容量小的情况。

②用熔断器作为进线开关。适用线路长,容量小的情况。如:农村、小型企业。

③用隔离开关、断路器作为进线开关。适用线路长，容量大的情况。如：大、中型煤矿企业。

(2)桥式结线(图2–5)。

桥式结线有两个电源，两台变压器，可靠性高。

①全桥结线图2–5a。

特点：全桥结线适应性强，运行灵活，操作方便，并易于单母线分段。但是所需设备多，前期投资大，而且变电所占地面积大。

适用对象：适用于进程距离长、线路故障可能性大、切换多的场所。

②内桥结线图2–5b。

特点：内桥结线线路的置换操作方便，所需设备、前期投资及变电所占地面积均小于全桥结线。缺点是操作不如外桥结线方便，不易于过渡到全桥结线。

适用对象：适用于进线距离长、线路故障的可能性大、变压器切换少的场所。

③外桥结线图2–5c。

特点：外桥结线比内桥结线隔离开关少、变压器切换方便、保护简单，易于过渡到全桥结线，而且投资少、占地面积也小。缺点是线路的置换不方便。

适用对象：适用于进线短，而且倒换次数少的变电所。

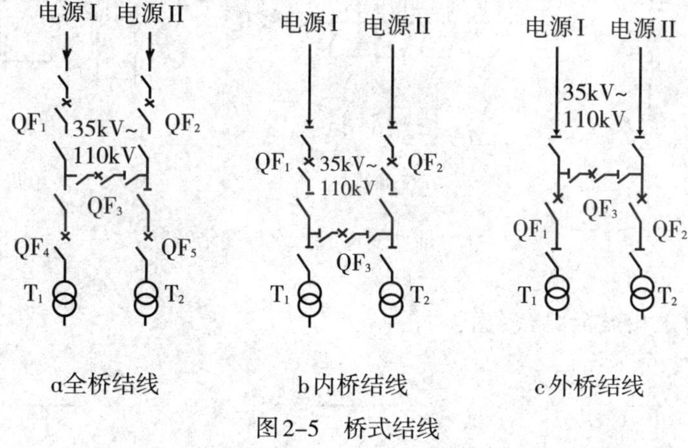

a全桥结线　　b内桥结线　　c外桥结线

图2–5　桥式结线

2.地面变电所二次母线结线(图2–6)

变电所二次母线指变压器低压侧(出线侧)所连接的母线，母线的作用是汇集、分配和传送电能。变电所二次母线分为单母线(图2–6a)、双母线(图2–6b)、单母线分段(图2–6c)三种形式。

(1)单母线结线(图2–6a)。

单母线结线通常是电源和出线回路都经断路器和隔离开关汇集在一起的接线方式。单母线结线简单，设备较少，操作方便且占地少，但是母线一旦发生故障就要全部停电，所以可靠性差，只适用于容量小、对供电要求不高的负荷。

(2)双母线结线(图2–6b)。

双母线指任何进、出线可以分别汇流到两个母线上，这种结线方式通常是将母联断路器合上使双母线并列运行，这样当一组母线发生短路故障时，只需要将连接在该组母线上各元件的断路器和母联断路器跳开，而另一段母线仍继续工作。所以可靠性高，运行灵活，但设备多、投资大、线路复杂、操作安全性差，主要用于大容量的区域变电所。

(3)单母线分段式结线(图2-6c)。

单母线分段结线方式就是双电源线路分别接在两段母线上，通过母联开关联络。每一路出线只能接在其中一段母线上。当一段母线有故障时，该段的出线停电，但非故障母线保持正常供电。对于煤矿一类负荷，可以从不同的分段上取得电源，保证双回路供电。

单母线分段结线可以减少母线故障的影响范围，提高供电的可靠性，保证供电的连续性。一般煤矿变电所多采用这种结线。

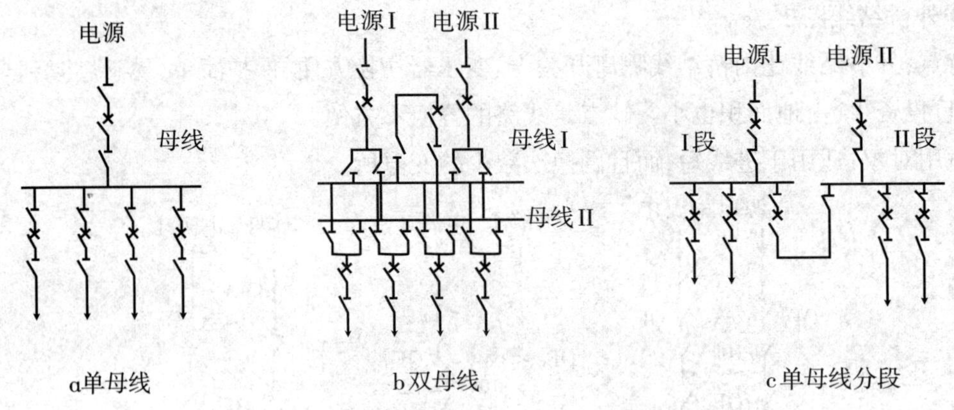

图2-6　地面变电所二次母线结线

3.地面变电所配出线的结线(图2-7)

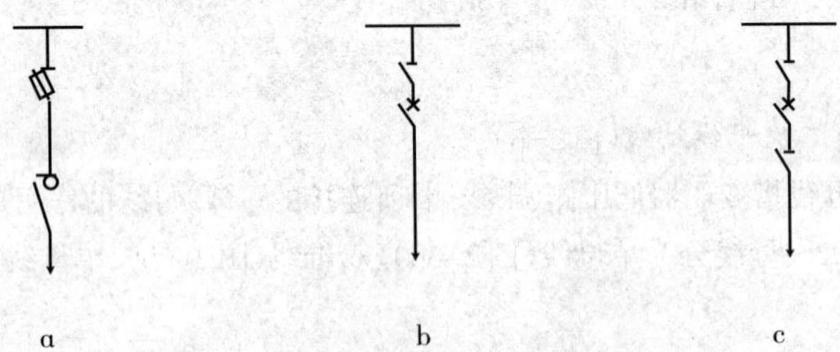

图2-7　地面变电所配出线的结线

图2-7a 负荷开关+熔断器，适用于容量小，不重要的用户；

图2-7b 隔离开关+断路器，适用于容量大，比较重要的用户，单回路；

图2-7c 隔离开关+断路器+隔离开关，适用于容量大的重要用户，双回路。

(三)矿井地面变电所结线实例(图2-8)

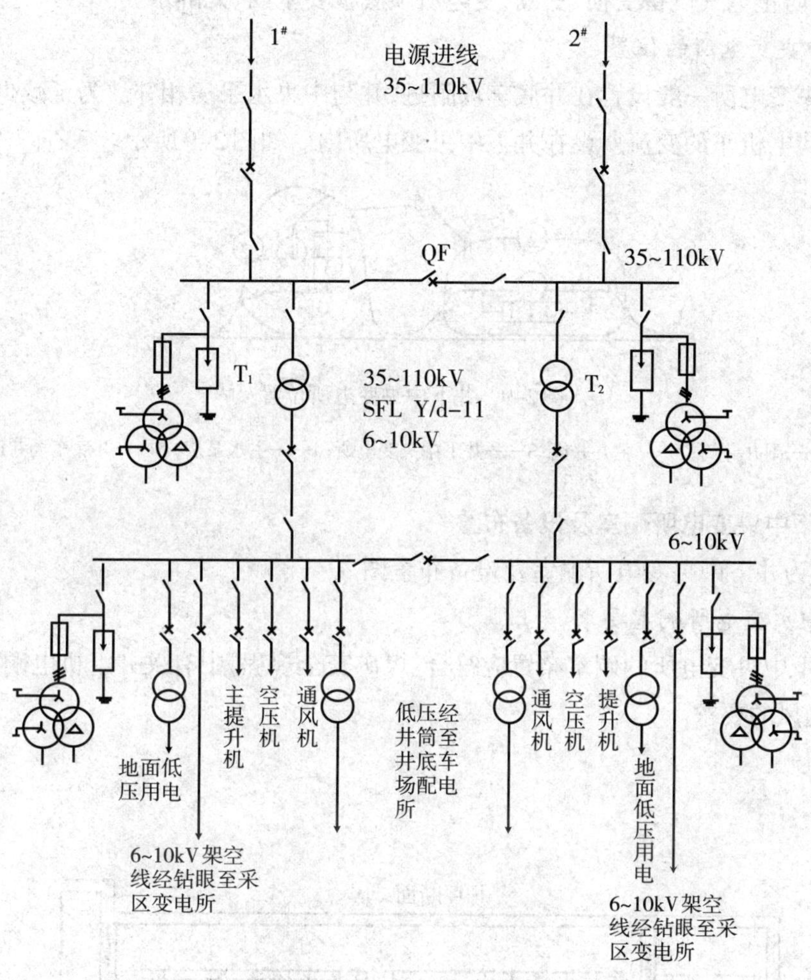

图2-8　矿井地面变电所结线

二、井下中央变电所

井下中央变电所是煤矿井下供电的中心,担负着整个煤矿井下的受电、变电、配电任务。井下中央变电所接受地面变电所送来的高压电能后,一部分供给煤矿井下采区变电所及主水泵等高压设备用电,一部分通过中央变电所内的矿用降压变压器降压后,供给井底车场附近的低压动力及照明用电。下面就分别介绍井下中央变电所的位置的确定、设备的布置及结线。

(一)井下中央变电所的位置

1.井下中央变电所位置选择原则

(1)为了节省电缆并减少电能损耗及电压损失,应尽量靠近负荷中心。

(2)电缆进出线易于敷设、设备运输要方便。

(3)通风要良好,以利于变电所内大量电气设备散热。

(4)为了防止电气设备受损、受潮,变电所顶底板要坚固、无淋水。

2.井下中央变电所的位置

井下中央变电所一般设置在井底车场附近,并与中央水泵房相邻。为了减少开拓量,有时也将架线式电机车的变流所设在井下中央变电所内。如图2-9所示。

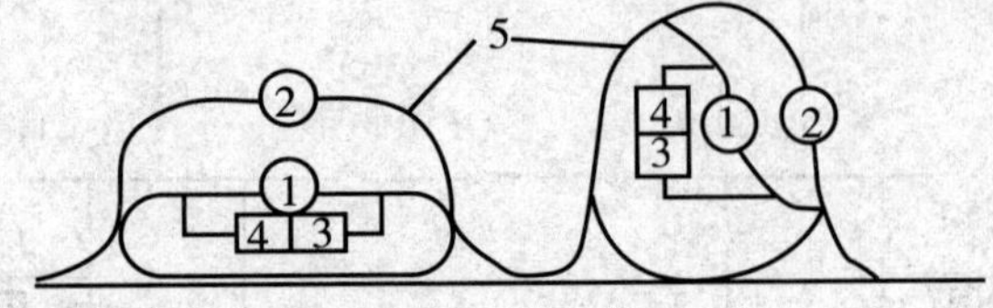

图2-9 井下中央变电所位置

1——副井井筒;2——主井井筒;3——井下中央变电所;4——主水泵房;5——井底车场巷道

(二)井下中央变电所硐室及设备布置

图2-10为井下中央变电所硐室及设备布置图。

1.井下中央变电所硐室要求

煤矿井下中央变电所的硐室布置应符合《煤矿安全规程》中有关井下机电硐室应满足防火、防水和通风的要求。

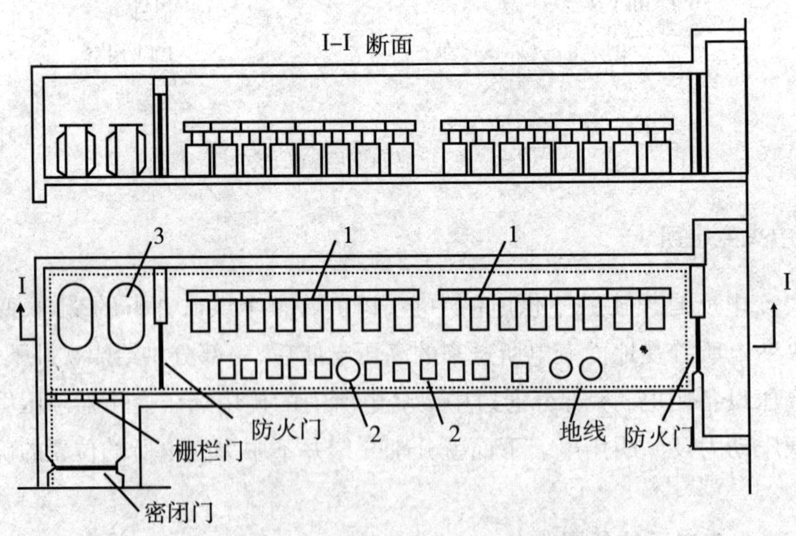

图2-10 井下中央变电所硐室及设备布置图

1——高压配电装置;2——低压自动馈电开关;3——矿用变压器

(1)防火要求:

①硐室应采用砌碹或其他不燃性材料构筑。

②硐室必须装设向外开的防火铁门,铁门敞开时不得妨碍巷道运输,铁门上应装有便于关严的通风孔,以便于防火、灭火时隔绝通风。

③门内可加设向外开的铁栅栏门,但不得妨碍铁门的开闭,这样既能保证通风,又能防止闲杂人员进入中央变电所。

④从硐室出口的防火铁门起5m内的巷道,应砌碹或用其他不燃性材料支护。

⑤硐室内温度不应超过35℃。

⑥硐室内应有足够数量的扑灭电气火灾的灭火器材。如:灭火器和沙箱。

(2)防水要求:

①井下中央变电所和主排水泵房的地面标高,应比其出口与井底车场或大巷连接处的底板高出0.5m,以防止井底车场或大巷向井下中央变电所和主排水泵房倒灌水。

②硐室内不应有滴水现象。

(3)通风要求:

硐室长度超过6m时,应在两端各设一出口,既便于通风又要保证硐室内的温度不超过附近巷道温度5℃。这两个出口一个与井底车场大巷相通,另一个与水泵房相连,彼此间应有装栅栏、防火两用门的隔墙。

2.井下中央变电所设备布置

井下中央变电所内设备间的电气连接,除在开关柜内可以采用硬母线外,均需要采用电缆,高压电缆一般敷设在电缆沟中,低压电缆悬挂在墙上。

(1)井下中央变电所设备布置应满足“两分开”“三留有”的要求。

井下中央变电所内的电气设备有:矿用高压配电箱、矿用低压变压器、矿用低压自动馈电开关、各配电装置及照明综合保护装置等,在布置时应满足“两分开”“三留有”的要求。

“两分开”指的是硐室内分成变压器室、配电室两间,以防火门隔开布置;配电室的高低压设备应分开布置。

“三留有”指的是设备与墙之间留有0.5米以上的通道、设备与设备之间留有0.8米以上的通道;高压开关正面留有操作通道;高、低压配电设备应按最大数量的20%留有余量,且最少不少于两台。

(2)设备台数较多时,可用双列布置,当设备台数不太多时,可用单列布置。

(3)所有电气设备外壳必须有保护接地。接地母线距地0.3~0.5m,且沿硐室内壁敷设。由于井下主接地极距井下中央变电所很近,因此除检漏继电器的辅助接地极外,一般不需要再另设局部接地极。

(4)硐室内的设备,必须有编号,标明用途,并有停、送电标志。

(三)井下中央变电所的结线(图2-11)

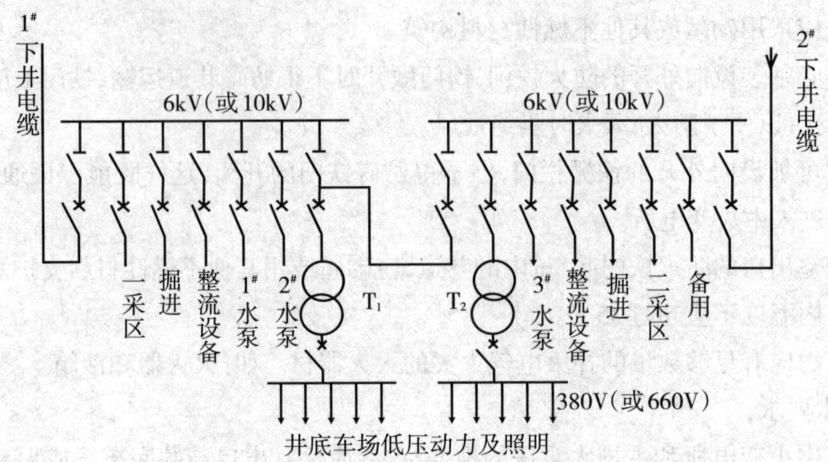

图2-11　井下中央变电所的结线

井下中央变电所的结线如图2-11所示。《煤矿安全规程》规定:对井下主变电所供电的线路不得少于两回路,当任一回路停止供电时,其余回路应能担负井下全部负荷的供电。

井下中央变电所的高压10kV母线采用单母线分段,母线的段数与下井电缆数相对应。两条下井电缆数分别与一段母线相连,这两条分段的母线之间装有联络开关,正常情况下,联络开关是断开的,采用分列运行的方式,由两条下井电缆分别向这两段母线供电。但其中一条电缆由于某种原因发生故障停止供电时,才将联络开关合上,由另一条电缆保证供电的连续。

三、井下采区变电所

井下采区变电所是采区供电的中心,其主要任务是接受中央变电所配出的高压电能、变压、配出低压电能。

采区变电所接受井下中央变电所送来的高压电能后,由矿用高压配电箱供给高压设备用电,或将高压电能直接送给移动变电站,由移动变电站转变为1140V的低压供综采工作面用电,也可以利用采区变电所的降压变压器将高压降为低压后,供采区低压用电设备使用。下面就分别介绍井下采区变电所位置的确定、设备的布置及结线。

(一)井下采区变电所的位置

采区变电所的位置由供电电压等级、供电距离、采煤方法及机械化程度、采区巷道的布置方式、采煤机组的容量大小等因素决定。采区变电所位置的选择合理与否,对整个采区的供电安全及供电质量有着直接的影响。

1.采区变电所位置的确定原则

(1)尽量位于采区负荷中心,以节省电缆并减少电能损耗、电压损失。要尽量减少硐室的搬迁。

(2)要保证向采区内最远距离、最大容量负荷的供电质量。

(3)便于敷设电缆进出线和电气设备的安装。

(4)变电所通风要良好,以利于变电所内大量电气设备散热。

(5)为了防止电气设备受损、受潮,变电所顶底板要坚固、无淋水。

2.采区变电所位置

一般采区变电所设置在采区中部的采区运输斜巷和轨道斜巷之间的联络巷内。

(二)采区变电所设备布置

采区变电所的设备布置,硐室应满足的防火、防水和通风的要求与井下中央变电所硐室基本相同。一般高压设备与低压设备分开,变电设备、配电设备也分开布置。硐室内不设电缆沟,高低压电缆均沿墙敷设,硐室门的两侧及顶端,预埋内径为电缆外径1.5倍的电缆套管,且离地面0.3～0.5m敷设。

不同的只是采区变电所地板不需要抬高0.5m,也不需要留备用设备的余量,如图2-12所示。

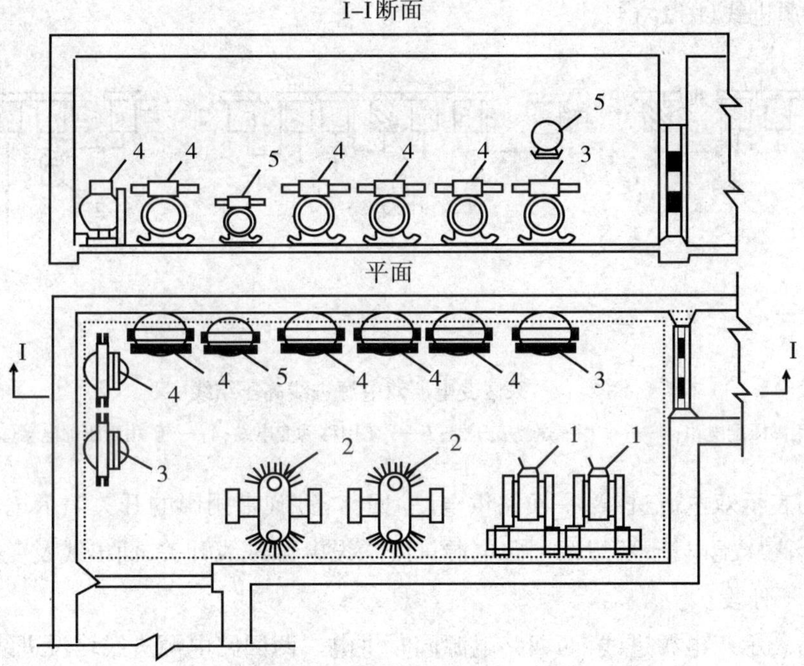

图2-12　采区变电所设备布置图

1——矿用隔爆高压配电箱;2——矿用隔爆型变压器;3——矿用隔爆自动馈电开关;
4——照明综合保护装置;5——检漏继电器

(三)采区变电所的主结线

采区变电所属于煤矿二类负荷,突然停止供电会造成较大的减产,可采用单回路专线供电,有些矿井为保证煤矿的原煤产量和掘进进尺,也采用两回路供电。这样采区变电所的高压结线,就有单电源进线和双电源进线两种 。

变电所中每台变压器必须设有一台高压配电箱进行控制和保护,有3台及3台以上高压配电箱就必须设高压进线开关。

1.采区变电所高压结线

(1)单电源进线(图2-13)。

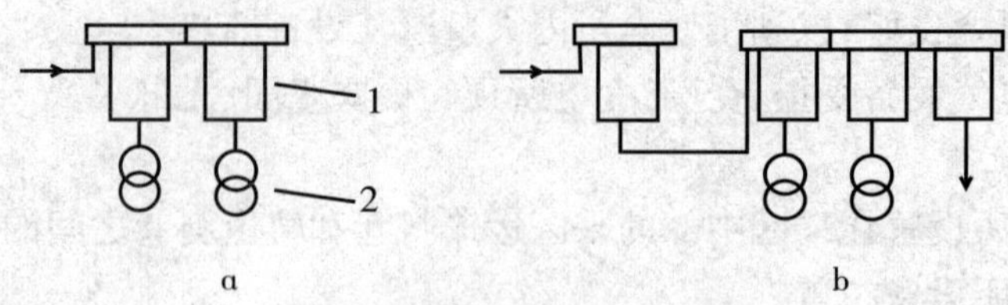

图2-13　采区变电所单电源进线高压结线

1——矿用高压配电箱；2——矿用隔爆型变压器

图2-13a无高压出线且变压器不超过两台，不设电源进线开关。

图2-13b有高压出线，一般设电源进线开关和高压出线开关 。

单电源进线适用于负荷小的工作面，如炮采工作面。

(2)双电源进线(图2-14)。

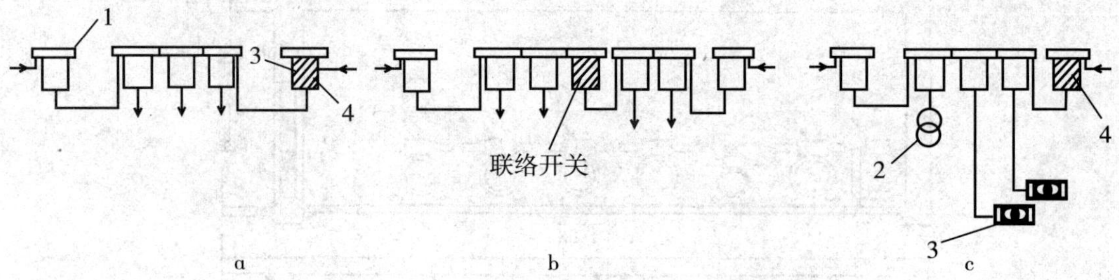

图2-14　采区变电所双电源进线高压结线

1——矿用高压配电箱；2——矿用隔爆型变压器；3——矿用移动变电站；4——矿用高压配电箱(未运行)

图2-14a表示双电源进线，一回路供电、一回路备用(带阴影的开关表示正常情况是断开的)，有3台高压配电箱，所以两回路电源进线均设电源进线开关，而出线及变压器台数较少，所以母线不分段。

图2-14b表示双电源进线，两回路电源同时供电。两回路电源进线均设进线开关，出线及变压器台数较多，所以母线分段且母线间设联络开关，正常情况下联络开关打开，保证电源在分列运行状态，当其中一回路电源发生故障停止供电时，合上母线联络开关，由另一回路电源提供对所有负荷的供电。

图2-14c表示双电源进线，一回路供电、一回路备用。有3台高压配电箱，所以两回路电源进线均设电源进线开关，而出线及变压器台数较少，所以母线不分段。向移动变电站供电的高压电缆一般由变电所内的高压配电开关直接配出。

双电源进线适用于负荷大的工作面，如综采工作面或下山开采有排水泵的采区变电所。

2.采区变电所供电系统及低压结线(图2-15)

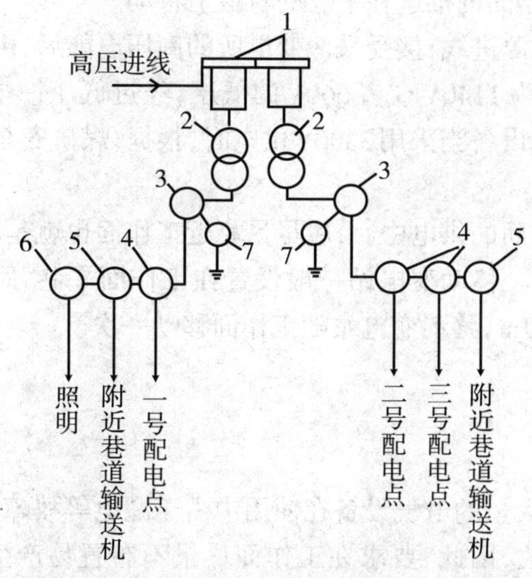

图2-15　采区变电所供电系统及低压结线

1——矿用高压配电箱;2——矿用隔爆型变压器;3——矿用隔爆型自动馈电开关(总开关);

4——矿用隔爆型自动馈电开关(分开关);5——矿用隔爆型磁力启动器;

6——照明综合保护装置;7——检漏继电器

由图2-15可以看出:采区变电所每台变压器的低压侧都装有一台自动馈电开关3作总开关用,并且配有漏电保护装置7起漏电保护作用,如果总开关内带有漏电保护时,可以不另外配漏电保护装置;每条低压配出线也都设有自动馈电开关4作为分路开关,此分路开关用来控制和保护低压配出线路,这样各变压器处于分列运行状态。照明所需要的127V电压由照明综合保护装置6提供。采区变电所所有设备均采用矿用防爆型。

四、移动变电站

随着机械化程度的提高、工作面推进速度的加快、采区使用的设备增多、采区用电容量增大,使用变电所供给的低压电能已经满足不了生产的需要,这时,就需要采用移动变电站(见图2-16)来供给采区用电。

图2-16　移动变电站

移动变电站是由特制的高压配电箱及矿用隔爆变压器及其低压配电装置组成的整体。将其放在平车上，随着工作面的推进在平巷的轨道上移动。

可采用单电源或双电源进线，接受采区变电所的高压电能后，由移动变电站的矿用隔爆变压器将10kV高压转变为1140V或者660V的低压，经过低压馈电开关供给工作面用电。高产高效的矿井采区电气设备当采用3300V供电时，根据《煤矿安全规程》规定，必须制定专门的安全措施。

移动变电站作为工作面的供电中心，应尽量靠近工作面也就是负荷中心，以节省电缆并减少电能损耗、电压损失。移动变电站一般设置在工作面平巷，距工作面50～300m的位置，工作面每推进100~200m，移动变电站随工作面移动一次。

五、工作面配电点

(一)工作面配电点

工作面有害气体多，大量的电气设备在使用中由于漏电等故障所产生的电弧、电火花极可能引起火灾或爆炸事故，因此，要求在工作面尽量不布置易产生电弧、电火花的电气设备。而为了便于操作工作面的电气设备，通常将线路自动馈电开关、电磁启动器放置在工作面附近的巷道中，放置这些设备的地点就叫作工作面配电点。

(二)工作面配电点的任务

工作面配电点分为回采工作面配电点和掘进工作面配电点。配电点的任务是将采区变电所或移动变电站送来的1140V或660V电能分配给回采或掘进工作面的低压用电设备 。

(三)工作面配电点的设置

工作面配电点接受由采区变电所或移动变电站送来的1140V或660V低压电能，通过低压馈电开关、磁力启动器，用矿用阻燃性橡套电缆向回采或掘进工作面的设备供电。并利用煤电钻、照明、信号综合保护装置，将1140V或660V低压电能降为127V后向煤电钻、照明和通信设备供电。

1.工作面配电点的位置

由于经常需要随工作面移动而移动，一般工作面配电点不设专用硐室。回采工作面配电点常设在邻近一侧的平巷内，距工作面50～100m。掘进工作面配电点设在掘进巷一侧的壁洞里，距掘进工作面80～100m。

采掘工作面配电点的位置和空间必须能满足设备检修和巷道运输、矿车通过及其他设备安装的要求，并用不燃性材料支护。

2.配电点控制设备的设置

工作面配电点直接控制工作面上的各种电气设备，用直接接在该配电点的专用磁力启动器控制。

由于工作面配电点距采区变电所较远，且采掘工作面工作条件差，电气设备负荷大、启动频繁、维护量大，要随工作面经常移动，为便于断电检修、维护，一般应在每个配电点设置一台电源进线自动馈电开关作工作面配电点的总开关。该开关与配电点的其他磁力启动器设在一起。

第二部分　专业核心知识点

本章专业核心知识点主要包括以下内容：

1.深井供电系统的特征及典型深井供电系统。
2.井下中央变电所、采区变电所、移动变电站和工作面配电点的设置地点。
3.井下中央变电所、采区变电所、移动变电站和工作面配电点的结线。

复习题

1.煤矿企业地面变电所的一次结线、二次结线、配出线采用不同结线，各有哪些特点？适用于哪些情形？

2.煤矿地面变电所的位置确定原则。

3.井下中央变电所的位置一般定在何处？对其硐室有哪些要求？硐室内的设备如何布置？

4.采区变电所的位置一般设在何处？其硐室要求及硐室内的设备布置与井下中央变电所有哪些不同？

5.采区移动变电站的使用有什么优点？移动变电站设在什么地点？

讨论题

1.深井供电系统和浅井供电系统的特征各是什么？各适用于什么条件？

2.浅井供电系统中当采区负荷较大、有高压用电设备，并且矿井涌水量较大，需要高压水泵排水时应如何供电？

3.工作面配电点的位置如何确定？对配电点的设备布置有何要求？

第三章　煤矿供电三大保护

第一部分　系统理论知识

第一节　保护接地

一、煤矿井下设置保护接地的必要性

保护接地是煤矿井下的三大保护之一。电气设备的金属外壳及构架在正常情况下是不带电的。但是在煤矿井下由于生产场所比较狭窄，电气设备随着工作面的推进又经常移动，而且巷道顶底板出水、淋水现象时有发生，导致井下空气比较潮湿，电气设备及电缆等设施受机械性的挤压、砸、刮等损伤的机会较多，以及部分设备长期超负荷运行，导致电机电缆开关等绝缘损坏，加之电工接线失误，常导致电气设备出现漏电的电弧、电火花，这时，人体一旦与电气设备的金属外壳及构架接触，就会有电流流过人体，发生人身触电事故。因此，为了预防这一事故，在煤矿井下设置保护接地是非常必要的。

二、保护接地的概念

用一根导线将正常不带电的电气设备的金属外壳或构架与埋在地下的接地极连接起来，以保证人身安全、防止人身触电事故的保护就叫保护接地(图3–1)。

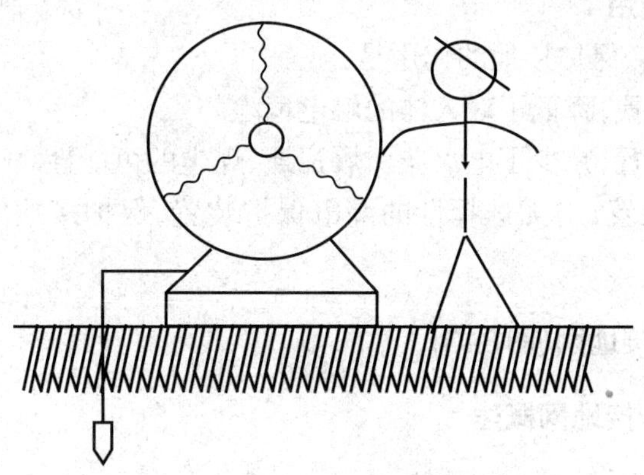

图3–1　保护接地

三、保护接地的原理及作用

(一)保护接地的原理(图3–2)

保护接地预防人体触电的原理就是接地电阻值远远小于人体电阻值。

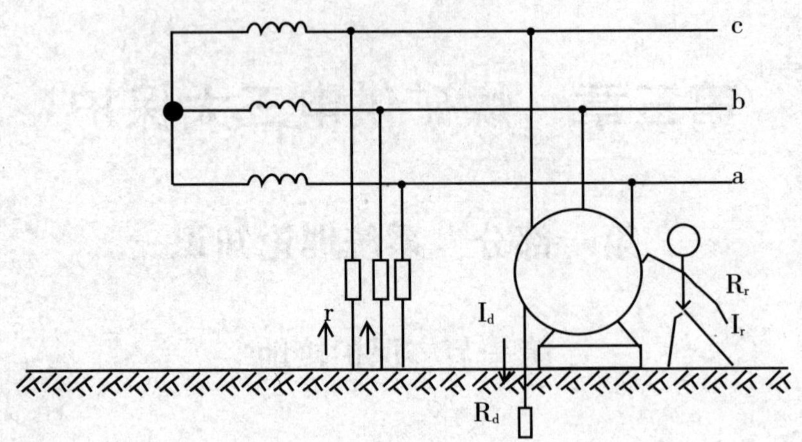

图3-2　保护接地的原理

由图3-2可以看出,电气设备设置了保护接地后,一旦电气设备外壳带电,此时,接地装置与人体就构成了并联电路,外壳流入大地的电流有两条路径,一条是从接地极流入大地,另一条是经过人身流入大地,也就是说,保护接地极起到分流的作用。电阻是阻止电流流过的物体,电阻值越大,阻止电流流过的能力也越大;反之,电阻值越小,阻止电流流过的能力也越小。因此,保护接地装置这一侧的接地电阻Rd与人体电阻相比越小,绝大部分漏电电流将流过接地极这一侧,仅有少量的电流通过人体,就越安全。

由此可见,保护接地的关键就是将保护接地装置的接地电阻值降低到规定的范围内,就可以使流过人体的电流不超过我国规定的安全极限电流,达到减小触电危险的目的。

同时,有了保护接地以后,电气设备的金属外壳带电时,电流将大部分经过保护接地装置流入大地,仅有少量的电流经电气设备的外壳入地,减少了由于灼热的设备表面所引起的火灾,也使漏电电流所产生的电火花引起瓦斯、煤尘爆炸的可能性大大降低。

(二)保护接地的作用

由上我们可以看出,保护接地的作用是:

1.有了保护接地装置,降低了对人体的触电危险。

2.有了保护接地装置,减少了电火花引爆瓦斯、煤尘的可能性。

3.有了保护接地装置,对无选择性的漏电保护装置,保护接地使得单相接地故障易于查找。

四、煤矿井下保护接地网(图3-3)

(一)煤矿井下保护接地网概述

1.概念

根据《煤矿安全规程》的规定,用导线将电气设备的金属外壳与煤矿井下指定地点敷设的主接地极、局部接地极连接,然后用铠装电缆的金属铠装层或者橡套电缆的接地芯线将放置在煤矿井下各处的电气设备的金属外壳或构架连接起来,从而使埋在井下各处的接地极并联起来,所形成的系统叫井下保护接地系统,即保护接地网。

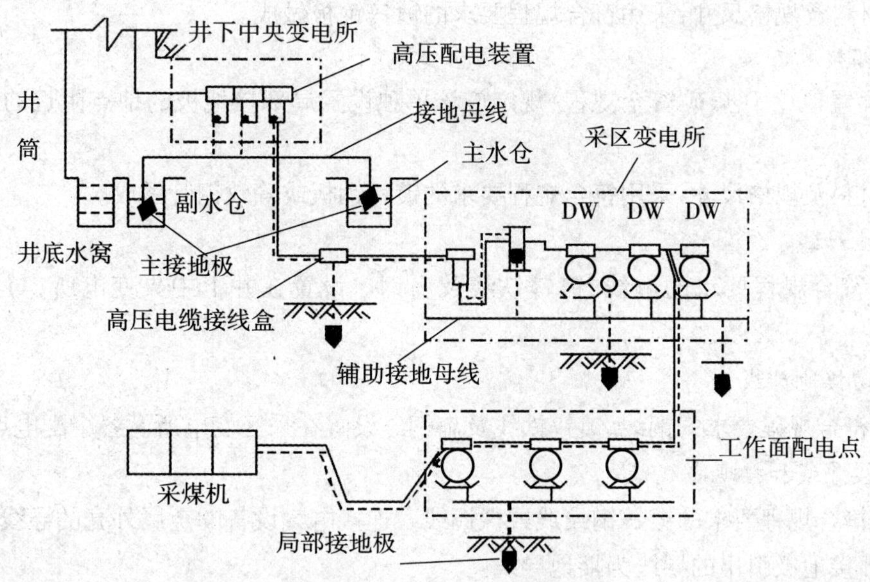

图3-3　煤矿井下保护接地网

2.煤矿井下设置保护接地网的益处

煤矿井下设置了保护接地网后,使埋在井下各处的接地极并联起来,降低了总的接地电阻,提高了保护接地的安全性;煤矿井下某处接地极失灵后,还可以靠其他接地极起保护作用,可以互为后备,提高了保护接地的可靠性。

3.《煤矿安全规程》对井下保护接地网的规定

(1)电压在36V以上和由于绝缘损坏可能带有危险电压的电气设备的金属外壳、构架,铠装电缆的钢带(或钢丝)、铅皮或屏蔽护套等必须有保护接地。

(2)所有电气设备的保护接地装置(包括电缆的铠装、铅皮、接地芯线)和局部接地装置,应与主接地极连接成1个总接地网。

(3)在钻孔中敷设的电缆不能与主接地极连接时,应单独形成一分区接地网,其接地电阻值不得超过2Ω。

(4)接地电阻一般不进行计算,但必须每季度至少测定一次,并满足下面要求:接地网上任一保护接地点的接地电阻值不得超过2Ω。每一移动式和手持式电气设备至局部接地极之间的保护接地用的电缆芯线和接地连接导线的电阻值,不得超过1Ω。

(5)新安装的电气设备,在投入运行之前,要对接地电阻进行一次测定。

(二)煤矿井下保护接地网

煤矿井下保护接地网的主接地极、局部接地极、接地母线、辅助接地母线、连接导线和接地导线均应该采用符合《煤矿安全规程》要求的材料及规格尺寸并在指定地点设置。

1.主接地极

(1)设置地点:井下中央水泵房主、副水仓中各设1块,以便于一块检查时,另一块可以起保护作用。在钻孔中敷设的电缆不能与主接地极连接时,应单独形成一分区接地网,其接地电阻值不得超过2Ω。

(2)材料及规格尺寸:采用符合规程要求的镀锌钢板做成。

2.局部接地极

(1)设置地点 :《煤矿安全规程》规定应该单独设置局部接地极的地点附近的水沟或就近潮湿处。

(2)材料及规格尺寸:采用符合规程要求的镀锌钢板或等效钢管做成。

3.接地母线

采用符合规程要求的铜线、镀锌铁线及扁钢。设置在井下中央变电所,与主接地极连接。

4.辅助接地母线

采用符合规程要求的铜线、镀锌铁线及扁钢。设置在采区变电所及各个配电点。

5.连接导线和接地导线

采用符合规程要求的镀锌钢绞线或裸铜线。连接电气设备的金属外壳的导线为连接导线,由局部接地极引出的导线为接地导线。

五、煤矿井下保护接地网的检查和测定

(一)煤矿井下保护接地网的检查

每年至少要对主接地极和局部接地极详细检查一次。

(二)煤矿井下接地电阻值的测定

井下总接地网的接地电阻的测定,要由专人负责,每季至少一次。

第二节　漏电保护

《煤矿安全规程》规定:井下低压馈电线上,必须装设检漏保护装置或有选择性的漏电保护装置,保证能自动切断漏电的馈电线路。每天必须对低压检漏 装置的运行情况进行一次跳闸试验。

一、漏电及漏电保护

(一)漏电及漏电的危害

1.漏电

电网与电气设备某处绝缘损坏或绝缘电阻显著下降的现象就叫漏电。漏电分集中性漏电和分散性漏电,集中性漏电是指电网或电气设备某处绝缘损坏的现象,分散性漏电是指整个电网由于长期发热、受潮、过载而使整条电缆整体绝缘水平下降的现象。

2.漏电的危害

在煤矿井下这种特殊工作场所,电气设备或电缆线路发生漏电不仅会使电气设备进一步损坏,形成短路事故,而且还增加了导致人身触电和漏电火花引爆瓦斯、煤尘的危险。其

主要危害有：

(1)人体和带电体接触，漏电电流通过人体流入大地，从而发生人身触电事故 。

(2)漏电所产生电火花可能引爆井下瓦斯和煤尘。

(3)漏电可能引起可燃性气体或可燃物着火或爆炸引发火灾。

(4)漏电电流可能先期引爆电雷管。

(5)漏电电流的长期存在，使绝缘进一步恶化，甚至引起相间短路。

(二)井下常见的漏电故障原因

1.产生漏电的原因

煤矿井下产生漏电的原因很多，归纳起来主要有：

一是电缆或电气设备本身的原因引起漏电。

(1)使用中的电缆，由于井下环境潮湿，且运行多年，其绝缘老化或潮气入侵，引起绝缘电阻下降发生漏电。还会因交流电过电压原因，使其绝缘水平较低处发生击穿，产生漏电。

(2)电气设备在使用中绝缘受潮、进水、老化造成漏电。

(3)电气设备内部元件因某种原因绝缘性能下降、内部接头脱落发生一相导线碰壳事故造成漏电。

二是因使用、维修、操作不当引起漏电。

(1)电气设备经常过负荷运行造成绝缘老化损坏而漏电。

(2)电气设备因通风不良，表面温度过高使绝缘老化受损而漏电。

(3)电气设备接线及检修后，未将线头清理干净，残留在设备壳内或将工具遗留在壳体内，改变了电气距离，送电后就会发生漏电。

(4)由于配电设备误操作(停、送操作错误，带电作业)，造成人身触及一相而漏电。

(5)电缆与设备连接时，由于接头不牢，运行或移动时造成接头脱落或接头松动，使电缆芯线与金属外壳相碰而漏电。

(6)电缆的悬挂、连接违反《煤矿安全规程》规定，也会造成漏电。

(7)当发生漏电切断电源后，为寻找漏电支路而分别强行送电造成重复漏电。

(8)由于管理不善，电缆被埋压或浸泡于水中，使绝缘下降而漏电。

(9)电缆接头工艺不满足要求，如出现鸡爪子、羊尾巴、明接头而发生漏电。

(10)井下作业人员在工作中将电缆意外割伤或碰伤，或使供电电缆受到拽、挤、压、扭造成漏电。

三是因意外事故引起漏电。

(1)井下电缆因顶板事故、矿车出轨、支柱倾倒等意外损伤而导致漏电。

(2)大气过电压沿下井电缆(通信、电力电缆等)侵入井下，击穿其绝缘而发生漏电。

2.预防措施

(1)针对上述原因从管理、使用、维护、检查等方面采取相应的措施。

(2)按照《煤矿安全规程》规定，在井下低压电网中设置漏电保护及保护接地。

二、漏电保护

(一)分析漏电保护的必要性(图3-4)

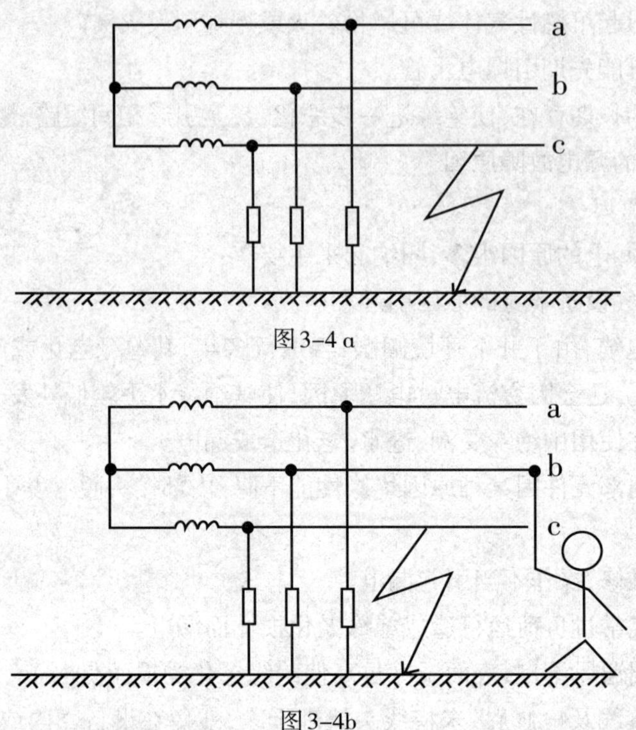

图3-4α

图3-4b

由图3-4α可以看出,在煤矿井下低压电网采用中心点不直接接地的供电系统中,如果发生单相接地故障,在短路点的入地电流很小,不足以引起火灾或瓦斯爆炸事故,但是如果没有漏电保护,这种故障可能会长期存在。此时,如人站在地上,又触及另一相带电体,人体则跨接于线电压下(图3-4b),因为线电压是每一相对地电压(相电压)的$\sqrt{3}$倍,所以这时通过人体的触电电流比变压器中性点直接接地系统还要大$\sqrt{3}$倍。因此,为了弥补此不足,在煤矿井下低压电网中必须要装设漏电保护装置。

(二)漏电保护及漏电保护的类型

1.漏电保护及漏电保护的作用

漏电保护就是监视井下电网或电气设备的绝缘状态,防止发生人身触电事故,防止漏电而引起井下火灾及瓦斯、煤尘爆炸事故。

漏电保护的作用是:

(1)当系统发生漏电时迅速切断电源。

(2)当人体接触带电体时迅速切断电源,防止发生人身触电事故。

(3)不间断地监视被保护电网或电气设备的绝缘状态。

(4)防止电气设备漏电及漏电故障扩大。

2.漏电保护的类型

煤矿井下常用的漏电保护的类型按其保护功能可分为无选择性的漏电保护、有选择性的漏电保护及漏电闭锁三种。

无选择性漏电保护装置就是附加直流电源的漏电保护装置,有选择性的漏电保护装置主要是零序电流的漏电保护装置。

目前,煤矿井下使用的漏电保护装置一种是具有独立隔爆外壳的设备,但必须与矿用隔爆型自动馈电开关配合使用;另一种是安装在各种开关中的具有漏电跳闸、漏电闭锁功能的电子插件、微电脑综合保护器。

三、漏电保护装置

(一)无选择性漏电保护装置

无选择性漏电保护装置即附加直流电源的漏电保护装置。即给对地绝缘电阻附加直流电源,通过监测其直流电流的变化,达到监测绝缘电阻的目的。当被监测电网一旦发生漏电,无选择性漏电保护装置都会使自动馈电开关跳闸,所以停电范围大,而且不易判断漏电线路。但是这种漏电保护装置由于结构简单、工作可靠,故仍在使用。

目前使用较多的漏电保护装置有JY82型、BJJ3型、BJJ4型等,下面主要介绍无选择性漏电保护装置JY82型。

1.JY82型检漏继电器结构

JY82型检漏继电器由隔爆外壳和里面的电路板两部分组成。外壳如图3-5所示,外壳前面有观察窗,用来观察kΩ表的读数,观察窗的下方有试验按钮。外壳左面有两个喇叭嘴,上喇叭嘴与矿用隔爆型自动馈电开关相连,下喇叭嘴里引出电缆线与辅助接地极相连,将试验电阻接入电网,供漏电保护试验使用。外壳的右面有隔离开关手把,隔离开关手把与防爆外壳之间设有机械闭锁,以实现只有切断电源才能解除闭锁,打开前盖,打开盖后就不能接通电源。

图3-5　JY82型检漏继电器外部结构

电路板上有隔离开关、三相电抗器、零序电抗器、直流继电器、桥式整流电路、kΩ表、照明灯、试验按钮及熔断器等元件。

2.漏电保护装置工作原理

正常情况下，电网的绝缘电阻值高于检漏继电器的动作电阻值。当电网由于某种原因发生漏电或发生人身触电事故时，对地绝缘电阻降低，绝缘电阻低于动作电阻值时，附加直流回路电流值增大。也就是说，流过直流继电器线圈的电流增大，从而使直流继电器两常开触点吸合，接通了自动馈电开关的脱扣线圈回路，使自动馈电开关跳闸，切断漏电回路，进行漏电保护。

下面主要介绍JY82型漏电保护装置。JY82型漏电保护装置采用附加直流电源的原理，是无选择性漏电保护装置。

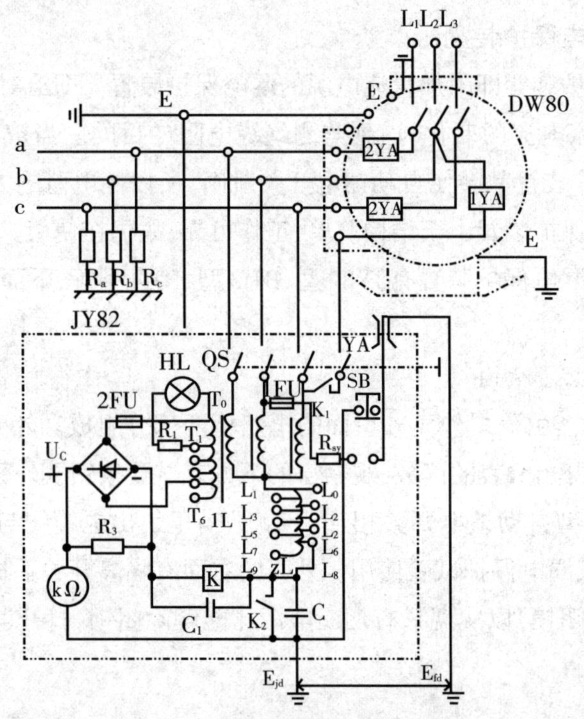

图3-6　JY82型检漏继电器原理

(1)各部件作用：

JY82型漏电保护装置电路板上有隔离开关、三相电抗器、零序电抗器、直流继电器、桥式整流电路、kΩ表、照明灯、试验按钮及熔断器等原件。电路板各部件的作用是（见原理图3-6）：

①隔离开关QS。用来接通和断开检漏继电器与其所保护的电网。

②三相电抗器1L。一是用来构成中性点，防止交流窜入附加的直流回路，防止三相交流短路；二是在电网上附加直流电源；三是供给指示灯电压。

③零序电抗器2L。既可在发生人身触电事故时，电抗器产生电感电流流经人体，由于电感电流与流过人体电容电流相量相反，所以相互抵消，使得人身触电电流减小；也可以利

用本身具有较大的电阻值，保证三相电抗器中性点的对地绝缘水平。

④直流继电器K。是检漏继电器的主要执行元件，它有两个常开触点K_1、K_2。常开触点K_1闭合，接通自动馈电开关的脱扣线圈回路，使DW开关跳闸，切断漏电回路，进行漏电保护。K_2为自保触点，自保触点K_2早于K_1闭合，这样可以保证直流继电器线圈有稳定的电流，防止断续漏电而烧毁触点K_1，提高其动作可靠性。

⑤桥式整流电路。将交流转变为直流，为其提供附加直流电源。

⑥kΩ表。显示被保护电网三相对地绝缘电阻。

⑦照明灯HL。为kΩ表提供照明，并作为检漏继电器的通电信号。

⑧试验按钮SB。检验检漏继电器的动作是否可靠。

⑨辅助接地极E_{fd}。将试验电阻接入电网，供漏电保护试验使用，与局部接地极E_{jd}直线距离不小于5m。

⑩试验电阻R_{sy}。为检漏继电器的动作电阻值，模拟电网漏电。

(2)工作原理。

①监测电网绝缘电阻：

合上隔离开关QS，接通检漏继电器与其所保护的电网，通过三相电抗器的其中一相的二次线圈所组成的变压器，供给整流器U_C电源，经过整流器后交流转变为直流。附加的直流回路为：

电源U_C正极→kΩ→$\left\{\begin{array}{l}\text{局部接地极 } E_{jd} \\ \text{试验按钮SB→辅助接地极 } E_{fd}\end{array}\right\}$→大地→电网的三相绝缘电阻

(R_a、R_b、R_c)→电网(a、b、c)→隔离开关QS→三相电抗器1L(通直阻交)→零序电抗器2L→直流继电器线圈K(C通交流隔直流)→电源U_C负极

附加直流电流I的大小为：$I=\dfrac{U_C}{\sum R+R_\Sigma}$

式中　U_C——整流器输出的直流电源电压，伏；

$\sum R$——检漏继电器回路总电阻，包括欧姆表电阻、接地极电阻、隔离开关电阻、三相电抗器电阻、零序电抗器电阻、直流继电器电阻等，欧姆；

R_Σ——被保护电网三相对地绝缘总电阻，欧姆；

当检漏继电器结构一定时，直流电源电压U_C、检漏继电器回路总电阻ΣR一定，直流回路电流I大小随被保护电网三相对地绝缘总电阻R_Σ的降低而增大，用电流表测得直流回路电流I，再换算为相应的R_Σ值，将之反映在kΩ表上，从而读出被保护电网三相对地绝缘R_Σ的大小，实现监测电网绝缘电阻的目的。

②漏电保护：

正常情况下，电网的绝缘电阻值高于检漏继电器的动作电阻值，当电网由于某种原因发生漏电或发生人身触电事故时，对地绝缘电阻R_Σ降低，绝缘电阻R_Σ低于动作电阻值时，附加

直流回路电流值增大，也就是说，流过直流继电器线圈的电流增大，从而使直流继电器两常开触点吸合，常开触点K_1闭合，接通了自动。馈电开关的脱扣线圈回路，使DW开关跳闸，切断漏电回路，进行漏电保护。

③漏电保护试验：

按下试验按钮SB，将试验电阻R_{sy}(阻值为漏电动作电阻值)接入电网，被保护电网三相对地绝缘总电阻R_Σ小于漏电动作电阻值，流过直流继电器K线圈的附加直流增大，如果自动馈电开关脱扣跳闸，说明漏电保护装置可以可靠动作保护。

④补偿流过人体电容电流：

在三相电抗器与直流继电器之间串入零序电抗器，当发生人身触电事故时，电抗器产生电感电流流经人体，由于电感电流与流过人体电容电流相量相反，所以相互抵消，使得人身触电电流减小，保证了人身安全。

(3)检漏继电器的作用。

由上述可知，检漏继电器的作用有：

①可以不间断地监测电网绝缘状态。

②一旦发生漏电或人身触电事故能及时切断电源，进行漏电保护。

③具有漏电试验功能，通过试验检测漏电保护装置是否可以可靠动作。

④可以补偿流过人体电容电流，减小人身触电电流，保证人身安全。

(二)有选择性漏电保护装置

有选择的漏电保护装置，零序电流方向式一般与分路开关配合使用，只有该回路发生漏电时，漏电保护才动作切断本回路电源，因此作漏电保护的主保护。无选择漏电保护作为后备保护。以前两种漏电保护均为独立装置，现在已经内置于开关中。

(三)漏电闭锁

漏电闭锁是对未送电的线路或设备进行检测其绝缘电阻，如果绝缘电阻低于闭锁电阻值，则闭锁回路，避免对已发生漏电故障的线路或设备送电而导致人身触电、瓦斯爆炸、火灾等事故发生。

目前，煤矿变电硐室、采区配电点使用的漏电保护还使用具有选择性漏电保护、漏电闭锁和漏电后备保护三种功能的两级漏电保护装置，而且可进行人工漏电试验。矿井低压供电系统使用该漏电保护装置，可以消除因某一负荷支路漏电对其他负荷造成的停电故障，减少各用电负荷之间的相互影响，且选择性漏电跳闸与漏电闭锁结合大大缩短了查找漏电故障点所需时间，有利于安全生产。

四、漏电保护装置的安装、整定、维护、检修

根据《煤矿井下供电的三大保护细则》中煤矿井下低压检漏保护装置的安装、运行、维护与检修细则规定，漏电保护装置的安装、整定、维护、检修应符合如下要求。

(一)安装

1.为便于检查、维护,同时确保检漏保护装置动作可靠,应将检漏保护装置放置于一定高度并无淋水的地方。

2.安装前要对检漏保护装置的有关技术数据、跳闸线圈绝缘电阻、电网的绝缘电阻值等进行检查、测定,以符合安装要求。

3.检漏继电器、选择性的保护装置应接在馈电开关的负荷侧。带漏电闭锁功能的检漏保护装置,应接在馈电开关的电源侧。

4.检漏保护装置作漏电试验用的辅助接地线应符合要求。

5.安装完毕后,应做跳闸试验,动作可靠才可以投入使用。

(二)漏电保护动作、闭锁电阻值的整定

我国规定:1140V供电系统的漏电保护动作电阻值为20kΩ,闭锁电阻值为40kΩ;660V供电系统的漏电保护动作电阻值为11kΩ,闭锁电阻值为22kΩ;380V供电系统的漏电保护动作电阻值为3.5kΩ,闭锁电阻值为7kΩ;127V供电系统的漏电保护动作电阻值为1.5kΩ,闭锁电阻值为3kΩ。

在实际工作中,根据被保护电网的电压等级进行漏电保护动作、闭锁电阻值的整定,闭锁电阻值是漏电保护动作电阻值的2倍。

(三)维护和检修

对检漏保护装置每天需要检查的项目有:

1.检漏保护装置的安装位置是否平稳可靠、无淋水现象。

2.观察欧姆表的指示数值是否正常。当电网绝缘电阻值低于规定值时,应及时采取措施,提高电网绝缘电阻值,以避免检漏保护装置自动跳闸。

3.检查检漏保护装置的外观是否受到破坏,失去防爆性能。

4.每天检查检漏保护装置的辅助接地极与局部接地极的连接、安设、两者距离等情况及跳闸试验。

对检漏保护装置每月需要检查的项目有:

1.检漏保护装置各处连接是否良好,接头、触点有无松动脱落和烧毁现象。

2.闭锁装置及直流继电器动作是否可靠。

3.内部元件、插件板、熔断器及指示灯有无松动、破损。

4.零序电抗器是否达到最佳补偿效果。

对检漏保护装置每年需要检查的项目有:

检漏保护装置每年应搬到地面进行一次检修,检修的项目包括防爆外壳的防爆性能、绝缘性能、线路的完整性、内部各元部件的完好性等,不符合要求的进行处理及更换。

(四)漏电跳闸试验

按照《煤矿安全规程》及《煤矿井下供电的三大保护细则》要定期对煤矿井下检漏保护装置进行跳闸试验。

五、对漏电保护装置的要求

井下使用的漏电保护装置应该具有以下要求：

1.安全性。漏电保护装置能保证一旦流过人体的电流达到30mA，即迅速切断电源。

2.可靠性。漏电保护装置应该不拒动、不误动作并有自检功能。

3.选择性。为使停电范围小，易于查找故障，要具有选择性。

4.灵敏性。漏电保护装置对临界漏电故障应具有较强的反应能力。

5.全面性。漏电保护装置所保护的范围应无动作死区。

六、漏电保护装置的安全检查重点

对漏电保护装置的安装、运行、试验等检查的重点包括以下内容：

1.检漏继电器是否水平安装在适当高度的支架上或壁洞里，是否便于检查及试验，动作可靠与否。

2.检漏继电器是否与带跳闸线圈的自动馈电开关一起配合使用，不能在同一电网中使用两台或更多的检漏继电器。

3.检漏继电器的安装地点是否受潮或淋水。

4.连接检漏继电器的电缆运行中是否受到挤压、砸、过度弯曲等机械或外力损伤。

5.辅助接地线所用的橡套电缆芯线截面积，距局部接地极直线距离是否满足要求。

第三节　过电流保护

一、过电流及过流原因

(一)过电流

凡是流过电气设备或电缆的电流值超过了它们的额定值，这种电流都叫过电流，简称过流。

过流可分为允许过流和不允许过流两种，允许过流指的是电动机正常启动的启动电流，通常所说的过流指的是发生电气故障产生的不允许过流。过流会使电气设备绝缘老化，降低其使用寿命，造成电气设备烧毁，引发电气火灾，甚至引爆瓦斯和煤尘。

(二)引起过电流的原因

引起过电流的原因主要有：短路、过负荷、断相等。

过电流包括过载电流和短路电流。过负荷、断相故障引起的过电流称为过载电流，短路故障引起的过电流称为短路电流。

1.短路

(1)短路的定义：

当绝缘因种种原因损坏,电位不相等的导体不经过电阻元件直接相碰或通过电弧短接的现象,被称作短路。短路分三相短路、两相短路及单相接地三种。在中性点不直接接地的供电系统中,单相接地的入地电流是毫安级电流,可看作漏电故障,当煤矿井下发生单相接地故障时,漏电保护装置会跳闸进行保护。

(2)短路的危害:

在煤矿井下,电气设备或电缆发生短路时,短路电流值可达其额定值的几百以至上千倍,它可产生异常高温迅速烧毁设备或引燃井下可燃物引发火灾,引发瓦斯煤尘爆炸,还会使电网电压急剧降低,影响同一电网中其他设备的正常运行,因此必须要有短路保护。

(3)发生短路故障的原因:

使电气设备或电缆发生短路故障的原因主要有长期过载运行使绝缘损坏发生短路故障;井下环境潮湿、淋水而使设备绝缘降低击穿绝缘发生短路故障;电缆受机械划、砸、压等损伤发生短路故障;检修时三相对地放电,检修完毕未拆除接地线就送电而发生短路及其他原因引起短路故障。

(4)预防短路的措施:

①正确选择电气设备和电缆的额定电压,使之大于等于所在电网的工作电压,避免工作时击穿绝缘。

②坚持使用检漏继电器和阻燃性屏蔽电缆。

③加强对电气设备及电线电缆的安装、使用、维护、检查及管理。

④装设短路保护装置:熔断器、磁电—过流断电器等。

2.过负荷(过载)

(1)过负荷及危害:

过负荷是指实际流过电气设备或电缆的电流值不仅超过了该设备或电缆的额定值,并且超过了设备或电缆所允许的过负荷时间。其后果是工作温度超过设备允许值,使绝缘加速劣化,寿命缩短,它并不直接引发火灾、爆炸灾害。

(2)引起过负荷的原因:

引起电气设备或电缆过负荷的原因主要有电源电压过低强行启动、重载启动电动机使启动电流大于允许过电流值、机械卡堵、频繁启动或启动时间过长等。

(3)预防过负荷的措施:

①正确选择电气设备和电缆,并使其具有一定的过负荷能力。

②避免频繁启动、重载启动设备。

③加强对电气设备及电线电缆的使用、维护、检查及管理。

④装设过负荷保护装置:热继电器等。

3.断相

(1)断相及危害:

断相是指三相电动机在运行过程中出现一相断线，也叫电动机单相运行。电动机单相运行的转矩比三相运行时产生的转矩小得多，而电动机的机械负荷不变，所以电动机转不起来，即发生“闷车”现象，这将导致未断相的线路电流增至很高，形成过流而烧毁电动机和线路。

(2)造成断相的原因：

造成断相的原因主要有一相熔断器熔断、电缆与电动机或开关的连接头脱落、电缆被采掘运机械拉断或被锋利器物割断、接线端子处虚接而被烧断、移动式电气设备的电缆来回折返芯线被折断等。

(3)预防断相的措施：

①严格电缆与电缆、电缆与电动机或开关的接线工艺。

②加强维护，避免机械伤害，敷设和搬移过程中，弯曲半径不要小于电缆最低允许弯曲半径。

③加强对电气设备及电线电缆的使用、维护、检查及管理。

④装设断相保护装置。

二、过流保护

过流保护通常包括短路保护、过载保护和断相保护。虽然这三种过流保护均属于设备或线路过流时切断电源进行保护，但是又有着本质的区别。短路保护要求保护装置瞬时动作，而且动作值设定较大；过载保护和断相保护要求保护装置延时动作，动作值设定较小，具有反时限特性，即过载动作的时间与过载电流的大小有关，动作延时取决于过载程度，过载程度越大延时越短，过载程度越小延时越长。目前，煤矿井下低压电网使用的过电流保护装置主要有熔断器、热继电器、过流继电器及综合保护装置。

三、过流保护装置

(一)熔断器

1.熔断器的工作原理、结构、类型

(1)熔断器的工作原理：

熔断器是根据电流超过规定值一定时间后，以其自身产生的热量使熔断器熔体熔化，并借助灭弧介质的作用，使与熔断器连接的电路断开，从而保护电力线路和电气设备的一种过流保护器。熔断器有高压熔断器和低压熔断器，其中，低压熔断器广泛应用于低压配电系统和控制系统及用电设备中，进行短路保护，是应用最普遍的保护器件之一。本节主要介绍矿用低压熔断器。

熔断器具有反时限特性(见图3-7熔断器反时限保护特性曲线)，当流过熔断器电流小时，熔断时间长；流过熔断器电流大时，熔断时间短。因此，在一定过载电流范围内至电流恢复正常，熔断器不会熔断，可以继续使用。由图3-7熔断器反时限保护特性可知，熔断器可以进行过载保护，但是要注意：电动机过载1.5倍时，要求保护装置的动作时间不能超过2分钟，但熔断器熔体的熔断时间超过了2分钟，因此，熔断器不适宜作电动机的过载保护，但可作电动机的短路保护。

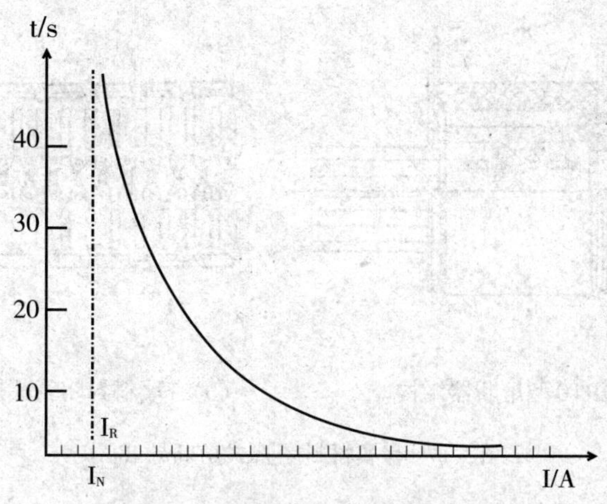

图3-7 熔断器反时限保护特性曲线

I_N——熔断器的额定电流；I_R——熔断器的最小熔断电流

(2)熔断器的结构：

熔断器主要由熔体和熔管两个部分及外加填料等组成，是简单的一次性过流保护装置。

熔体是控制熔断特性的关键元件，熔体相当于串联在电路中的一段特殊的导线，当电路发生短路或严重过负荷时，流过熔体的电流过大，熔体因过热而熔化，从而切断电路。熔体常做成丝状或片状，额定电流小的熔体一般是丝状，额定电流大的熔体一般是多个变截面的片状，见图3-8中的熔体5，以保证熔体熔断时在窄截面处先熔断，这样，形成了多个断点，将长电弧分成了多个短电弧，加快电弧的熄灭。

熔体一般采用铅锡合金、锌、银等金属制成，具有相对熔点低(200℃~400℃)、特性稳定、易于熔断的特点。

在熔体熔断的过程中会产生电弧，为了安全有效地熄灭电弧，常将熔体安装在填有石英砂的熔管内，加快电弧熄灭。

熔管的作用是：用来固定连接熔体，实现与电路的连接及熄灭电弧。

(3)熔断器的类型：

①无填料封闭管式熔断器RM(图3-8)。

无填料封闭管式熔断器的熔管是由有机纤维材料制成的。熔体熔断时，纤维熔管的部分纤维因受热而分解产生高压气体，增加壳内压

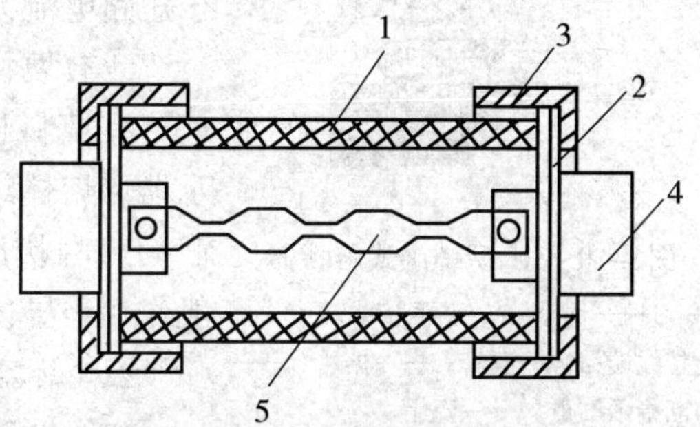

图3-8 无填料封闭管式熔断器RM

1——熔管；2——盖板；3——黄铜帽盖；4——刀形触头；5——熔体

力，使电弧很快熄灭。

②有填料封闭管式熔断器RT(图3–9)。

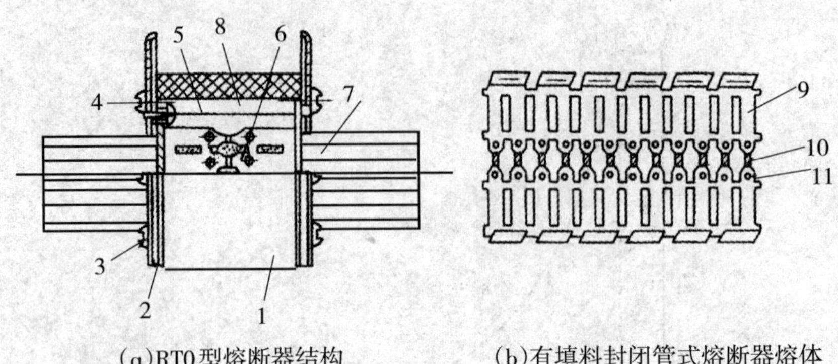

(a)RT0型熔断器结构　　(b)有填料封闭管式熔断器熔体

图3–9　有填料封闭管式熔断器RT

1——滑石陶瓷外壳；2——金属盖板；3——螺栓；4——熔断指示器；5——指示熔体；6——工作熔体；7——刀形触头；8——石英砂；9——紫铜栅片；10——锡桥；11——小孔

有填料封闭管式熔断器由填有石英砂的瓷熔管、镀银铜栅状熔体和触点组成。填料管式熔断器装在特别的底座上，如带隔离刀闸的底座上，通过手动机构操作。熔体熔断后，有红色的熔断指示器弹出利于检查。填料管式熔断器主要用于短路电流大的电网或配电装置中及有易燃气体的场所。

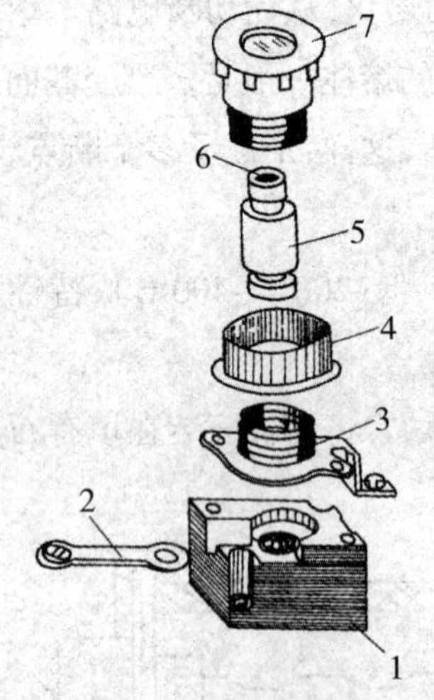

图3–10　RL_1型螺旋式熔断器

1——底座；2——下接线端；3——上接线端；4——瓷套；5——熔管；6——熔断指示红点；7——瓷帽

③螺旋式熔断器RL_1(图3–10)。

熔体埋于装有石英砂的熔断管中，与熔管两端的金属触点相连接，构成了熔体部分。为了便于监视，在熔断管上触点中间装有色点熔断指示器，不同的颜色表示不同的熔体电流，熔体熔断时，色点跳出，示意熔体已熔断，通过瓷帽上的玻璃观察孔可见。当熔体熔断时，电弧喷向石英砂及其缝隙，石英砂可使电弧迅速降温而熄灭。螺旋式熔断器主要用于短路电流大的分支电路或有易燃气体的场所。

④有填料封闭管式快速熔断器RS。

有填料封闭管式快速熔断器由熔管、触点底座、动作指示器和熔体组成。是一种动作迅速的熔断器，熔体为银质窄截面或网状形式，熔体为一次性使用。由于其动作迅速，一般作为半导体整流元件保护之用。

2.熔断器的型号含义与电路符号

(1)熔断器的型号含义：

煤矿常用的低压熔断器有无填料封闭管式熔断器RM10、有填料封闭管式熔断器RT0、螺旋式熔断器RL6、插入式熔断器RC1A型等。其中，R——熔断器；M——封闭式；T——填料式;L——螺旋式;C——瓷插式;数字——设计序号。

(2)熔断器的电路符号:

熔断器的文字符号为FU;图形符号为 ─▭─ 。

3.熔断器的技术数据

(1)熔断器的额定电压:

熔断器的额定电压是指熔断器长时所能承受的正常工作电压。使用时所接电网的工作电压要小于或等于熔断器的额定电压,否则正常工作时就可能击穿熔断器。

(2)熔断器的额定电流:

熔断器的额定电流是指熔断器壳体的载流部分,在标准环境温度下,允许长时通过的最大电流。使用时电路的工作电流不得超过熔断器的额定电流。

(3)熔断器的极限断路电流:

熔断器的极限断路电流是指熔断器所能切断的最大短路电流。使用时,所切断的最大短路电流小于或等于熔断器的极限断路电流,如果大于这一极限值,将导致电弧不能熄灭,甚至烧毁熔断器而引发爆炸事故。

(4)熔体的额定电流:

熔体的额定电流是在标准环境温度下,长时通过熔体而不使熔体熔断的最大电流。使用时,同一个熔断器中,可以装入不同额定电流的熔体,但是,熔体的额定电流应小于或等于熔断器的额定电流。例如,在额定电流为200A的RM10系列熔断器中,可以根据实际需要选配装设额定电流为100A、125A、160A和200A几种规格的熔体。

但是,熔体额定电流的选择不能过大,否则,负载在短路或长期过负荷时熔体不能及时熔断;熔体额定电流的选择也不能过小,否则,在正常负载电流作用下熔体就会熔断,影响设备正常运行。所以为保证设备正常运行,必须根据负载性质合理地选择熔体额定电流。所选的熔断器在电动机启动时不熔断,在短路电流作用下和超过允许过负荷电流时,能可靠熔断,起到保护作用。

(5)熔体的熔断时间:

熔体的熔断时间包括熔断器熔体熔断的弧前和弧后两段时间。弧前时间是熔体被加热至熔化的时间,也就是对故障的反应时间;弧后时间是产生电弧及熄灭电弧的时间。流过熔体的故障电流越大,弧前时间越短;熔断期的灭弧能力越强,弧后时间越短。熔体的熔断时间与通过熔断器熔体电流的关系称为熔断器保护特性,也叫安秒特性,其曲线见图3-7。

4.熔断器使用注意事项

(1)熔断器的保护特性应与被保护对象的过载特性相适应,按照可能出现的短路电流,选用相应分断能力的熔断器。

(2)熔断器的额定电压要与所接电网的工作电压相适应。

(3)熔断器的额定电流要大于或等于熔体额定电流,并保证上一级熔体额定电流必须大于下一级熔体额定电流。

(4)熔断器中的熔体必须选用特制的合格熔丝或熔片,不能用其他导体代替,也不准拆去熔管不用。

(5)当熔断器中需要并联安装两个熔片时,必须选用刻有“两片”字样的熔件,并分别装在接触闸刀的两面,既不能将两片重叠装在一起用,也不能在熔管外附加熔丝。

5.低压熔断器的使用和维护

(1)使用中,要巡视检查熔断器外观有无损伤、变形,瓷绝缘部分有无闪烁放电痕迹;检查熔断器各接触点是否完好、接触是否紧密、有无过热现象;检查熔断器的熔断信号指示器是否正常。

(2)熔体熔断时,要认真分析熔断的原因,是由于短路故障或过载运行正常熔断,还是安装时造成熔体机械损伤,使截面积变小或熔体运行中温度高而误断。防止非正常熔断再次发生。

(3)更换熔体时,要注意使熔体的额定值与被保护设备或线路相匹配;要检查熔管内部烧伤情况,如严重烧伤,应同时更换熔管;更换填料式熔断器的熔体时,要注意填料的填充。

(二)热继电器

热继电器通常作电动机的过载保护,有的也可以作断相保护。

1.热继电器的结构及工作原理

热继电器既可以作过载保护,也可以作断相保护。热继电器的结构如图3-11所示。信号转换环节是由加热电阻13与双金属片1组成的。加热电阻13串入主回路中,双金属片1是用两种不同膨胀系数的金属片,通过机械碾压在一起制成的,一端固定,另一端为自由端。当电动机正常工作时,通过加热电阻13的电流即为电动机的额定电流,加热电阻13产生的热量虽能使双金属片1弯曲,但不足以使继电器动作,常闭触头7处于闭合状态,交流接触器保持吸合,电动机正常运行。发生过电流时,信号转换环节将电流信号转换为热信号,加热电阻13使双金属片的温度升高,由于两种金属的膨胀系数不同,所以它将弯曲、左移,将常闭触头7顶开,切断主回路电源,进行保护。下面详述热继电器对电动机的过载及断相保护。

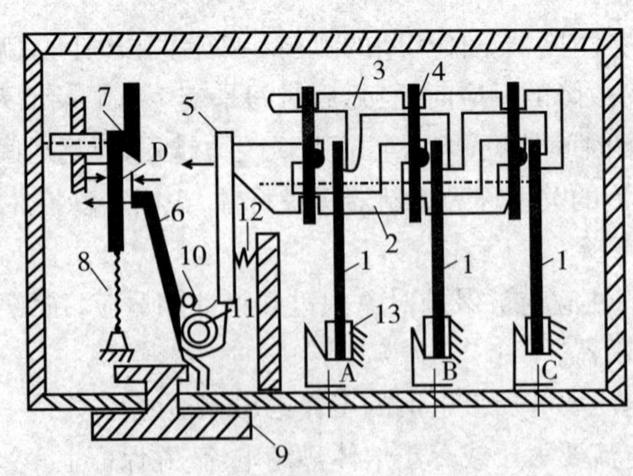

图3-11 热继电器的结构示意图

1.5——双金属片;2——下差动导板;3——上差动导板;4——差动杠杆;6——连杆;7——触点

8、12——弹簧;9——转动调节凸轮;10——推动轴叉;11——推动轴 13——加热电阻;D——调节间隙

(1)热继电器对电动机进行过载保护:

使用热继电器对电动机进行过载保护时,将加热电阻13与电动机的定子绕组串联,将热继电器的常闭触头7串联在交流接触器的电磁线圈的控制电路中,并调节整定电流调节旋钮,给定行程间隙D。电动机过载时,电流通过加热电阻13产生较大热量,加热电阻13发热,双金属片1受热后弯曲严重,使差动杠杆4和下差动导板2向左移动,并推动双金属片5及连杆6,当连杆6的行程大于调节间隙D给定行程时,将使常闭触头7断开,由执行机构切断主回路电源,进行过载保护。

为了防止受环境温度的影响,而使热继电器误动作,在热继电器里还装了补偿双金属片5,起温度补偿作用,即当环境温度升高时,双金属片1.5同时弯曲,使导板与补偿双金属片5之间距离保持不变,从而使行程间隙D基本保持不变,保证了热继电器动作的准确性。

(2)热继电器对电动机进行断相保护:

有上、下差动导板的热继电器可进行断相保护。当电动机出现电源一相如A相断线时,另两相B、C过载,流过A相电流为零,该相的双金属片冷却回复原位,使上差动导板向右移动,B、C相因过载,使B、C相双金属片发热而弯曲程度增大,B、C相使下差动导板更向左移动,由于差动放大作用,差动杠杆4下端向左转动,推动双金属片5及连杆6,当连杆6的行程大于调节间隙D给定行程后,迅速使常闭触头7断开,由执行机构切断主回路电源,进行断相保护。

2.热动式继电器的组成及电气符号

表3–1　　热动式继电器各组成部分作用及电气符号

组成部分	作用	图形符号	文字符号
加热元件(线圈)	串入主回路, 通电后发热		FR
常开触点	动作后接通脱扣 线圈和信号回路		FR
常闭触点	动作后断开接触 器线圈回路		FR

3.热继电器的技术数据

(1)热继电器的额定电流:

热继电器的额定电流是指热继电器的载流部分,允许长时通过的最大工作电流。使用时电路工作电流不得大于热继电器的额定电流。

(2)热元件的额定电流:

热元件的额定电流是指允许长期通过而不使热继电器动作的最大电流。使用时,热继电器的额定电流不得小于热元件的额定电流。同一个热继电器中,可以装入不同额定电流的热元件。例如，在额定电流为60A的JR0-60/3D热继电器中，可以根据实际需要选配装设额定电流为22A、32A、45A等几种规格的热元件。

(3)热继电器的整定电流及其调节范围：

热继电器的整定电流指热元件调节刻度上所规定的电流值。在此电流长期作用下，热元件产生的热量，不会使热继电器动作。但如果实际工作电流大于整定值，会在规定的时间内动作，并且呈反时限特性。

热继电器整定电流的调节范围，与热继电器及热元件的额定电流有直接关系。

4.常用热继电器的使用

(1)JR9系列限流热继电器由电磁元件和热元件两部分组成。电磁元件相当于电磁式电流继电器，可作为电动机的短路保护；热元件相当于热继电器，可作过载保护之用。

(2)JR0、JRl5. JRl6D系列为具有差动导板的三相热继电器，它们不仅可作为电动机的过载保护，还可作断相保护。

(三)电磁式继电器

电磁式继电器可分为电流继电器、电压继电器、时间继电器及中间继电器。当流过电流继电器的电流值大于整定电流时电流继电器即动作；当电压继电器的端电压大于整定电压时电压继电器即动作；时间继电器的动作方式是，接通电流(电压)时通过时间硬件计时，达到整定时间时即动作；中间继电器主要是放大信号，就是接通电流(电压)时无延时动作。

1.电磁式继电器结构与原理

(1) 结构：

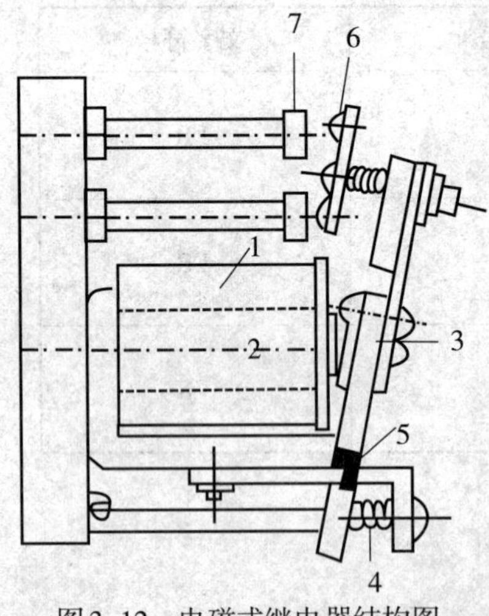

图3-12 电磁式继电器结构图

1——电磁线圈；2——铁芯；3——衔铁；4——反力弹簧；5——转轴；6——动触头；7——静触头

电磁式继电器的结构如图3-12所示，是由信号转换环节、信号比较环节、信号输出环节及执行机构组成的。电磁式继电器的电磁线圈串入被保护的主回路中，获取电流信号；线圈1绕在铁芯2上构成电磁铁，电流流过线圈时，在它周围就产生磁场，将电流信号转换为电磁力信号，是信号转换环节；衔铁3一端与反力弹簧4相碰，受反力弹簧作用，另一端受电磁力作用，是信号比较环节；动触点6与静触点7是一对常开触点(平常是分开的)，是信号输出环节；执行机构可以是接触器，也可以是电磁铁脱扣器。

(2)工作原理：

电磁式继电器可实现短路保护，增加时间继电器后，还可以实现过载保护。

①短路保护。当发生短路故障时，电磁式继电器线圈中流过很大的电流，由于电磁效应，衔铁就会在电磁力吸引的作用下克服反力弹簧的力吸向铁芯，从而带动衔铁的动触点6与静触点7(常开触点)吸合，使执行机构跳闸切断电源实现短路保护，同时信号指示发出短路信号。当线圈断电后，

电磁的吸力也随之消失，衔铁就会在弹簧的反作用力下返回原来的位置，使动触点7与原来的静触点6断开，恢复原有的状态。这样吸合、释放，从而达到了电路的导通、分断的目的。

②过载保护。当发生过载故障时，电流继电器首先动作，其触点接通了时间继电器线圈，经过一段延时后，时间继电器触点动作，使执行机构动作，切断主回路电源，实现过载保护，同时信号指示发出过载信号。

2.电磁式继电器的电气符号

表3–2　　电磁式继电器的电气符号

组成部分	作用	图形符号	文字符号
线圈	接入被保护电路，通电后产生磁力		KA（电流继电器） KU（电压继电器） KT（时间继电器）
常开触点	动作后接通脱扣线圈和信号回路		KA（电流继电器） KU（电压继电器） KT（时间继电器）
常闭触点	动作后断开接触器线圈回路		KA（电流继电器） KU（电压继电器） KT（时间继电器）

3.电磁式继电器的技术数据

(1)额定工作电压：

额定工作电压是指继电器正常工作时线圈的最大电压。根据继电器的型号不同，可以是交流电压，也可以是直流电压。

(2)继电器的额定电流I_N：

继电器的额定电流I_N是继电器的载流部分，允许长时通过的最大电流。使用时电路工作电流不得大于继电器的额定电流I_N。

(3)继电器的动作电流（吸合电流）I_{op}：

继电器的动作电流I_{op}是使继电器衔铁动作的最小电流，由保护整定值确定。使用时，通过调节继电器反力弹簧的弹力或通过改变电磁线圈的串并联关系来调节继电器的动作电流值。

(4)继电器的返回电流（释放电流）I_{RE}：

继电器的返回电流I_{RE}是使继电器衔铁释放的最大电流。继电器的返回电流小于动作电流。

(四)电子式继电器

电子式继电器的组成环节和保护原理与电磁式继电器相同，只是保护是由电子线路实现的。

目前煤矿常用的电动机综合保护装置采用的就是电子式继电器，它可以实现过载保护、短路保护、断相保护及漏电闭锁保护等。

煤矿常用的电动机综合保护装置可进行过载试验、短路试验、漏电试验及断相试验。

电子式继电器过载保护、短路保护动作值可以通过调节电位器的旋钮分别进行粗调和细调来实现。用单片机控制时，需要通过数码开关设定过载保护动作值，其他保护动作值由单片机的控制程序自行设定。

四、《煤矿安全规程》对井下低压过流保护的规定

1.井下由采区变电所、移动变电站或配电点引出的馈电线上，应装设短路、过负荷和漏电保护装置。

2.低压电动机的控制设备，应具备短路、过负荷、单相断线、漏电闭锁保护装置及远程控制装置。

3.井下配电网路（变压器馈出线路、电动机等）均应装设过流、短路保护装置；必须用该配电网路的最大三相短路电流校验开关设备的分断能力和动、热稳定性以及电缆的热稳定性；必须正确选择熔断器的熔体。

4.必须用最小两相短路电流校验保护装置的可靠动作系数。保护装置必须保证配电网路中最大容量的电气设备或同时工作的电气设备能够启动。

5.井下低压馈电线上，必须装设检漏保护装置或有选择性的漏电保护装置，保证自动切断漏电的馈电线路。

6.每天必须对低压检漏装置的运行情况进行1次跳闸试验。

7.煤电钻必须使用设有检漏、漏电闭锁、短路、过负荷、断相、远距离启动和停止煤电钻功能的综合保护装置。每班使用前，必须对煤电钻综合保护装置进行1次跳闸试验。

8.井下低压馈电线上有可靠的漏电、短路检测闭锁装置时，可采用瞬间1次自动复电系统。

9.经由地面架空线路引入井下的供电线路和电机车架空线，必须在入井处装设防雷电装置。

10.由地面直接入井的轨道及露天架空引入（出）的管路，必须在井口附近将金属体进行不少于2处的良好集中接地。

11.通信线路必须在入井处装设熔断器和防雷电装置。

第四节　综合保护装置

煤矿用低压综合保护装置包括电动机综合保护装置、煤电钻综合保护装置及照明信号综合保护装置。

一、电动机综合保护装置

《煤矿安全规程》规定，低压电动机的控制设备，应具备短路、过负荷、单相断线、漏电闭锁保护装置及远程控制装置。电动机综合保护装置就是安装在各种电磁启动器中，对电动机进行控制和保护的电子集成元件或微电脑控制保护装置。

(一)JDB-120-A保护装置技术数据(见表3-3)

表3-3 JDB-120-A保护装置技术数据

名称	整定电流倍数	动作时间t	复位方式	复位时间
过载保护	1.05	不动作		
	1.2	5min≤t≤20min	自动	小于3 min
	1.5	1min≤t≤3min	自动	小于3 min
	6	8s≤t≤16s	自动	小于3 min
断相保护	0:1.15	1min~3min	自动	小于3 min
短路保护	8~10	0.25s≤t≤0.45s	手动	
漏电闭锁	漏电闭锁电阻值,660V时,为(22±20%)kΩ,380V时,为(7±20%)kΩ			
	漏电检测电流小于2mA			

(二)保护电流的整定

电动机综合保护装置保护电流的整定,是通过综保装置面板上的分档电流粗调器和细调开关实现的。整定方法是:根据被保护电动机的额定电流(也可以按照被保护电动机的额定功率计算整定电流),将粗调器拨到高档或低档,然后将细调开关定位于等于或略小于被保护电动机的额定电流(或按照被保护电动机的额定功率计算的整定电流)处即可。

JDB-120(225)A整定电流及档位见表3-4

表3-4 JDB-120(225)A综保整定电流及档位

型号	分档电流(A)	刻度电流(A)										
		1	2	3	4	5	6	7	8	9	10	11
JDB-120	30~60	30	33	36	39	42	45	48	51	54	57	60
	60~120	60	66	72	78	84	90	96	102	108	114	120
JDB-225	55~110	55	60	65	70	75	80	85	90	95	100	110
	110~220	110	120	130	140	450	160	170	180	190	200	220

二、煤电钻综合保护装置

煤电钻必须使用设有检漏、漏电闭锁、短路、过负荷、断相、远距离启动和停止煤电钻功能的综合保护装置。每班使用前,必须对煤电钻综合保护装置进行1次跳闸试验。

煤电钻综合保护装置是将干式变压器、控制开关及保护元件组合装在一起的设备。煤电钻的输出功率一般为1.2千瓦或1.5千瓦,工作电压为127V。

三、照明信号综合保护装置

井下照明和信号装置,应采用具有短路、过载和漏电保护的照明信号综合保护装置配电。照明信号综合保护装置与煤电钻综合保护装置的功能基本相同,只是煤电钻综合保护装置可实现远程控制，且为了防止电钻电缆被砸而造成瓦斯爆炸，煤电钻不工作时电缆不带电，而照明信号综合保护装置没有此项功能。

电钻、照明信号综合保护装置的辅助接地极，可采用直径不小于22mm、长度不小于500mm的钢管进行埋设。

第五节　低压过流保护装置的整定计算

低压过流保护作为煤矿井下低压供电的主要保护之一，可以防止机电设备损坏，甚至防止引发矿井火灾、瓦斯煤尘爆炸等事故，所以井下低压过流保护值的合理整定对矿井安全供电起着重要的作用。低压过流保护装置主要有过载和短路保护两种，使用时，需要根据开关内所设置的保护装置进行整定。

过载保护的动作值按照大于额定电流整定，短路保护的动作值按照大于最大工作电流整定，并按照保护线路末端最小两相短路电流进行校验。

一、熔断器熔体的整定计算

熔断器的型式及电压等级确定后，熔断器熔体的整定计算，需要选择熔体额定电流，并校验熔体的灵敏度和熔断器的分断能力。

（一）按正常工作条件选取熔体额定电流

1.保护电缆干线

保护电缆干线熔体的额定电流可按下式计算：

$$I_{NF}=\frac{I_{N.st}}{1.8\text{~}2.5}+\sum I_{N.re} \tag{3-1}$$

式中　$I_{N.F}$——熔体的额定电流，安培；

$I_{N.st}$——被保护干线中启动电流最大的一台或同时启动电流最大的多台鼠笼型电动机的启动电流，安培；

$I_{N.re}$——除被保护干线中启动电流最大的一台外，其余电动机的额定电流之和，安培；

1.8~2.5——当电动机启动时，保证熔体不熔化的系数。在不经常启动或负荷较轻、启动较快的条件下，取2.5；对于频繁启动或负荷较重、启动时间较长的条件下，取1.8~2。

注意：由于电动机的实际启动电流通常小于额定启动电流值，故上式中按额定启动电流计算的结果偏大，在选择熔体的额定电流时，宜取接近或略小于计算值。

2.保护电缆支线

保护电缆支线熔体的额定电流可按下式计算：

$$I_{NF}=\frac{I_{N.st}}{1.8\text{~}2.5} \tag{3-2}$$

式中　1.8~2.5——当电动机启动时，保证熔体不熔化的系数。在不经常启动或负荷较轻、启动较快的条件下，取2.5；在频繁启动或负荷较重、启动时间较长的条件下，取1.8~2；

$I_{N.st}$——电动机的额定启动电流，安培。如果被保护的是几台同时启动的电动机，则此电流应为这几台电动机的额定电流之和。

煤矿井下采、掘、机运常用电动机的额定电流和额定启动电流，可由电气设备技术数据表查得。也可以按照电动机额定电流的5~7倍近似估算其额定启动电流，即

$$I_{NF} \approx (5\sim7)I_N \tag{3-3}$$

式中　I_N——电动机额定电流，安培。

对于380V电动机，其额定电流按经验公式$I_N=2P_N$估算；对于660V电动机，其额定电流按经验公式$I_N=1.5P_N$估算；对于1140V电动机，其额定电流按经验公式$I_N=1.15P_N$估算，式中P_N为电动机额定容量。

3.保护照明变压器和电钻变压器

(1)保护照明变压器(保护装在变压器一次侧)，熔体的额定电流可按下式计算：

$$I_{NF} \approx \frac{1.2\sim1.4}{K_T} + \sum I_N \tag{3-4}$$

式中　$I_{N.F}$——熔体的额定电流，安培；

K_T——变压器的变压比；

$\sum I_N$——被保护线路上所有照明负荷额定电流之和，安培；

1.2~1.4——可靠系数。

(2)保护电钻变压器，熔体的额定电流可按下式计算：

$$I_{NF} \approx \frac{1.2\sim1.4}{K_T}\left(\frac{I_{N.st}}{1.8\sim2.5} + \sum I_{N.re}\right) \tag{3-5}$$

式中　$I_{N.F}$——熔体的额定电流，安培；

K_T——变压器的变压比；

$\sum I_{N.st}$——变压器所带负荷中启动电流最大的一台电钻电动机额定启动电流，安培；

$\sum I_{N.re}$——其余负荷额定电流之和，安培；

1.8~2.5——当电动机启动时，保证熔体不熔化的系数。在不经常启动或负荷较轻、启动较快的条件下，取2.5；在频繁启动或负荷较重、启动时间较长的条件下，取1.8~2；

1.2~1.4——可靠系数。

4.保护127V照明线路

对于127V照明线路，熔断器作过载和短路保护，熔体的额定电流可按下式计算：

$$I_{NF} \geqslant \sum I_N \tag{3-6}$$

式中　$\sum I_N$——被保护电路上所有照明负荷额定电流之和，安培。

(二)按照保护线路末端最小两相短路电流进行校验

熔体的灵敏度按下式进行检验：

$$K_S = \frac{I_{SC}}{I_{NF}} \geqslant 4\sim7 \tag{3-7}$$

式中　K_S——熔体的灵敏系数；

I_{SC}——被保护线路末端最小两相短路电流，安培；

$I_{N.F}$——所选熔体的额定电流，安培；

4~7——保证熔体在故障出现时，能够及时熔断的系数，见表3~5。

表3-5　　熔断器熔断灵敏度系数

电压(V)	熔体的额定电流(A)	灵敏度系数
380、660	20、25、35、45、60、80、100	≥7
	125	≥6.4
	160	≥5
	200	≥4
127	6~60	≥4
36	6~60	≥5

在照明变压器和电钻变压器一次侧，所装熔体的额定电流值最大不得超过表3-6中的规定，否则就不能保护变压器二次侧端子发生的两相短路故障。

表3-6　　照明变压器和电钻变压器一次侧允许的熔体最大额定电流(A)

额定电压(V)	380/133		660/133		1140/133	
变压器组别 / 额定容量	Y,y或D,y	Y,y或D,d	Y, d或D, y	y, d或D, Y	Y, d或D, d	Y,y或D,y
2.5kVA	10	15	6	10	3	6
4 kVA	15	25	10	15	6	10

(三)熔体额定电流与电缆截面的配合

为了不使电缆在发生短路时过热损坏，要求熔体的额定电流还应与其所保护的电缆截面相配合。熔体的额定电流与电缆最小截面相配合的关系见表3-7。

表3-7　　熔体额定电流与电缆最小截面配合表(额定电压为380V或660V)

熔体的额定电流/A	允许两相短路电流最小值/A	允许的最小电缆线芯截面/mm²		允许的最大长时负荷电流/A	
		橡套电缆	铜芯铠装电缆	橡套电缆	铜芯铠装电缆
20	140	2.5			
25	175	2.5			
35	245	4	2.5	36	30
60	420	6	4	46	40
80	560	10	6	64	52
100	700	16	10	85	70
125	800	25	16	113	95
160	800	35	25	138	125
200	800	50 (35)	35	173	155

(四)校验熔断器的分断能力

校验熔断器的分断能力的目的是保证熔断器能够将其保护范围内的最大三相短路电流切断,并能可靠地熄灭电弧。熔断器的分断能力可按下式进行校验:

$$I_{R.F} \geqslant I^{(3)}_{sc.max} \tag{3-8}$$

式中　$I_{R.F}$——熔断器的极限分断能力;

$I^{(3)}_{sc.max}$——保护范围内的最大三相短路电流,安培。

二、过电流继电器的整定计算

瞬时动作的过电流继电器或过电流脱扣器做短路保护,只需按短路保护整定即可;具有多种保护功能的电子式过电流保护装置,应先整定过载保护再整定短路保护;智能开关用单片机控制,需要整定过载保护动作值,其他保护动作值由程序按照过载保护动作值自动设定。对于短路保护还需要按实际整定值进行灵敏度校验。

(一)保护装置动作值的整定计算

1.保护单台或同时启动的多台鼠笼型电动机支线

(1)过载保护:

$$I_{a.o}=I_N \tag{3-9}$$

式中　$I_{a.o}$——过载保护的动作电流值,安培;

I_N——单台或同时启动的多台鼠笼型电动机的启动电流,安培。

(2)短路保护:

$$I_{a.o} \geqslant I_N \tag{3-10}$$

式中　$I_{a.o}$——短路保护的动作电流值,安培;

I_N——单台或同时启动的多台鼠笼型电动机的启动电流,安培。

2.保护不同时启动的多台电动机干线

(1)过载保护:

$$I_{a.o} \geqslant 1.1\ Ica \tag{3-11}$$

式中　$I_{a.o}$——过载保护的动作电流值,安培;

Ica——线路的最大长时工作电流,安培。

1.1——考虑负荷计算误差的可靠系数。

(2)短路保护:

$$I_{a.o} \geqslant I_{N.st}+\sum I_{N.re} \tag{3-12}$$

式中　$I_{a.o}$——短路保护的动作电流值,安培;

$I_{N.st}$——启动电流最大的一台或同时启动电流最大的多台鼠笼型电动机的启动电流,安培;

$\sum I_{N.re}$——其余电动机的额定电流之和,安培。

3.变压器二次侧总馈电开关的整定

(1)过载保护:

$$I_{a.o}=I_{2N.t} \quad (3-13)$$

式中　$I_{a.o}$——过载保护的动作电流值,安培;

$I_{2N.t}$——变压器二次侧的额定电流,安培。

(2)短路保护:

$$I_{a.s} \geqslant I_{N.st}+\sum I_{N.re} \quad (3-14)$$

式中　$I_{a.s}$——短路保护的动作电流值,安培;

$I_{N.st}$——变压器所带负荷中启动电流最大的一台或同时启动电流最大的多台鼠笼型电动机的启动电流,安培;

$\sum I_{N.re}$——其余电动机的额定电流之和,安培。

(二)灵敏度校验

灵敏度按下式进行检验:

$$K_S=\frac{I_{SC}}{I_{a.s}} \geqslant 1.5 \quad (3-15)$$

式中　K_S——保护装置的灵敏系数;

I_{SC}——被保护范围末端最小两相短路电流,安培;

$I_{a.s}$——根据计算的整定值查开关技术数据所确定的实际动作电流值,安培。

经过校验,如果灵敏度不能满足式(3-15)时,可采取以下措施:

1.加大电缆截面积,缩短电缆线路的长度,换用大容量变压器或变压器并联。

2.减小短路保护整定值,如采取相敏保护器或软启动技术提高灵敏度、增设分段保护开关。

三、热继电器的整定计算

热继电器主要是用来作过载保护的,可按下式整定:

$$I_{a.o} \geqslant \sum I_N \quad (3-16)$$

式中　$I_{a.o}$——热继电器的动作电流值,安培;

$\sum I_N$——被保护的电动机的额定电流之和,安培。

对于短时重复启动的电动机,由于热的积累,会使热继电器在启动中动作,因此整定值应稍大些;如果热继电器的动作是因为负荷过大造成的,则整定值不应加大,以免烧毁电动机。此外,用一台开关控制几台电动机时,虽然热继电器的整定值可按式(3-16)计算,但是如果负荷分配不均,也较难实现过载保护。

对于限流式热继电器中的电磁元件,按上述过流继电器的短路保护进行整定和校验。

第二部分　专业核心知识点

第一节　保护接地

本节专业核心知识点包括以下内容：

1.保护接地的原理。

2.保护接地的作用。

3.《煤矿安全规程》对井下保护接地网的规定。

4.煤矿井下保护接地网主接地极、局部接地极、接地母线、辅助接地母线、连接导线和接地导线各部分的设置要求。

第二节　漏电保护

本节专业核心知识点包括以下内容：

1.JY82型无选择性漏电保护装置工作原理。

2.JY82型无选择性漏电保护装置各部件作用。

3.漏电保护装置的安装要求。

4.不同电压等级的电网中，漏电保护动作、闭锁电阻值的整定值。

5.检漏保护装置需要检查、维护和检修的项目。

6.漏电跳闸试验的内容。

第三节　过电流保护

本节专业核心知识点包括以下内容：

1.短路及短路的预防措施。

2.过负荷及过负荷的预防措施。

3.断相及断相的预防措施。

4.过流保护装置的类型及保护原理。

5.《煤矿安全规程》对煤矿过流保护的规定要求。

6.过流保护装置的使用和维护。

7.低压过流保护装置的整定和校验。

第四节　综合保护装置

本节专业核心知识点包括以下内容：

电动机综合保护装置、电钻综合保护装置、照明信号综合保护装置的结构、功能及使用。

第三部分 专业技能训练

技能一 煤矿井下保护接地网各部分的设置要求

(一)主接地极

1.《煤矿安全规程》的规定

主接地极用耐腐蚀面积不小于0.75m²、厚度不小于5mm的钢板在井下主、副水仓中各设1块。如果矿井水为酸性水,根据腐蚀情况应适当加大钢板厚度或在钢板上镀耐酸性腐蚀金属。

2.安装主接地极时应注意的问题

安装主接地极的地点应便于检查;敷设位置不应妨碍设备的拆卸与检修;接地线要和主接地极采用焊接工艺,以保证主接地极连接良好;要保证接地导线与接地母线之间的螺栓连接良好,而且不能承受过大拉力。

(二)局部接地极

1.《煤矿安全规程》的规定

《煤矿安全规程》规定:下列地点至少应分别设置1个局部接地极。

(1)采区变电所(包括移动变电站和移动变压器);

(2)装有电气设备的硐室和单独装设的高压电气设备;

(3)低压配电点或装有3台以上电气设备的地点;

(4)无低压配电点的采煤机工作面的运输巷、回风巷、集中运输巷(胶带运输巷)以及由变电所单独供电的掘进工作面,至少应分别设置1个局部接地极;

(5)连接高压动力电缆的金属连接装置即高压电缆接线盒。

局部接地极可设置于巷道水沟内或其他就近的潮湿处。设置在水沟中的局部接地极应用面积不小于0.6m²、厚度不小于3mm的钢板或具有同等有效面积的钢管制成,并应平放于水沟深处。如果矿井水为酸性水,根据腐蚀情况也应当采取同主接地极相同的措施。设置在其他地点的局部接地极,可用直径不小于35mm、长度不小于1.5m的钢管制成,管内及管外应充填吸水材料,管上应至少钻20个直径不小于5mm的透孔,并全部垂直埋入底板;也可用直径不小于22mm、长度为1m的2根钢管制成,每根管上应钻10个直径不小于5mm的透孔,两根钢管相距不得小于5m,并联后垂直埋入底板,垂直埋设深度不得小于0.75m。

2.安装局部接地极时应注意的问题

安装局部接地极应便于检查;敷设位置不应妨碍设备的拆卸与检修;如果埋设局部接地极的地点比较干燥,应该在其周围定期灌注食盐水,以降低局部接地极周围环境的电阻值;接地线要和局部接地极连接良好。

(三)接地母线、辅助接地母线、连接导线和接地导线

《煤矿安全规程》第486条规定：连接主接地极的接地母线，应采用截面不小于$50mm^2$的铜线，或截面不小于$100mm^2$的镀锌铁线，或厚度不小于4mm、截面不小于$100mm^2$的扁钢。

电气设备的外壳与接地母线或局部接地极的连接，电缆连接装置两头的铠装、铅皮的连接，应采用截面不小于$25mm^2$的铜线，或截面不小于$50mm^2$的镀锌铁线，或厚度不小于4mm、截面不小于$50mm^2$的扁钢。

《煤矿安全规程》第487条规定：橡套电缆的接地芯线，除用作监测接地回路外，不得兼作他用。

技能二　煤矿井下保护接地网的检查和测定试验

(一)煤矿井下保护接地网的检查

1.每年至少要对主接地极和局部接地极详细检查一次。如果是敷设在水仓或水沟中的主接地极和局部接地极应提出水面检查，主、副水仓中的主接地极不得同时提出检查，必须保证一个还可以起保护作用。一旦发现接触不良或严重锈蚀等问题，应立即处理或更换，并应测其接地电阻值，以确定是否满足规程要求。矿井水含酸性较大时，应适当增加检查的次数。

具体检查的内容有：

(1)接地母线和接地导线的完整、平直与连续性，有无严重锈蚀、断裂或开焊现象，铜导线有无断丝或断线。如发现有损坏达到超过规程允许截面的情况，应及时进行处理或更换，并做好记录。设置在有腐蚀性环境中的接地母线与接地导线，还应定期涂防腐涂料。

(2)接地母线和接地导线与金属外壳、接地极间的连接是否完整可靠，如果用螺栓连接时，是否装有弹簧垫圈、压接是否坚固可靠；如果采用焊接，其焊缝是否符合规定。若发现有连接不符合规定者，应立即进行处理，并做好记录。

(3)穿墙壁或基础的接地母线，其防护套管是否完好；与电缆、管道等交叉时，其遮盖物是否完好。

电气设备的保护接地装置不正常时禁止送电。

2.在每次安装或移动电气设备后，应详细检查安装、移动后电气设备保护接地装置的连接情况。

3.对那些震动性较大及经常需要移动的电气设备，更应该随时加强检查。

4.有值班人员的机电硐室和有专职司机的电气设备的保护接地，每班必须进行一次表面检查(交接班时)。其他电气设备的保护接地，由维修人员进行每周不少于一次的表面检查。发现问题，应及时记入记录表内，并向有关领导汇报。

(二)煤矿井下接地电阻值的测定

1.要有专人负责每季至少一次采用接地电阻测量仪测定井下总接地网的接地电阻值。接地电阻测量仪的使用见第八章第二节。

2.新安装的接地装置，在投入运行前，应测其接地电阻值，接地电阻值满足规程要求，方可以投入使用，同时要将测定数据记入记录表内。

3.在有瓦斯及煤尘爆炸危险的矿井内进行接地电阻测定时，应采用本质安全型测量仪表；如采用普通型测量仪器，只准在瓦斯浓度低于1%的地点使用，并采取一定的安全措施，报有关部门审批。

技能三　漏电保护装置的安装、整定、维护、检修

根据《煤矿井下供电的三大保护细则》中煤矿井下低压检漏保护装置的安装、运行、维护与检修细则规定，漏电保护装置的安装、整定、维护、检修应符合如下要求。

1.安装

（1）为便于检查、维护，同时确保检漏保护装置动作可靠，安装时应将检漏保护装置水平放置于一定高度的架子或硐室墙壁上，并避免水淋或受潮。

（2）安装前检查检漏保护装置的额定电压、额定电流、短路分断能力、漏电动作电流以及漏电动作时间等是否符合要求。

（3）安装前，对配合检漏保护装置使用的开关的跳闸机构，应进行如下检查：

①跳闸线圈的绝缘电阻应符合：1140V的用2000V摇表摇测不低于10MΩ；660V的用1000V摇表摇测不低于10MΩ；380V的用500V摇表摇测不低于5MΩ；127V的用250V摇表摇测不低于2MΩ。

②跳闸机构灵活可靠。

③开关的操作机构应无过位或卡阻现象。

（4）安装时，电网系统总的绝缘电阻值应符合：1140V的不低于80kΩ；660V的不低于50kΩ；380V的不低于30kΩ；127V的不低于15kΩ。

（5）检漏继电器、选择性的保护装置应接在馈电开关的负荷侧。带漏电闭锁功能的检漏保护装置，应接在馈电开关的电源侧。

（6）检漏保护装置作漏电试验用的辅助接地线，应用芯线截面积不小于10mm^{2}的橡套电缆。检漏保护装置的辅助接地极应单独设置，规格尺寸与保护接地的局部接地极相同，辅助接地极距局部接地极的直线距离不要小于5m。煤电钻、照明信号综合保护装置的辅助接地极，也可采用直径不小于22mm、长度不小于500mm的钢管进行埋设。

在由地面变电所直接向采区低压供电的特殊情况下，地面变电所必须设检漏保护装置。

（7）安装完毕后，应做跳闸试验，动作可靠才可以投入使用。

2.漏电保护动作、闭锁电阻值的整定

表3–8　漏电保护动作、闭锁电阻值

电压等级	1140V	660V	380V	127V
动作电阻值	20kΩ	11kΩ	3.5kΩ	1.5kΩ
闭锁电阻值	2×20kΩ	2×11kΩ	2×3.5kΩ	2×1.5kΩ

在实际工作中,根据被保护电网的电压等级进行漏电保护动作、闭锁电阻值的整定,闭锁电阻值是漏电保护动作电阻值的2倍。

技能四　漏电保护装置的维护和检修

对检漏保护装置每天需要检查的项目有:

1.检漏保护装置的安装位置是否平稳可靠、无淋水现象。

2.观察欧姆表的指示数值是否正常。当电网绝缘电阻值低于规定值时,应及时采取措施,提高电网绝缘电阻值,以避免检漏保护装置自动跳闸。

3.检查检漏保护装置的外观是否受到破坏,失去防爆性能。

4.每天检查检漏保护装置的辅助接地极与局部接地极的连接、安设、两者距离等情况。

对检漏保护装置每月需要检查的项目有:

1.检漏保护装置各处连接是否良好,接头、触点有无松动脱落和烧毁现象。

2.闭锁装置及直流继电器动作是否可靠。

3.内部元件、插件板、熔断器及指示灯有无松动、破损。

4.零序电抗器是否达到最佳补偿效果。

对检漏保护装置每年需要检查的项目有:

检漏保护装置每年应搬到地面进行一次检修,检修的项目包括防爆外壳的防爆性能、绝缘性能、线路的完整性、内部各元部件的完好性及跳闸试验等,不符合要求的应进行处理及更换。

技能五　漏电跳闸试验

1.漏电跳闸试验的规定

(1)《煤矿安全规程》规定:每天必须对低压检漏装置的运行情况进行一次跳闸试验。

(2)煤(岩)电钻综合保护装置每班试验一次,照明信号综合保护装置每天试验一次。每月至少做一次远方人工漏电跳闸试验。

(3)对新安装的检漏保护装置在首次投入运行前,要在瓦斯检查员的配合下,做一次远方人工漏电跳闸试验。

2.漏电跳闸试验

在进行漏电跳闸试验时,瓦斯检查员一定要在现场检查瓦斯。漏电跳闸试验的具体做法是:在最远端的控制开关的负荷侧按照不同电压等级的漏电动作电阻值接入试验电阻,盖上外盖后按下试验按钮对检漏保护装置进行跳闸试验。如果自动馈电开关跳闸,说明检漏保护装置动作可靠。试验完毕后,要拆除试验电阻。

技能六　漏电故障的判断、查找

当电网在运行中发生漏电时,应立即进行寻找和处理,并向有关部门及人员报告,发生故障的设备或线路在未排除故障前,禁止投入使用。

(一)漏电故障的判断

煤矿井下电网或电气设备发生漏电故障时,首先应该分析漏电的原因,判断漏电性质,然后逐段进行检查,找出漏电点,排除故障。如果逐段进行检查后,还是找不到漏电点,应与瓦斯检查员联系,由瓦斯检查员对可能的漏电区域进行瓦斯检查。瓦斯浓度小于1%时,采用将自动馈电开关合闸的方法查找漏电点。具体做法是:

发生漏电故障后,将各分路开关分别单独合闸,如某分路开关合上后发生跳闸或闭锁,则可能该线路发生了集中性漏电。将各分路开关分别单独合闸后,如漏电保护装置均不跳闸或不闭锁,但是当各分路开关全部合上时漏电保护装置跳闸,则该电网可能发生了分散性漏电。

(二)漏电故障的查找

1.集中性漏电的查找方法

(1)漏电保护装置跳闸后,试着合上总馈电开关,如果能够合上,那么可能是瞬间的集中性漏电。

(2)试着合上总馈电开关,如果合不上,再拉开全部分路开关,试着合上总馈电开关,如果仍然合不上,那么漏电点应该是在电源上,这时用摇表摇测,确定哪一条线路发生了漏电。

(3)拉开全部分路开关,试着合上总馈电开关,如果能合上,再将各分路开关分别逐个合闸,在合哪一开关控制的线路时跳闸,就表示该分路有集中性漏电。

2.分散性漏电的查找方法

如果是由于电网绝缘水平降低,而不是发生了一相接地故障,漏电保护装置动作跳闸,可以采取拉开全部分路开关,再将各分路开关分别逐个合闸的办法,合闸的同时观察漏电保护装置的欧姆表读数变化情况,确定是哪一条线路的绝缘水平最低,然后用摇表摇测。

技能七 低压熔断器的使用和维护

1.使用中,要巡视检查熔断器外观有无损伤、变形,瓷绝缘部分有无闪烁放电痕迹;检查熔断器各接触点是否完好、接触是否紧密、有无过热现象;检查熔断器的熔断信号指示器是否正常。

2.熔体熔断时,要认真分析熔断的原因,是由于短路故障或过载运行正常熔断,还是安装时造成熔体机械损伤,使截面积变小或熔体运行中温度高而误断,防止非正常熔断再次发生。

3.更换熔体时,要注意使熔体的额定值与被保护设备或线路相匹配;要检查熔管内部烧伤情况,如严重烧伤,应同时更换熔管;更换填料式熔断器的熔体时,要注意填料的填充。

复习题

1.什么是煤矿低压电网的三大保护?
2.什么是保护接地?说明保护接地的作用。
3.什么是保护接地网?井下保护接地网是怎样组成的?
4.叙述煤矿井下保护接地网各组成部分的设置地点、材料及规格尺寸。
5.《煤矿安全规程》对接地电阻值是怎样规定的?
6.简述造成过电流故障的原因及危害。
7.预防漏电的措施有哪些?
8.简述常见的漏电保护的方式及其原理。
9.漏电保护装置的作用是什么?
10.如何进行漏电保护动作、闭锁电阻值的整定?
11.简述漏电故障的判断和查找方法。
12.过电流保护装置主要有哪些?
13.熔断器、热继电器、电子继电器、电磁式继电器分别可以进行哪种保护?
14.《煤矿安全规程》对井下低压过流保护有哪些规定?

讨论题

1.煤矿井下设置保护接地网有什么好处?
2.如何做好煤矿井下保护接地网的检查和测定?
3.煤电钻综合保护装置与照明、信号综合保护装置在功能上有何不同?

第四章　煤矿输变电设备

第一部分　系统理论知识

由于煤矿井下生产环境恶劣，存在水、火、瓦斯、煤尘、顶板五大自然灾害，空间狭窄，易受机械损伤；同时随着煤矿机械化程度的提高，井上、下各个系统大量地使用电气设备，电气设备要随着工作面的推进不断地移动。因此，为了保证供电安全，对有火灾和瓦斯爆炸危险、潮湿和淋水、空间狭窄和人机拥挤的煤矿井下的供电，除电机车架空线外，基本上都采用电缆来传输电能。

但是，电缆与架空线路相比，既具有投资大、查找故障困难、维护检修不便等缺点，又可能发生岩石冒落、机械压砸等造成煤矿井下电缆线路发生短路、漏电、断相而烧毁设备、引发火灾，甚至发生人身触电及瓦斯、煤尘爆炸事故。因此，我们就必须要正确地选择、安装、使用和精心维护矿用电缆。

第一节　矿用电缆的结构、类型及使用

矿用电缆的分类方法很多，按照外护套来分，有铠装电缆、橡套电缆和塑料电缆三种；按照电压等级可分为高压电缆（大于1200V）和低压电缆两种；按用途可分为动力电缆及照明、控制、通信等电缆；按照导电芯线来分，可以分为铜芯电缆和铝芯电缆。下面主要介绍矿用动力电缆。

一、铠装电缆

（一）铠装电缆的结构及类型

铠装电缆就是用钢丝或钢带把电缆铠装起来。其最大优点是纸的绝缘强度高，适用于高压电缆，而且价格低廉，但是由于铠装电缆弯曲半径大、移动不便，因此常用作固定敷设，向煤矿井下固定设备和半固定设备供电。铠装电缆的构造如图4-1所示。

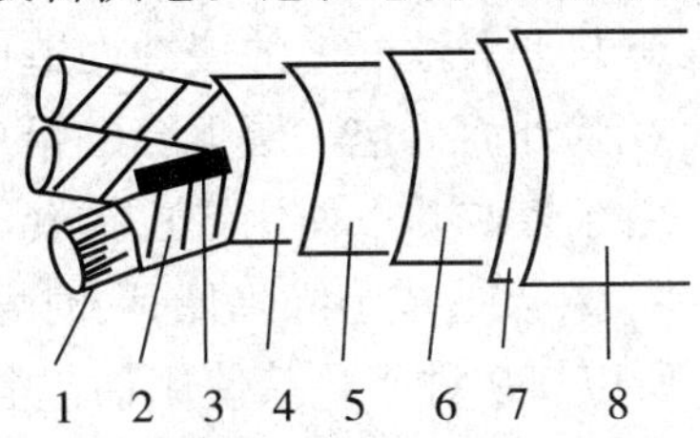

图4-1　铠装电缆的一般构造

1——导电芯线；2——分相纸绝缘；3——麻填料；4——统包纸绝缘；
5——铅（铝）护套；6——防腐纸带；7——黄麻保护层；8——金属铠装层

1.铠装层

铠装电缆指的是最外层采用钢丝或者钢带将其缠包起来的电缆，最外这一层就是铠装层，电缆加了铠装层后，增加了电缆的机械强度，既可以使它承受一定的拉力和压力，免遭机械损坏，又可以保护导电芯线。根据铠装层的不同可分为粗钢丝、细钢丝铠装电缆和钢带铠装电缆。由于粗钢丝耐拉力强，所以粗钢丝铠装电缆多用于立井井筒或45度及以上的井巷中，而钢带铠装电缆耐压力优于耐拉力，所以细钢丝、钢带铠装电缆多用于水平巷道或45度以下的井巷中。

2.导电芯线

铠装电缆根据导线芯线的不同可分为铝芯电缆和铜芯电缆。为了使电缆柔软易于弯曲，芯线多由多根细铝线或细铜线绞合而成。铝芯电缆的优点是质量轻，价格便宜，但铝的电阻率大，在传输电能的过程中容易产生灼热的表面及电能的损耗；同时，铝芯的接头不好处理，容易氧化，造成接触不良而发热；特别是在出现短路故障时，由短路电弧产生的灼热铝粉，更容易引起煤矿井下瓦斯和煤尘爆炸。因此，煤矿井下不应该使用铝芯电缆，特别是采区内的低压电缆，由于它们出现短路故障的机会较多，因而严禁采用铝芯电缆。

3.绝缘层

分相纸绝缘包在每个导电芯线外，以防止相间短路；统包纸绝缘统包在所有相间绝缘的外面以防止对地短路。用油浸绝缘纸带作相间和统包绝缘的电缆，称为油浸纸绝缘电缆。这种电缆做成后，敷设在具有一定高差的井筒或巷道内，纸带和麻芯上附着的电缆油由于可以在电缆的铅护套内流动，将会逐渐集中到电缆的下部。这不仅会使电缆上部的绝缘性能降低，而且将加大对电缆下部终端接线盒的压力，导致电缆和下部终端接线盒发生短路或漏油。

因此，油浸纸绝缘电缆在敷设时，将受到敷设高差的限制，不宜作垂直或大倾角敷设，1kV~3kV的电缆可用于敷设在高差小于25米的巷道内，6kV~10kV电缆可用于敷设在高差小于15米的巷道内，20kV~35kV的电缆可用于敷设在高差小于5米的巷道内。

为了克服油浸纸绝缘电缆受到敷设高差限制的缺点，专门生产有干绝缘和不滴流铠装电缆，干绝缘电缆是将相间和统包纸绝缘层的浸渍剂预先滴干，因而敷设时的垂直落差可以加大，但不得超过100m；不滴流铠装电缆则是采用了特殊的浸渍剂，保证成缆后浸渍剂不会在电缆护套中流动，因而铺设时的垂直落差不受限制，煤矿将逐渐用不滴流铠装电缆来代替油浸纸绝缘电缆。

4.铅（铝）护套层

为了防止电缆芯线受到煤矿井下酸性气体的侵蚀而造成绝缘降低，也为了防止浸渍剂外流，在电缆芯线统包绝缘后，在其外面再包一层无缝的铅皮或铝皮护套，在矿井地面广泛采用的是铝护套的铠装电缆。由于煤矿井下使用铝皮护套电缆（铝包电缆）时，铝包层容易受到酸性气体的侵蚀而产生麻坑、麻点造成绝缘降低，同时煤矿井下铝包层也要接裸露的接地线，因而井下使用非常危险，所以煤矿井下严禁使用铝包电缆，必须使用铅包电缆。

5.防腐纸带

在铅护套外加防腐纸带，是为了保护铅护套不受化学腐蚀。

6.黄麻保护层

在铅护套和铠装层之间加了黄麻保护层，是为了防止电缆弯曲时将铅护套损坏。

7.黄麻护层

为了防止电缆铠装部分被腐蚀，有的电缆还在铠装外面覆盖有黄麻护层。但黄麻护层是易燃物，一旦着火，火势将迅速蔓延，造成火灾。因此，在煤矿井下，特别是井下机电硐室和有木支架的巷道中，不得使用有外黄麻护层的铠装电缆。如果使用，必须将外黄麻护层剥落，并在铠装上涂以防锈漆。

（二）铠装电缆的型号及使用

1.型号含义

铠装电缆的型号中，按照字母顺序从左自右依次表示绝缘种类、导线材料（L—铝芯，无L是铜芯）、内护层（Q—铅包，L—铝包）、其他特点（P—干绝缘，D—不滴流，F—分相铅包）、外护层。

例1：电缆ZLQP$_{50}$-3×20

式中，Z——纸绝缘（V——聚氯乙烯绝缘，YJ——交联聚乙烯绝缘），L——铝芯（无L是铜芯），Q——铅包（L——铝包），P——干绝缘（无P、D为油浸纸绝缘），5——粗钢丝铠装（2——钢带铠装，3——细钢丝铠装），0——裸铠装（无0表示最外层有黄麻护层），3×20——三根动力芯线，每根芯线截面积为20mm^2。

例2：电缆ZQ$_{20}$，表示油浸纸绝缘铜芯铅包钢带铠装裸电缆。

例3：YJV，YJLV 表示铜芯或铝芯交联聚乙烯绝缘，聚氯乙烯护套电力电缆。

例4：YJV$_{22}$，YJLV$_{22}$ 表示铜芯或铝芯交联聚乙烯绝缘，钢带铠装聚氯乙烯护套电力电缆。

例5：YJV$_{32}$，YJLV$_{32}$ 表示铜芯或铝芯交联聚乙烯绝缘，钢丝铠装聚氯乙烯护套电力电缆。

2.常用铠装电缆的型号及应用（见表4-1）

表4-1　　常用铠装电缆的型号及应用

型号	电缆名称	使用场所
ZQ$_{20}$	铜芯油浸纸绝缘铅包裸钢带铠装电缆	用于水平巷道或45度以下的井巷中
ZLQ$_{20}$	铝芯油浸纸绝缘铅包裸钢带铠装电缆	敷设在允许高差范围内的进风斜井、井底车场及其附近、中央变电所至采区变电所的高压电缆
ZQP$_{20}$	铜芯干绝缘铅包裸钢带铠装电缆	用于水平巷道或45度以下的井巷中，悬挂点满足规程要求
ZQP$_{30}$	铜芯干绝缘铅包裸细钢丝铠装电缆	用于水平巷道或45度以下的井巷中，垂直高度不大于100米，悬挂点满足规程要求
ZQP$_{50}$	铜芯干绝缘铅包裸粗钢丝铠装电缆	用于立井井筒或45度以上的井巷中，高差不大于100米，悬挂点满足规程要求
ZLQP$_{20}$	铝芯干绝缘铅包裸钢带铠装电缆	用于水平巷道或45度以下的进风斜井、井底车场及其附近、中央变电所至采区变电所的高压电缆，悬挂点满足规程要求

续表4-1

$ZLQP_{30}$	铝芯干绝缘铅包裸细钢丝铠装电缆	用于水平巷道或45度以下的进风斜井、井底车场及其附近、中央变电所至采区变电所的高压电缆，垂直高度不大于100米，悬挂点满足规程要求
$ZLQP_{50}$	铝芯干绝缘铅包裸粗钢丝铠装电缆	用于立井井筒或45度以上的进风斜井、井底车场及其附近、中央变电所至采区变电所的高压电缆，高差不大于100米，悬挂点满足规程要求
ZQD_{30}	铜芯不滴流纸绝缘铅包裸细钢丝铠装电缆	用于立井井筒或45度以下的巷道中，垂高不受限
$ZLQD_{30}$	铝芯不滴流纸绝缘铅包裸粗钢丝铠装电缆	用于立井井筒或45度以上的进风斜井、井底车场及其附近、中央变电所至采区变电所的高压电缆，垂高不受限
VV_{20}	铜芯聚氯乙烯绝缘及护套裸钢带铠装电缆（四芯线）	用于水平巷道或45度以下的井巷中
VV_{30}	铜芯聚氯乙烯绝缘及护套裸细钢丝铠装电缆（四芯线）	用于立井井筒或45度以下的巷道中
VLV_{30}	铝芯聚氯乙烯绝缘及护套裸钢带铠装电缆（四芯线）	用于立井井筒或45度以下的进风斜井、井底车场及其附近、中央变电所至采区变电所的高压电缆
$YJLV_{30}$	高压交联裸钢带铠装塑料电缆（铝芯）（三芯线）	用于立井井筒或45度以下的进风斜井、井底车场及其附近、中央变电所至采区变电所的高压电缆
YJV_{30}	高压交联裸钢带铠装塑料电缆（铜芯）（三芯线）	用于水平巷道或45度以下的井巷中

二、橡套电缆

（一）橡套电缆的结构及类型

橡套电缆由于较铠装电缆重量轻、弯曲半径小、移动方便，常用来向采掘工作面移动设备供电。橡套电缆的基本构造如图4-2所示。

橡套电缆按照外护套的材质不同，可分为普通橡套电缆、阻燃橡套电缆；按照电缆结构的不同，可分为橡套电缆和屏蔽橡套电缆。对于井下移动设备的供电，多采用柔软性好、易于弯曲的阻燃橡套电缆。

1.普通橡套电缆

图4-2是普通四芯橡套电缆的结构，其中3为导电芯线，由多根细铜丝（铝丝）绞合而成；1为导线芯线外面的橡胶绝缘层，又称内护套；4为接地芯线；5为橡胶垫芯，放在各芯线之间，起固定线芯和防震的作用，同时也是为了成缆后使电缆外形呈圆形；2为电缆最外面

图4-2　矿用普通橡套电缆结构图

1——内护套；2——外护套；3——主芯线；4——接地芯线；5——橡胶垫芯

总的橡胶护套，又称外护套，用来增加电缆的机械强度，保证电缆内部导电芯线的对地绝缘。

煤矿橡套电缆除四芯电缆外，还有六芯、七芯电缆，在这些芯线中除了三相导电芯线(较粗的)和一相接地芯线(常为黑色)外，其余的都是供控制回路用的控制芯线。

普通橡套电缆的外护套用天然橡胶制成。由于天然橡胶是可燃物，易于燃烧，容易造成火灾，所以不宜在有瓦斯、煤尘爆炸危险的煤矿井下使用。

2.阻燃橡套电缆

阻燃电缆是指遇火点燃时，燃烧速度很慢，离开火源后即自行熄灭的电缆。阻燃橡套电缆也叫不延燃电缆，这种电缆的结构与普通橡套电缆相同，只是它的外护套采用氯丁橡胶制成。氯丁橡胶同样可以燃烧，但燃烧前会发出大量烟雾而且燃烧时分解产生的氯化氢气体，会将火焰包围起来，使它与空气隔离，因而扑灭电缆火灾相对容易。因此，可用于有爆炸危险的煤矿井下。《煤矿安全规程》规定，煤矿井下必须使用经检验合格的并取得煤矿矿用产品安全标志的矿用阻燃性橡套电缆。

3.屏蔽电缆

矿用屏蔽电缆的结构如图4-3所示。

图4-3　四芯矿用屏蔽电缆结构图

1——屏蔽材料垫芯；2——外护套；3——主导电芯线；4——绝缘内护套层；5——屏蔽层；6——接地芯线

从图4-3可看出，它的结构与普通橡套电缆基本相同，只是每根主芯线3的橡胶绝缘内护套4的外面有一层屏蔽层5，该屏蔽层是用导电材料制成的，其屏蔽层材料有半导电材料和钢丝尼龙网材料两种；接地芯线6的外面没有橡胶绝缘，而是直接缠绕有导电橡胶带；电缆中间的垫芯1，也是用导电橡胶制作的，是单屏蔽电缆，有的在电缆外护套内也加一层加强屏蔽层，称为双屏蔽电缆。

屏蔽层有在大于3kV的高压电缆导线表面外包半导电材料做导线屏蔽以防止产生电晕；有包在绝缘和接地芯线之外的半导电材料做绝缘屏蔽，当一相绝缘破损时，其主芯线经绝缘屏蔽与接地芯线相连，造成单相接地故障，使保护装置动作切断电源，防止相间短路故障发生，以及防止短路电弧引燃或引爆瓦斯、煤尘；有包在统包绝缘之外的导电材料做金属屏蔽，以防强电流流过电缆时，强电场辐射干扰煤矿井下通信、信号的正常传输，煤矿井下额定电压为3kV以上的电缆均应有金属屏蔽层。金属屏蔽层应与保护接地系统相连。

采用屏蔽电缆时，当电缆任一根主芯线的橡胶绝缘损坏时，主芯线就和它的屏蔽层相连接，并通过垫芯和接地芯线外面的导电橡胶带与接地芯线相连，相当于单相接地故障，在煤矿井下中性点不直接接地的供电系统中，装设有检漏保护装置，单相接地故障会引起检漏保护装置动作，切断故障线路的电源。从而既可以防止发生电缆相间短路(俗称电缆放炮)，又可以有效地防止漏电火花或短路电弧引起的煤矿井下瓦斯、煤尘爆炸。所以阻燃性屏蔽橡套电缆特别适用于具有瓦斯、煤尘爆炸的煤矿井下用来控制采掘工作面频繁启动的电气设备，以提高工作的安全性。

(二)橡套电缆的型号及使用

1.型号含义

橡套电缆的型号中，按照字母顺序从左自右依次表示电缆的型号、额定电压，三芯动力线和每芯截面，一芯接地线和芯线截面，三芯监视线和每芯截面。

例1：电缆MYPJ-3.6/6-3×35-1×16-3×2.5

表示煤矿用移动屏蔽监视橡套电缆，其中M表示煤矿用；Y表示移动设备使用；P表示屏蔽电缆；J表示监视；3.6/6表示额定电压为3.6kV/6kV；3×35表示三相动力芯线、每芯截面为35mm^2；1×16表示一相接地芯线、芯线截面为16mm^2；3×2.5表示三芯监视线、每芯截面2.5mm^2。

例2：UCPQ-3×70-1×16-3×2.5屏蔽电缆，其中U表示矿用；C表示采掘机械；P表示屏蔽；Q表示千伏级。

UCPQ型电缆由3个带有保护屏蔽的主线芯和1个由3~4根控制线芯绞合的控制单元以及1个包半导电橡皮的接地线组成，外面包黄色氯丁橡皮护套；导电线芯采用镀锡软铜线；主线芯采用绝缘分色识别，颜色标志为红、绿、白，控制线采用绝缘表面打印号码识别；在绝缘表面外绕包半导电带；3个主线芯和1个控制线芯组围绕地线绞合成缆；护套采用黄色氯丁橡皮。电缆的护套表面印有型号、电压、规格及制造厂名称。

2.煤矿常用橡套电缆的型号及应用

表4-2　　煤矿常用橡套电缆的型号字母含义

煤矿移动类阻燃软电缆系列		
系列代号	U（M）	矿用（煤矿用）
用途代号	Y	移动设备用
	C	采掘机用
	M	帽灯
	Z	电钻
	D	低温环境
结构特征代号	P	非金属屏蔽
	PT	金属屏蔽
	J	监视
	Q	轻型
	B	编织加强
	R	绕包加强
煤矿用额定电压10kV及以下铜芯固定敷设阻燃电力电缆		
系列代号	M	煤矿用
绝缘	V	聚氯乙烯
	YJ	交联聚乙烯
内衬层	V	聚氯乙烯护套
煤矿用阻燃通信电缆		
煤矿用阻燃通信电缆	MH	
钢铜加强线芯	J	
聚氯乙烯绝缘	Y	
铝-聚乙烯粘结护层	A	
编织铠装	B	
聚氯乙烯护套	V	
细圆钢丝铠装、聚氯乙烯外被层	32	

表4-3　　煤矿常用橡套电缆的型号及应用

型　号	名　称	使用
MCPJB-0.66/1.14	采煤机屏蔽监视编织加强型橡套软电缆	用于额定电压0.66/1.14kV及以下采煤机及类似设备,电缆可直接拖曳使用
MCPJR-0.66/1.14	采煤机屏蔽监视绕包加强型橡套软电缆	用于额定电压0.66/1.14kV及以下采煤机及类似设备,但电缆必须在保护链板内使用

续表4-3

MY-0.38/0.66	矿用移动橡套软电缆	用于额定电压0.38/0.66kV各种井下移动采煤设备
MYP-0.66/1.14	采矿用移动屏蔽橡套软电缆	用于额定电压0.66/1.14kV各种井下移动采煤设备
MYPJ-3.6/6	煤矿用移动屏蔽监视型橡套软电缆	用于额定电压3.6/6kV的井下移动变压器及类似设备
MZ-0.3/0.5	煤矿用电钻橡套电缆	用于煤矿井下额定电压0.3/0.5kV以下电钻供电
MZP-0.3/0.5	煤矿用屏蔽电钻橡套电缆	用于煤矿井下额定电压0.3/0.5kV以下电钻供电
MYQ-0.3/0.5	煤矿用移动轻型橡套软电缆	用于煤矿井下巷道照明,运输连锁和控制与信号设备
MM	矿工帽灯电线	用于各种酸、碱性矿灯,护套不具有耐燃性能
MM-1	矿工帽灯电线	用于各种酸、碱性矿灯,护套具有耐燃性能

三、塑料电缆

塑料电缆的主要结构与前两种电缆基本相同,只不过它的芯线绝缘即内护套和外护套都是用塑料(聚氯乙烯或交联聚乙烯)制成的。如果塑料电缆外部有金属铠装层的,则与铠装电缆的使用条件相同;如果塑料电缆外部无金属铠装层的,则与橡套电缆的使用条件相同。

塑料电缆由于其具有重量轻、防腐、防锈、阻燃无高差限制等优点,适用于有易燃物和腐蚀性场所。塑料绝缘电缆正取代油浸纸绝缘和橡胶绝缘电缆广泛应用于各种线路中。

第二节　矿用电缆的选择

一、电缆型号的确定

各种型号的电缆特点及使用场所,在上一节已经做了介绍,在确定电缆型号时,除应该根据煤矿井下使用的实际工作条件视具体情况而定外,电缆的选用还应该满足《煤矿安全规程》第467条之规定:

1.必须选用经检验合格取得煤矿矿用产品安全标志的阻燃电缆。

2.严禁采用铝包电缆。

3.低压电缆不应采用铝芯,采区低压电缆严禁采用铝芯。

4.电缆应带有供保护接地用的足够截面的导体。

5.由于铅皮纸绝缘铠装电缆敷设的水平差,当超过允许值后,将出现接头漏油或铅皮变形,影响电缆寿命。所以,电缆敷设地点的水平差应与规定的电缆允许敷设水平差相适应。如果电缆敷设的高差超过电缆允许的要求时,应在中间设堵油接头,以保证电缆能长期稳定使用。

6.对固定敷设的高压电缆应满足:

(1)在立井井筒或倾角为45°及其以上的井巷内,应采用聚氯乙烯绝缘粗钢丝铠装聚氯乙烯护套电力电缆、交联聚乙烯绝缘粗钢丝铠装聚氯乙烯护套电力电缆;

(2)在水平巷道或倾角在45°以下的井巷内,应采用聚氯乙烯绝缘钢带或细钢丝铠装聚氯乙烯护套电力电缆、交联聚乙烯钢带或细钢丝铠装聚氯乙烯护套电力电缆;

(3)在进风斜井、井底车场及其附近、中央变电所至采区变电所之间,可以采用铝芯电缆,其他地点必须采用铜芯电缆。

7.固定敷设的低压电缆,应采用MVV铠装或非铠装电缆或对应电压等级的移动橡套软电缆。

8.非固定敷设的高低压电缆,必须采用符合MT818标准的橡套软电缆。移动式和手持式电气设备应使用专用橡套电缆。

9.照明、通信、信号和控制用的电缆,应采用铠装或非铠装通信电缆、橡套电缆或MVV型塑力缆。

10.电缆主线芯的截面应满足供电线路负荷的要求。

二、电缆长度的确定

1.固定敷设电缆长度

由于电缆有一定的柔性,在固定敷设时要有一定的弯曲和松弛度,以保证能在意外受力时自由坠落,防止芯线受损。因此,电缆的实际长度应大于实际敷设路径长度,其长度按下式确定:

$$Ls=KL \tag{4-1}$$

式中 Ls——电缆实际长度,m;

K——系数,固定敷设阻燃电缆取1.1,固定敷设铠装电缆取1.05;

L——实际敷设路径长度,m。

当电缆中间有接头时为便于安装,应在接线盒两端各增加3m。

2.移动电缆长度

采掘工作面移动设备用的橡套电缆的实际长度,应按照使用最远点的长度,再增加3~5米以便于活动。

三、电缆芯线数目的确定

干线用铠装电缆时选三芯电缆,阻燃性橡套电缆或非铠装塑料电缆选用四芯电缆;支线用橡套电缆对电气设备进行就地控制时,一般选用四芯电缆,远方控制和联锁控制时要根据实际需要确定控制芯线的数目;通信信号电缆的芯线数要根据需要确定,并留有备用芯线。

电缆的接地芯线除用作监测接地回路外,不得兼做他用。

四、电缆主线芯截面积的确定

(一)低压电缆主线芯截面积的确定

低压支线橡套电缆截面一般按照机械强度初选,按长时允许电流校验;低压干线橡套电缆截面一般按照允许电压损失初选,按其他条件校验。

井下低压动力支线电缆截面的选择原则如下:

①按机械强度选择电缆截面,其芯线截面应不小于各种用电设备按机械强度要求所规定的最小截面。

②按电缆实际通过的最大工作电流不超过电缆长时允许电流进行校验。

井下低压动力干线电缆截面的选择原则如下:

①按低压系统允许电压损失选择电缆主芯线截面。

②按电缆的长时允许电流校验电缆截面。

③按启动条件校验所选电缆截面,校验时,距电源最远、容量最大的一台电动机启动而其余电动机正常运行时的电压损失应小于电网的允许电压损失。

1.按机械强度要求选择电缆截面

经常移动的电气设备使用的移动阻燃电缆的截面积,应首先满足机械强度的要求,所以按机械强度要求的最小截面积选择电缆截面积,然后按长时允许电流校验以满足长时允许电流要求。表4–4所示为橡套电缆机械强度要求的最小截面积。

表4–4　满足机械强度要求的最小截面积

用电设备名称	最小截面(mm^2)	用电设备名称	最小截面(mm^2)
采煤机组	35~50	调度绞车	4~6
可弯曲刮板输送机	16~35	局部通风机	4~6
一般输送机	10~25	煤电钻	4~6
回柱绞车	16~25	照明设备	2.5~4
装岩机	16~25		

2.按长时允许电流选择电缆截面

电缆的长时允许通过的电流值应大于或等于实际流过电缆的工作电流,即:

$$Icy \geq Ica \tag{4–2}$$

式中　Icy——电缆长时允许通过的电流,A;(表4–5、表4–6、表4–7)

Ica——实际流过电缆的工作电流,A。

电缆长时允许通过的电流可通过查《电工手册》获得。例如,6kV主芯线截面积为35 mm^2

的矿用橡套铜芯电缆，长时允许负荷电流为148A。

表4–5　　矿用油浸纸绝缘铅包铠装电缆的允许持续电流(A)

芯线截面（毫米²）	空气中敷设，空气温度为25℃						土壤中直埋敷设，土壤温度为15℃，热阻率为80℃厘米/瓦					
	不同电压的线芯最高温度时的长时允许电流						不同电压的线芯最高温度时的长时允许电流					
	80℃		65℃		60℃		80℃		65℃		60℃	
	1~3千伏		6千伏		10千伏		1~3千伏		6千伏		10千伏	
	铝	铜	铝	铜	铝	铜	铝	铜	铝	铜	铝	铜
3×2.5	24	32					30	40				
3×4	32	41					40	51				
3×6	40	55					50	65				
3×10	55	70	48	60			65	87	61	78		
3×16	70	95	65	80	60	75	87	114	78	100	73	96
3×25	95	125	85	110	80	100	114	152	106	134	101	130
3×35	115	155	100	135	95	125	141	185	123	162	119	152
3×50	145	190	125	175	120	155	175	223	151	200	147	192
3×70	180	235	155	200	145	190	207	272	185	240	169	281
3×95	220	285	190	245	180	230	250	327	230	291	209	276
3×120	265	3365	220	285	205	265	288	376	257	336	243	310
3×150	300	385	255	330	235	305	327	425	291	280	277	356
3×185	345	450	295	380	270	335	370	485	330	425	310	406
3×240	410	530	345	450	320	420	435	559	386	504	367	475

表4–6　　矿用软电缆的长时允许电流(A)

电缆型号	电缆芯线截面（毫米²）									
	4	6	10	16	20	25	35	50	70	95
1000伏U、UY、UYP型	36	46	64	85	–	113	438	173	215	260
1400伏U、UY、UYP型	–	–	–	85	–	110	135	170	205	250
6000伏U、UY、UYP型	–	53	75	94	106	121	148	170	205	250

注：环境温度为25℃，导电芯线最高允许温度为65℃。

表4–7　　裸导体的允许持续电流(A)

导线型号	I_y（安）	导线型号	I_y（安）	导线型号	I_y（安）
LJ–16	105	LGJ–50	220	T–25	180
LJ–25	135	LGJ–70	275	T–35	220
LJ–35	170	LGJ–95	335	T–50	270
LJ–50	215	LGJ–120	380	T–70	340
LJ–70	265	LGJ–150	445	T–95	415
LJ–95	325	LGJ–185	515	T–120	485
LJ–120	375	T–4	50	T–150	570
LJ–150	440	T–6	70	T–185	645
LJ–185	500	T–10	95	T–240	770
LGJ–35	170	T–16	130		

向单台或两台电动机供电的电缆,实际流过电缆的电流,可直接取电动机的额定电流或两台电动机额定电流之和。向三台及以上电动机供电的电缆,实际流过电缆的电流按下式计算:

$$Ica=\frac{K_{de}\sum P_N\times10^3}{\sqrt{3}U_N cos\varphi_{wn}} \tag{4-3}$$

式中　K_{de}——电缆所带负荷的需用系数;

$\sum P_N$——该电缆所带负荷的额定功率之和,kW;

U_N——该电缆所在电网的额定电压,V;

$cos\varphi_{wn}$——该电缆所带负荷的加权平均功率因数。

3.按电压损失选择电缆主截面

在井下低压供电系统中,电压损失由三部分组成,即变压器绕组电压损失、支线电缆电压损失和干线电缆电压损失。

$$\sum\triangle U=\triangle U_B+\triangle U_Z+\triangle U_G$$

式中　$\sum\triangle U$——总的电压损失;

$\triangle U_B$——变压器绕组电压损失;

$\triangle U_Z$——支线电缆电压损失;

$\triangle U_G$——干线电缆电压损失。

由于电气设备正常工作时,其端电压不得低于额定电压的95%,在选择电缆时,一般要求线路上的总电压损失$\sum\triangle U$不大于所规定的电压损失。

对于供电线路末端,按照电动机端电压不低于额定电压的95%计算,如:380V电网中,其末端电压损失允许值为400–0.95×380=39 V;660 V电网中,其末端电压损失允许值为690–0.95×660=63 V;1140 V电网中,其末端电压损失允许值为1200–0.95×1140=117 V。

4.按启动条件校验所选电缆截面

校验时,距电源最远、容量最大的一台电动机启动而其余电动机正常运行时的电压损失应小于电网的允许电压损失。

在进行电缆截面校验时,如果校验不合格,通常可采取以下措施解决:

(1)重选电缆,增大电缆截面积。

(2)增加电缆根数,分散负荷。

(3)更换大容量的变压器,以减少变压器电压损失。

(4)移动变电所位置,使其靠近用电设备。

(5)在使用中,改变变压器一次侧调压抽头,以提高变压器二次侧电压。

(二)高压电缆主线芯截面积的确定

井下高压动力电缆截面的选择应遵循以下规定:①按经济电流密度确定电缆截面。②按长时允许电流校验电缆截面。③按电缆通过正常负荷电流时,电网允许的电压损失校验电缆截面。④按最大运行方式下发生三相短路故障,校验电缆的热稳定性。⑤当电缆通过最小两相短路电流时,必须满足过电流保护装置最小灵敏度要求。

第三节　矿用电缆的敷设、连接

一、矿用电缆的敷设

矿用电缆的敷设必须符合《煤矿安全规程》的有关规定。具体要求如下：

（一）电缆敷设路径的选择

1.路径应尽可能短，以降低电缆的投资和线路上的电压损失及功率损失。

2.电缆的敷设要确保供电线路安全，在总回风巷和专用回风巷中，由于瓦斯和煤尘浓度较高不应敷设电缆；在溜放煤、矸石、材料的溜道中严禁敷设电缆；在机械提升的进风斜井（不包括输送机上、下山）和使用木支架的立井井筒中，敷设电缆时为防提升机械掉道轧伤电缆和电缆引燃木支架，必须有可靠的安全措施；电话线下井要从不同井筒下井，且为两条以上。

（二）电缆的敷设方式及要求

1.水平巷道和倾角在30°以下井巷中电缆应用吊钩悬挂（与手持式和移动式设备连接的电缆除外），同时要注意：

（1）电缆悬挂点的间距不得超过3m，并保证电缆的悬挂有适当的松弛度，在意外受力时能自由坠落防止损坏电缆，但坠落时电缆不应落在轨道及输送机上，悬挂高度要保证矿车掉道时不会撞击电缆。

（2）电缆穿墙部分应用套管保护并严密封堵管口。

2.立井井筒和倾角在30°及其以上的井巷应用夹子、卡箍或其他夹持装置固定电缆，夹持装置应能承受电缆的重量，不得损伤电缆。同时要注意：

（1）电缆悬挂点的间距不得超过6m。

（2）立井井筒中所用的电缆中间不得有接头。因井筒太深需要设置接头时，应将接头设在中间水平巷道内；无中间水平巷道可利用时，可在井筒中设置托架，将接线盒放置在托架上，不应使接头承受重力。

（3）沿钻孔敷设的电缆必须绑紧在钢丝绳上，为防止地压作用使巷道变形、塌落损坏电缆，钻孔必须加装套管。

3.电缆上严禁悬挂任何物件，电缆不得遭受淋水。电缆与压风管、供水管在巷道同一侧敷设时，必须敷设在风管和水管的上方，并保持0.3米以上的距离。

4.为防止瓦斯管路破损时电缆故障产生的电火花引爆瓦斯，电缆必须与瓦斯抽放管路分挂在巷道两侧。

5.通讯和信号电缆应与电力电缆分挂在井巷两侧，以防止电力电缆的强磁场对通讯信号产生干扰造成通讯不畅通。如果受条件限制，敷设在同一侧时，在井筒内，应将通讯和信号电缆敷设在电力电缆0.3m以外的地方；在巷道内，应敷设在电力电缆上方0.1m以上的地方。

6.高、低压电缆敷设在巷道同一侧时，高、低压电缆之间的距离应大于0.1m，高压电缆之间、低压电缆之间的距离不得小于50毫米 。

7.井下巷道内的电缆，沿线每隔一定距离、拐弯或分支点以及连接不同直径电缆的接线盒两端、穿墙电缆的墙的两边都应设置注有编号、用途、电压和截面大小的标志牌。

为了防止电缆在敷设时扭伤和折伤，电缆的允许弯曲半径不得小于表4-8所规定的值。

表4-8　　电缆最小允许弯曲半径

<table>
<tr><th colspan="3">电缆型式</th><th>多芯</th><th>单芯</th></tr>
<tr><td colspan="3">控制电缆</td><td>10D</td><td></td></tr>
<tr><td rowspan="3">橡胶绝缘电力电缆</td><td colspan="2">无铅包、钢铠护套</td><td colspan="2">10D</td></tr>
<tr><td colspan="2">裸铅包护套</td><td colspan="2">15D</td></tr>
<tr><td colspan="2">钢铠护套</td><td colspan="2">20D</td></tr>
<tr><td colspan="3">聚氯乙烯绝缘电力电缆</td><td colspan="2">10D</td></tr>
<tr><td colspan="3">交联聚乙烯绝缘电力电缆</td><td>15D</td><td>20D</td></tr>
<tr><td rowspan="3">油浸纸绝缘电力电缆</td><td colspan="2">铝包</td><td colspan="2">30D</td></tr>
<tr><td rowspan="2">铅包</td><td>有铠装</td><td>15D</td><td>20D</td></tr>
<tr><td>无铠装</td><td>20D</td><td></td></tr>
<tr><td colspan="3">自容式充油(铅包)电缆</td><td></td><td>20D</td></tr>
</table>

注：表中D为电缆外径。

在温度较低的冬季敷设电缆，电缆变硬而不易弯曲时，应预先放在温度较高的室内或通电加热后再进行敷设。

二、矿用电缆的连接

电缆芯线的连接主要有焊接、压接、螺栓连接和绑扎等方法，煤矿井下电缆多采用压接。为了防止电缆的接头发生漏电或短路，引起人身触电或瓦斯、煤尘爆炸事故，矿用电缆的连接不应有鸡爪子、羊尾巴和明接头，必须符合《煤矿安全规程》的规定。

1. 电缆与电气设备的连接

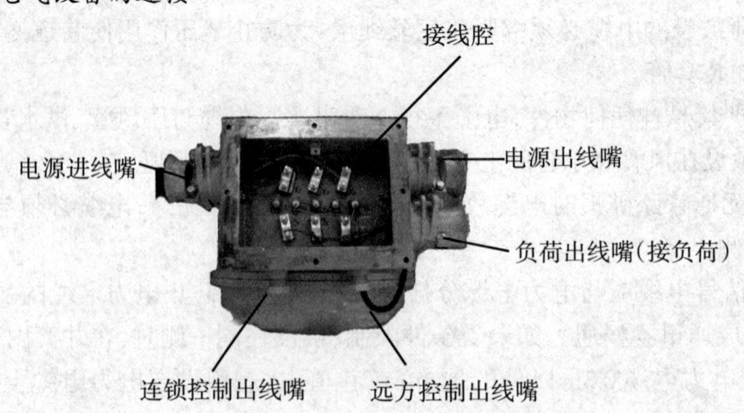

图4-4　电缆与电气设备的连接

电缆与电气设备的连接，必须用与电气设备性能相符的接线盒。电缆线芯必须使用齿形压线板（卡爪）或线鼻子与电气设备进行连接。接头应整齐、无毛刺，卡爪不压绝缘层，也不得压住和接触屏蔽层。

2.电缆之间的连接

（1）不同型电缆之间严禁直接连接，必须经过符合要求的接线盒、连接器或母线盒进行连接。

（2）同型电缆之间直接连接时必须遵守下列规定：

①橡套电缆的修补连接（包括绝缘、护套已损坏的橡套电缆的修补）必须采用阻燃材料进行硫化热补或与热补有同等效能的冷补。在地面热补或冷补后的橡套电缆，必须经浸水耐压试验，合格后方可下井使用。

硫化热补是用热补器加热生胶，使之与护套胶合。冷补法工艺简单，不需要特殊的设备和加热，适合井下作业。在井下冷补的电缆必须定期升井试验。

②塑料电缆连接处的机械强度以及电气、防潮密封、老化等性能，应符合该型矿用电缆的技术标准。塑料电缆之间的连接可采用热缩型中间连接盒和预制件装配式接线盒。

（3）高压电缆之间或与真空配电装置和移动变电站之间的连接应采用预制型电缆终端盒连接。

纸绝缘电缆之间必须使用符合要求的电缆接线盒，高压铠装电缆之间的连接主要采用浇铸式接线盒，也可采用热缩型中间连接盒，接线盒两端电缆的铅包、钢铠层必须用导线连接并与接地极相连。

第四节　矿用电缆的运行与维护

为了防止电缆绝缘降低、受潮以及机械损伤而引起短路、断相、漏电等事故，必须加强煤矿井下电缆的运行维护工作。

一、电缆的日常运行维护检查

1.每一条电缆入井前，要认真检查，取得入井合格证后，才可以入井。

2.电缆投入运行前应进行下列电气试验：测量电缆各线芯导体的直流电阻和三相电阻的对称性，测量电缆的终端接线盒及中间接线盒各接地极的接地电阻，按有关规定进行绝缘性能试验，检查电缆线路的相位。

3.新安装的电缆投入运行时，应由跟班电工全面测定负荷电流及线路的电压损失，并检查电缆接头部位有无发热现象，发现问题要及时处理。裸铠装电缆的铠装层应定期涂防腐漆，井筒内及主要运输巷的电缆一般每2年涂1次，采区巷道的电缆最多不能超过2年涂1次。

4.矿井电缆线路禁止升压运行。

5.井筒内更换罐道、管路及进行井壁维修时，要制定措施防止砸伤井筒内电缆；在井下巷道内运输材料或设备时，要制定措施防止损坏电缆。

6.铠装电缆的铠装层如有断裂应及时绑扎。高压电缆在巷道中跨越电机车架空线时，为防止架线火花灼伤电缆，跨越部分应加胶皮覆盖。

7.对向采煤机组、刮板输送机、装载机、绞车、煤电钻等移动设备供电的电缆，要采取措施防止砸压、挤碰电缆，并且每班应由当班司机或专责电工检查其外表有无机械损伤。矿用橡套电缆接线盒应由专人经常检查，检查连接是否有松动和接触不良的现象。

二、电缆的定期检查、试验

1.每年对高压电缆至少做1次泄漏和耐压试验；每季对固定敷设电缆的绝缘和外部进行1次检查；每月对移动式电气设备的橡套电缆绝缘进行1次检查，每班由当班司机或专责电工检查1次外皮有无破损。

2.应每年进行1次电缆绝缘电阻的测定，其绝缘电阻值应符合规定。

3.对固定敷设的电缆，应由专责电工每周至少巡视检查1次其外部和悬挂情况。巡视检查的主要内容如下：电缆悬挂是否合格；固定电缆的承接装置有无松动、损坏；电缆有无机械损伤及锈蚀、裂口、断裂、松散、脱落现象；电缆两端引入及引出部分有无异状；接线盒的地线是否完好，接线盒的表面温度是否过高；通过硐室和墙壁的电缆的保护管有无被挤压破损现象；电缆标志牌是否符合要求；电缆与电气设备的连接是否符合防爆要求，有无不合格接头。

在地面热补或冷补后的橡套电缆，必须经浸水耐压试验，合格后才可以下井使用。检查和试验结果应记入专用的记录簿内，检查和试验中发现的问题，应指派专人限期处理。

第五节　电缆故障及查找

一、常见的电缆故障

1.常见的电缆故障

常见的电缆故障有单相接地故障、断相故障、短路故障、电缆的绝缘主线芯之间或线芯对地绝缘电阻降低。

2.造成电缆故障的主要原因

电缆的选择、安装、使用、运行及维护检查不当，均可能造成电缆故障，概括起来主要有以下几个方面：

(1) 选择的电缆主线芯截面的机械强度或长时允许电流不够，造成断相、短路故障。

(2)电缆敷设、连接不符合要求，发热、受潮，造成短路、绝缘下降故障。

(3) 电缆连接时出现“鸡爪子”、“羊尾巴”、“明接头”造成单相接地故障。

(4) 电缆在使用中遇到车辆掉道或者碰撞、挤压、埋、砸、受潮、进水，使电缆的绝缘下降，造成漏电导致电缆故障。

(5) 日常维护检查管理不善，造成电缆漏电、短路故障。

(6) 因操作过电压、大气过电压造成电缆绝缘击穿,导致短路、接地故障。

二、电缆故障的查找

(一)电缆故障的判断

煤矿井下发生电缆故障后,首先要判断故障类型,然后找出故障点,最后再排除故障。

判断故障类型的方法有两种,一是可利用保护装置的动作来判定故障类型,二是用兆欧表(摇表)通过测量绝缘电阻来判断故障类型。

1.利用保护装置的动作来判定故障类型

如果短路保护装置动作,说明电缆发生了短路故障;检漏继电器动作,说明电缆发生了单相接地;通电后设备不工作,说明电缆发生了断相故障。

2.用兆欧表(摇表)测量绝缘电阻判断故障类型

该方法在本章技能部分介绍。

(二)电缆故障点的查找

判断出故障类型及故障相后,查找电缆故障点,可以通过向事故现场人了解情况,并根据上述电缆故障类型,对可疑地段重点查找。具体查找法见本章专业技能部分。

三、处理电缆故障注意事项

当电缆发生故障后,判断出故障类型及故障相,查找出电缆故障点后,应根据故障的类型立即处理,对不能立即处理的故障,应立即汇报有关部门,迅速组织有关人员进行处理。

1.用普通型携带式电气测量仪表测量电缆故障或采用在地面测试的方法测试井下进风巷中铠装电缆的故障时,必须首先检查故障电缆附近巷道的瓦斯浓度,瓦斯浓度在1%以下才可以进行,并在测试过程中,实时监测周围环境的瓦斯浓度。

2.电缆因故障引起火灾时,应立即切断电源,用沙子、干粉灭火器等灭火器材灭火,并及时汇报。

3.处理故障时必须将故障电缆与其他电缆完全隔开。

4.当瓦斯浓度在1%以下时,方可对故障电缆进行试送电来判断电缆故障,但对有煤与瓦斯突出的矿井和瓦斯喷出区域内的故障电缆,严禁用试送电的方法判断电缆的故障。

5.用仪器、仪表及人工敲打等方法判断电缆故障点时,故障电缆必须切断电源,并与其他电网完全隔开后方可进行。

第六节　矿用变压器

矿用变压器是煤矿井下向低压动力设备供电的变电装置。按其结构不同分为矿用一般型和矿用隔爆型变压器两种,矿用隔爆型又分为KSG系列变压器和KBSG系列变压器,前者主要向照明、信号、煤电钻供电，后者主要是矿井电力运输及综合机械化采煤机的电源。矿用一般型为油浸自冷式，矿用隔爆型为空气风冷式。其型号含义如下：

表4–9　　矿用变压器型号含义

用途	相数	线圈外绝缘	线圈材料	结构特征	装置种类
K——矿用一般	S——三相	G——干式	L——铝线	Z——组合式	Y——移动式
B——矿用防爆	D——单相	无G——变压器油	无L——铜线	无Z——单台	无Y——固定式

一、矿用一般型变压器

矿用一般型变压器是油浸式变压器，变压器油绝缘强度高、易于散热，但也容易燃烧引起火灾，因此主要用于无瓦斯、煤尘爆炸危险的环境中，是低瓦斯煤矿井下中央变电所的主要变电设备。而在有瓦斯、煤尘爆炸危险的工作面附近，必须使用矿用隔爆型变压器。

图4–5　矿用一般型变压器

（一）矿用一般型变压器结构特点

1.型号含义

如：KS_7–320/6，即矿用三相低损耗油浸铜芯线变压器，

其中：K——矿用；S ——三相；7——设计序号（S_7或S_9是低损耗变压器）；

320 ——额定容量，kVA；6—— 一次侧额定电压，kV。

2.结构特点

目前使用较多的是KS_7、KS_9系列的节能低耗矿用变压器。其外形结构如图4–5所示。矿用变压器在结构上有如下特点：

（1）油箱采用低碳钢板，机械强度高、构造坚固，可承受较大内压力，外壳的防护等级不低于IP_{44}，也就是说，其外壳的防外物能力及防水能力均不低于5级。

（2）不设贮油柜，以防在井下碰撞发生事故。

（3）油箱两侧有密封式高低压电缆接线盒磁套盒，盒下设有供电缆进出线的喇叭口，低压出线盒旁装无载分接开关，供高压线圈分接头调整电压用。

（4）油箱上设有注油用的注油塞，塞上设有通气孔以排出油箱内的湿气、油面上部的热空气及油中分解的甲烷产物。

（5）进出线采用电缆接线盒。接线盒为封闭式，分设在油箱前后两侧。高压侧设有三个接线柱，低压侧设有六个接线柱，可根据用户的需要接成星形或三角形。

（6）油箱下有拖撬及带边缘的钢轮，便于在倾斜巷道内移动。

（7）油箱内部的铁芯采用晶粒取向冷轧硅钢片，通常均采用全斜接缝、不冲孔结构，使变压器的空载损耗和短路损耗大大降低，节约了电能，冷却系统采用片形散热器及扁管散热。

（二）变压器的调节

高压侧设有三个接线柱，其中两个是调节变压器二次输出电压的±5%分接头。当变压器二次输出电压长期低于额定值的95%时，调至–5%的分接头；反之，长期高于额定值的105%时，调至+5%的分接头。

该分接头为无载调压装置（没有灭弧装置），必须在停电后调整。具体做法是：须变换分接电压时，应先断开低压馈电开关，再断开上一级高压配电装置电源，打开箱体上部接线盒盖，才可改接分接头。

二、矿用隔爆型变压器

矿用隔爆型变压器的绕组和隔爆外壳之间的冷却介质不是绝缘油，而是空气，其循环方式为自然循环，所以是干式空气自冷变压器，简称干式变压器。干式变压器与油浸式变压器相比具有没有火灾和爆炸危险，不存在变压器油老化问题，维护检修工作量小，附属部件简单，体积小，重量轻的优点。

（一）型号含义

1.KBSG–630／6矿用隔爆型变压器

其中：K——矿用；B——隔爆型；S——三相；G——干式；630——额定容量，630kVA；6——变压器一次侧额定电压，6 kV。

KBSG–630／6矿用隔爆型变压器用于有甲烷、煤尘等爆炸混合气体的煤矿井下环境中，可供矿井电力运输及综合机械化采煤机电源使用。

2.KSG–4.0／0.66矿用干式变压器

其中：K——矿用；S——三相；G——干式；4.0——额定容量，4.0kVA；0.66——变压器一次侧额定电压，0.66kV。

KSG矿用干式变压器用于煤矿井下有甲烷、煤尘等爆炸混合气体的煤矿井下环境中，在交流50Hz，电压至660V的供电线路中为煤电钻提供127V电源。

（二）结构特点

1.KSGB系列矿用隔爆型变压器的结构特点

矿用隔爆型干式变压器适用于有爆炸危险的工作面平巷，可以单独做变压器用，也可以与高、低压开关组成移动变电站。当单独做变压器使用时，设有联锁装置和急停按钮，在紧急情况下能切断进线高压电源。在干式变压器壳体内的器身上装有温度监视元件，在正常运行时，由于外部原因引起温度超过一定值时，能发出报警信号。

目前采掘工作面使用较多的是KSGB系列矿用隔爆型变压器，是移动变电站的主变压器，见图4–6。

图4–6　KSGB矿用隔爆型干式变压器外形图

矿用隔爆型干式变压器在结构上有如下特点：

（1）干式变压器具有隔爆外壳，绕组、铁芯不浸在绝缘油液中，比较安全，便于维修，但散热靠空气自冷，温度较高。

（2）隔爆外壳采用瓦楞钢板结构，既增大了散热面又增强了机械性能，防止变压器过热运行。

（3）隔爆外壳底座拖橇下还可增设滚轮，以便于移动变压器。

（4）在高、低压侧接线盒上设有电气联锁装置，未切断电源的情况下要打开接线盒时，会使高压配电装置跳闸，确保了安全。并设有“严禁带电开盖”的警告标志，以防误操作。

(5)矿用隔爆型干式变压器单独做变压器时，在一次侧也设有调节变压器二次输出电压的±5%分接头。

2.技术数据

KBSG系列矿用隔爆型干式变压器的技术数据如表4-10所示。

表4-10　　KBSG系列矿用隔爆型干式变压器的技术数据

<table>
<tr><th rowspan="2">型 号</th><th rowspan="2">额定容量(kVA)</th><th rowspan="2">联接组标号</th><th colspan="2">额定电压</th><th colspan="2">损耗(w)</th><th rowspan="2">空载电流(%)</th></tr>
<tr><th>高压kV</th><th>低压kV</th><th>空载Po</th><th>负载Pk</th></tr>
<tr><td>KBSG-160/6</td><td>160</td><td rowspan="5">Yy0(d11)</td><td rowspan="8">6</td><td rowspan="2">0.693/ 0.4</td><td>700</td><td>1300</td><td>2</td></tr>
<tr><td>KBSG-250/6</td><td>250</td><td>950</td><td>1800</td><td>2</td></tr>
<tr><td>KBSG-315/6</td><td>315</td><td rowspan="3">1.2/0.693</td><td>1100</td><td>2150</td><td>1.8</td></tr>
<tr><td>KBSG-500/6</td><td>500</td><td>1500</td><td>3100</td><td>1.5</td></tr>
<tr><td>KBSG-630/6</td><td>630</td><td>1800</td><td>3680</td><td>1.5</td></tr>
<tr><td>KBSG-800/6</td><td>800</td><td rowspan="3">Yy0</td><td rowspan="3">3.45/1.2</td><td>2050</td><td>4500</td><td>1</td></tr>
<tr><td>KBSG-1000/6</td><td>1000</td><td>2350</td><td>5400</td><td>1</td></tr>
<tr><td>KBSG-1250/6</td><td>1250</td><td>2750</td><td>6500</td><td>1</td></tr>
<tr><td>KBSG-100/10</td><td>100</td><td rowspan="8">Yy0(d11)</td><td rowspan="8">10</td><td rowspan="4">0.693/ 0.4</td><td>560</td><td>1050</td><td>2.5</td></tr>
<tr><td>KBSG-160/10</td><td>160</td><td>800</td><td>1500</td><td>2</td></tr>
<tr><td>KBSG-200/10</td><td>200</td><td>950</td><td>1800</td><td>2</td></tr>
<tr><td>KBSG-250/10</td><td>250</td><td>1100</td><td>2100</td><td>2</td></tr>
<tr><td>KBSG-315/10</td><td>315</td><td rowspan="4">1.2/0.693</td><td>1300</td><td>2500</td><td>1.8</td></tr>
<tr><td>KBSG-400/10</td><td>400</td><td>1500</td><td>3000</td><td>1.8</td></tr>
<tr><td>KBSG-500/10</td><td>500</td><td>1750</td><td>3500</td><td>1.5</td></tr>
<tr><td>KBSG-630/10</td><td>630</td><td>2000</td><td>4100</td><td>2</td></tr>
</table>

续表4-10

KBSG-800/10	800	Yy0	10	3.45/1.2	2300	5100	1
KBSG-1000/10	1000				2600	6100	1
KBSG-1250/10	1250				3100	7400	1

3.使用要求

(1) 矿用隔爆型变压器应遵循合闸时要先合高压,后合低压;停止送电时要先断低压,后断高压的送、停电操作程序。

(2) 当需要改变变压器低压侧的接线方式时,必须先切断低压负荷,后切断高压侧电源,然后打开低压侧联接组变换法兰盒,变换低压侧联接组标号。

(3)矿用隔爆型变压器严禁超铭牌数据运行,当电网电压波动值超出允许范围时,为保证设备的安全运行,必须调整电网供电电压。在使用中应根据井下电网电压的波动进行高压电压分接抽头变换。分接抽头变换时,要先切断低压负荷,然后切断高压侧电源,打开箱体的分接变换法兰盒盖,变换分接抽头的连接片。

(4) 矿用隔爆型变压器在运行中如出现紧急情况或负荷侧发生故障来不及按照高压的送、停电操作程序处理时,可按下其高压侧急停按钮,使高压配电装置迅速跳闸。

(5)变压器在运行中因温度升高而引起温度继电器报警时,应立即切断电源,查明原因并排除故障后,方可合闸送电。报警后,变压器温度下降到一定值,温度继电器才能停止报警,否则,即使排除故障,合闸后仍然会二次报警。

三、KSG系列矿用隔爆型变压器的结构特点

KSG型矿用隔爆型变压器的高压线圈,可接成星形接法,或三角形接法,改接时须将变压器与电源断开,打开箱盖,在接线板上进行。

图4-7 KSG系列矿用隔爆型变压器的结构

1.KSG型矿用隔爆型变压器的箱壳,系由钢板焊接制成,箱体可经受8个大气压力,机械性能强度高,散热效果好,箱盖与箱沿之间的接触面符合隔爆要求。

2.箱盖由钢板制成,上面有两个电缆出线套,出线套内放置橡胶垫圈,电缆穿过橡胶垫圈,旋紧出线圈后,可借橡胶垫圈压紧电缆以确保密封。

3.KSG型矿用隔爆型变压器铁芯采用优质低损耗冷轧硅钢片,表面涂以耐高温专用铁芯漆,加热固化,具有损耗低、防腐耐潮、耐燃、防尘、绝缘性能好、噪音低等特点。

4.高低压线圈采用铜线或铜箔绕制,经过多次特殊绝缘处理,具有良好的防潮性能。

5.使用时应将箱壳内面及箱壳拖架上的接地螺栓可靠接地。

6.高压侧可接成星形接法或三角形接法。改变接法时,应将变压器与电源切断,打开箱盖进行。

第二部分　专业核心知识点

1.不同类型电缆的应用。

2.电缆类型、型号及电缆长度的确定。

3.矿用电缆的敷设路径、敷设方式及要求。

4.矿用电缆与电气设备、电缆与电缆之间的连接要求。

5.矿用电缆的运行与维护及检查。

6.常见的电缆故障。

7.处理电缆故障注意事项。

8.矿用隔爆型变压器的使用要求。

第三部分　专业技能训练

技能一　矿用电缆连接

一、低压橡套电缆与电气设备连接

1.电缆与电气设备的连接必须使用电缆引入装置(喇叭嘴)。

2.用于引入电缆外径大于20 mm的压紧螺母式和压盘式引入装置应设置防止电缆拔脱的装置。

3.选择合适的电缆型号、规格、长度。电缆外观应无损伤,绝缘良好。

4.选择合适的密封圈,使电缆引入装置内径与密封圈外径之差符合防爆要求。

5.按照引入电缆外径做密封圈,密封圈无破损,刀削后应整齐平滑,不得出现锯齿状。

6.用刀子轻轻地稍微拉开口,剥除绝缘胶皮使电缆芯线露出。

7.将电缆穿入密封圈,密封圈内径与电缆外径之差要符合防爆要求。

8.将带有密封圈的电缆经过喇叭嘴引入接线,喇叭嘴电缆出口处应平滑,不得出现死弯。电缆外护套进入接线盒器壁一般为5~15mm。

9.接线时芯线裸露长度距卡爪不大于10mm,以齿形压线板(卡爪)不压胶皮或其他绝缘物,也不压或接触屏蔽层为宜。接线要整齐,无毛刺。

10.接线室内地线长度应以松开线嘴拉动电缆时,相线被拉松或拉脱而地线不掉为宜。

11.电缆与电气设备连接后紧固件的紧固程度要符合要求。

12.接线完毕,接线(室)盒内应保持干净,无杂物和水珠。

二、低压橡套电缆与电缆连接

1.不同型电缆之间严禁直接连接,必须经过符合要求的接线盒、连接器或母线盒进行连接。

2.同型电缆之间直接连接时必须遵守下列规定:①橡套电缆的修补连接必须采用阻燃材料进行硫化热补或与热补有同等效能的冷补。在地面热补或冷补后的橡套电缆,必须经浸水耐压试验合格后方可下井。在井下冷补的电缆必须定期升井试验。②塑料电缆连接处的机械强度以及电气、防潮密封、老化等性能,应符合该型矿用电缆的技术标准。

3.电缆线芯的连接,一般采用压接法、焊接法。

技能二　矿用电缆的故障判断

矿用电缆发生故障后,故障的判断及故障点的查找,可以利用保护装置的动作来判定,也可以用兆欧表(摇表)测量绝缘电阻判断。该技能介绍的是用兆欧表(摇表)测量绝缘电阻判断故障类型。

1.相间短路故障的判断

将电缆两端完全脱开,用兆欧表测定电缆任两相芯线之间绝缘电阻,如果绝缘电阻小于正常值，说明发生了相间短路。如果某一芯线分别与其他两芯线间绝缘电阻很小甚至为零，说明这一芯线为短路相。

2.断相故障的判断

将电缆一端短接，将兆欧表的两端分别接于任两相主线芯，测量两相间绝缘电阻，如果某一芯线分别与其他两芯线间绝缘电阻很大，说明这一芯线发生断相故障。

3.单相接地故障判断

首先切断电源，将电缆两端的芯线全部开路。用兆欧表测定电缆每一相对地的绝缘电阻，如果其中某一相对地绝缘电阻小于正常值，说明该相发生了单相接地。

需要注意的是，使用普通型携带式电气测量仪表测量绝缘电阻时，必须在瓦斯浓度1.0%以下的地点使用，并实时监测使用环境的瓦斯浓度。

技能三　矿用电缆故障点的查找

判断出故障类型及故障相后，查找电缆故障点，可以通过向事故现场人了解情况，并根据上述电缆故障类型，对可疑地段重点查找。

1.直观法

(1)查短路点：

由于电缆短路事故会造成绝缘外皮烧伤，发出难闻的气味，如果电缆接线盒内发生短路，则接线盒表面温度较高，且短路时常有放炮声。所以通过听、闻、看、摸即可找到短路故障点。

(2)查断线点：

当电缆截面较小时，有经验的电工，可将电缆逐点弯曲，根据弯曲时的不均匀感找出断线点；当截面较大时，可将电缆一端的芯线全部短接，一人用万用表的欧姆档测量断线的芯线与另一芯线间的电阻，另一人对电缆逐段进行弯曲或用木棒敲打。当弯曲或敲打到某一点，万用表指针有较大的摆动时，说明这就是断线点。

这种方法适用于寻找一芯或多芯低阻(几十千欧以下)屏蔽电缆、非屏蔽电缆接地或短路故障。也可在电缆与负载连接的情况下，通电进行查找，当弯曲到某一点负载工作，说明该点就是故障点。

(3)查接地点：

可用验电笔测电缆外皮，当电笔发亮时，说明该点发生接地。

2.仪器法

查找电缆故障点，也可以用本质安全型电缆探伤仪来探测故障点。

矿用本质安全型电缆探伤仪可以用于煤矿井下有瓦斯、煤尘爆炸危险的场所内探测非屏蔽矿用橡胶电缆的故障点。电缆探伤仪采用的是音频感应法。

(1)查短路点：

用矿用本质安全型电缆探伤仪探测短路故障点的原理如图4-8所示。在电缆的一端用音频信号发生器向故障芯线内送入音频电流，音频电流在电缆的周围产生音频磁场。将感应线圈1置于音频磁场中，便会感应出音频电动势，经放大器2放大后送入耳机3。根据从耳机中听到声音变化的特点，就可以找到故障点。由于芯线呈螺旋状缠绕，因而当感应线圈平行于电缆移动时，由耳机中听到的音响信号强度与电缆芯线的捻距一致，呈周期性的变化，但是感应线圈1在故障点的音响声便骤然降低，并且以后不再呈周期性变化。由此在音响突然下降处往复探测几次，便可确定短路点的准确位置，误差不超过0.5m。

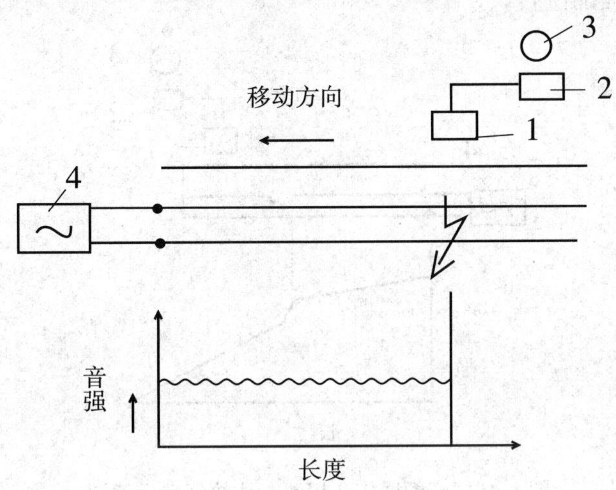

图4–8　音频感应法探测短路故障点示意图

1——感应线圈；2——放大器；3——耳机；4——音频信号发生器

（2）查接地点：

在探测铠装电缆一相接铅皮的故障时，将音响信号发生器一端接故障芯线，另一端接铅皮，如图4–9所示。这时若沿电缆移动感应线圈，则可在耳机中听到如图4–9中曲线所示的音响变化。在故障点之前，音响仍与捻距一致，呈周期性变化，但越接近故障点，音响越弱，这是由于芯线间电容电流的影响，在过故障点时音响突然降低。但是，在故障点距末端很远时，音响还很大，但不再是周期变化了，这个特点在测听时要注意区别。

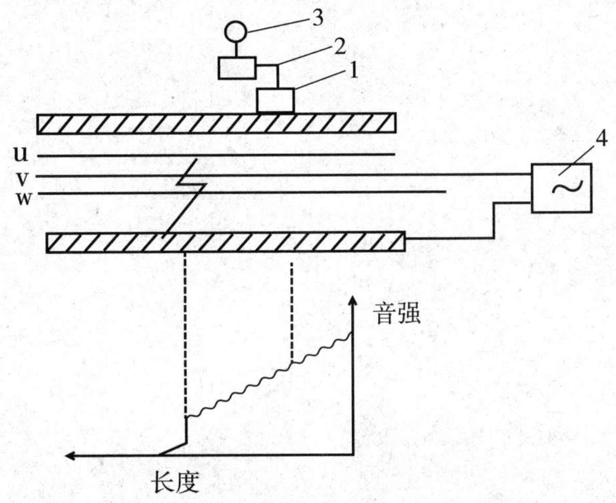

图4–9　音频感应法探测接地故障点示意图

1——感应线圈；2——放大器；3——耳机；4——音频信号发生器

(3)查断线点:

利用音频感应法探测断线故障点的方法如图4-10所示。将音频信号发生器4分别接在电缆首端故障芯线和完好的芯线上,电缆末端的芯线短接在一起。这时由电缆的首端开始向末端移动感应线圈,在断线处可以发现音响突然下降。在音响突然下降处往复探测几次,便可确定断线的准确位置。

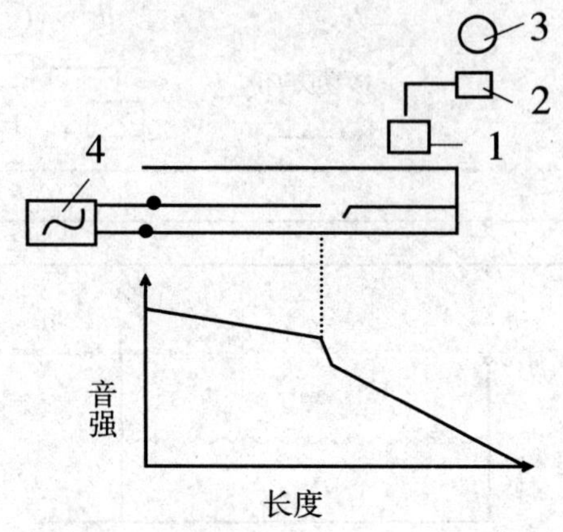

图4-10　音频感应法探测断线故障点示意图

1——感应线圈;2——放大器;3——耳机;4——音频信号发生器

复习题

1.煤矿常用动力电缆有哪几种主要类型?说明它们各自的结构特点、使用范围。

2.电缆敷设路径的选择原则是什么?敷设电缆有哪些要求?

3.悬挂电缆时有哪些要求?

4.电缆运行维护的主要目的是什么?

5.如何判断电缆故障类型、故障相和查找故障点?

6.规程对矿用电缆的敷设路径、敷设方式及要求有哪些?

7.矿用电缆与电气设备、电缆与电缆之间的连接有哪些要求?

8.常见的电缆故障有哪些?

9.简述矿用隔爆型变压器的使用要求。

讨论题

1.处理电缆故障时应注意哪些问题?

2.煤矿生产实际中,如何选择电缆?

3.电缆在使用过程中,检查、维护应注意些什么?

第五章　煤矿低压电气设备

第一部分　系统理论知识

第一节　电气图的绘制及阅读

电气图是指用国家规定的表示各种电气元件符号(图形符号、文字符号),带注释的图框表示电气系统或设备中组成部分之间相互关系及其连接关系的一种图。

一、电气元件符号

电气元件符号包括图形符号与文字符号。

(一)电气图形符号

用图样或其他文件表示一个设备或概念的图形、标记称为电气图形符号。图形符号是通过书写、绘制、印刷或其他方法产生的可视图形,是一种以简单易懂的方式来表示一个实物或概念方法。

图形符号由一般符号、限定符号及符号要素等组成。

1.一般符号

一般符号表示一类产品特征的一种简单符号。如:开关的图形一般符号为___╱__、___╱___,线圈的图形一般符号为─□─,电动机用圆圈表示。

2.限定符号

限定符号表示某组产品的一种符号。用以提供附加信息的一种加在其他符号上的符号。它一般不能单独使用,但一般符号有时也可用作限定符号。

如:开关的图形一般符号___╱___,加上限定符号 ⊤,则变为__⊤╱__,表示启动按钮;又如接触器主触点符号,由接触器功能符号和常开触点符号组成。

3.符号要素

具有确定意义的简单图形,必须同其他图形组合以构成一个设备或概念的完整符号。

(二)电气文字符号

电气文字符号表示电气设备装置、元件的名称、功能、状态及特征,一般标注在图形符号之上或旁边。如:__⊤╱__SB,表示启动按钮。

电气文字符号分基本文字符号和辅助文字符号。基本文字符号分单字母符号和双字母符号。

1.基本文字符号

(1)单字母符号:

用拉丁字母将各种电气设备、装置和元器件划分为23大类，每大类用一个专用单字母符号表示。如R为电阻器，Q为电力开关器件类，M表示电动机类等。

(2)双字母符号：

双字母符号的第一个字母表示各种电气设备、装置和元器件的类别，每一大类用一个专用单字母符号表示。第二个字母表示该类别中的某一设备，通常选用该类设备、装置和元器件的英文名词的首位字母，或常用缩略语，或约定俗成的习惯用字母。如F表示保护器件类，FU则表示熔断器。

2.辅助文字符号

辅助文字符号表示电气设备、装置和元器件，以及线路的功能、状态和特征等，通常也是由英文单词的前一两个字母构成。它一般放在基本文字符号后边，构成组合文字符号。如真空断路器的文字符号QFV中，Q表示电力开关器件类，F表示保护器件类的断路器，V表示真空。

二、绘制电气图应注意的几点

1.文字符号应按有关电气名词术语国家标准或专业标准中规定的英文术语缩写而成。同一设备若有几种名称时，应选用其中一个名称。

2.所有的图形符号，均由按无电压、无外力作用的正常状态画出。

3.符号的大小和图线的宽度一般不影响符号的含义，在有些情况下，为了强调某些方面或者为了便于补充信息，或者为了区别不同的用途，可以采用不同大小的符号和不同宽度的图线。

4.为了保持图面的清晰，避免导线弯折或交叉，在不致引起误解的情况下，可以将符号旋转或成镜像放置，但图形符号旁的文字符号和指示方向不得倒置。

三、电气图的绘制及阅读

(一)电气图的分类

电气图一般分为电气原理图和安装接线图。前者是用国家规定的电气符号并按工作顺序排列，详细表示电路、设备或成套装置的全部组成和连接关系，而不考虑其实际位置的一种简图，其目的是为便于人们详细理解工作原理、分析和阅读电路。后者是表示成套装置、设备或控制系统中各电气元件的实际安装位置和接线的一种简图，其目的是为便于人们安装和检修电气设备之用。

(二)电气图的绘制原则

1.一个电路通常由电源、开关设备、用电设备和连接线四个部分组成。如果将电源设备、开关设备和用电设备看成元件，则由各种元件按照一定的次序用连接线连接起来就构成一个电路。

2.电气图面的构成：边框线、图框线、标题栏、会签栏。

标题栏的位置一般在图纸的右下方或下方。标题栏中的文字方向为看图方向,会签栏是供各相关专业的设计人员会审图样时签名和标注日期用。

3.一个电路分为主回路和辅助回路,主回路指向负载(电动机)提供电能的强电流回路,辅助回路指主回路以外的回路,如控制、信号、测量等回路。

4.绘制电气图时,主回路和辅助回路应该分开画出,通常将主回路画在左(上)方,从上到下或从左到右为电源到负载的方向,为阅读方便,也是操作的顺序;辅助回路画在右(下)方。

5.电气设备和元件按国家标准规定图形符号和文字符号表示,同一种电器必须用相同的文字符号表示,用序号来区别,如两个相同的接触器KM,可用1KM、2KM表示。同一电器的不同元件用下脚标区分,如每个接触器有多个触点,1KM接触器的触点用$1KM_1$、$1KM_2$表示,2KM接触器的触点用$2KM_1$、$2KM_2$表示。

6.导线按实线画出,非导线用虚线表示,如机械传动装置、电路板等。圆点为接点,在导线交叉处用黑点或圆圈表示电气上的连接;导线不连接,而是跨越,则导线交叉处无黑点或圆圈。

7.所有开关和触点都是按"常态",即未施加外力及未通电的状态画出的,一旦施加外力或通电,开关或触点将改变原有的状态。

8.为安装检修方便,电气设备和元件的接线端子及导线的连接点最好做标记。

(三)电气图的阅读

看图的基本步骤:第一步先看框,即从标题栏、技术说明到图形元件明细表;第二步看回路,即从主回路到辅助回路、从电源到负载;第三步看元件,即从电路到元件,每个电路由哪些元件组成;第四步看线,即看哪些为电路连接,哪些为机械联系;第五步看点,即看哪些为接点,哪些为接线柱。

现仅以图5-1鼠笼型异步电动机的电气原理图为例,说明其读图方法。

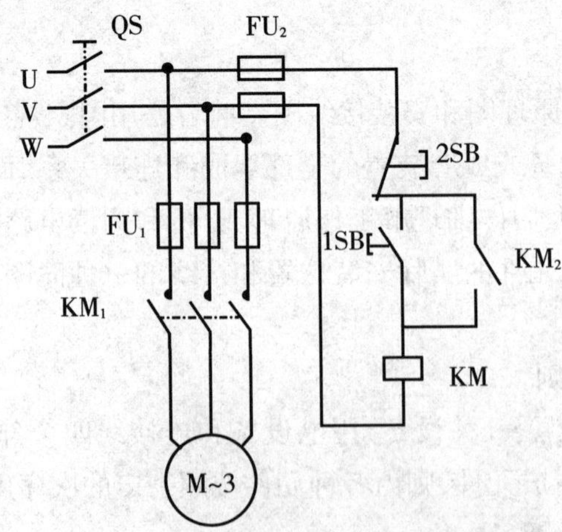

图5-1 鼠笼型异步电动机的电气原理图

1.看框(略)

2.看路

首先分清主回路与辅助回路。图5-1中主回路在左侧,辅助回路在右侧。主回路从上到下依次为三相电源线路(U、V、W)、三相隔离开关QS、三相熔断器FU_1、接触器主触点KM_1(常开触点)、三相电动机。辅助回路有启动按钮1SB、停止按钮2SB、接触器线圈KM、辅助触点KM_2(常开触点)、熔断器FU_2等元部件。

常开触点即未施加外力及未通电时,动触点与静触点是打开的,常闭触点即未施加外力及未通电时,动触点与静触点是闭合的,一旦施加外力或通电,开关或触点将改变原有的状态,常开触点就闭合,常闭触点就打开。

3.看件、看线、看点

分清该原理图的组成器件,分清哪些为电路连接?分清哪些为机械联系?分清哪些为接点或接线柱?为了便于阅读和分析电路的原理,同一电器的各个部件可能不画在一起,这样就要借助文字符号和虚线连接找出同一电器的各部件。在图5-1中接触器由线圈KM、主触点KM_1、辅助触点KM_2组成,但分别画在三处,但均用文字符号KM表示。

4.阅读工作原理

(1)启动。合上三相隔离开关QS接通电源,按下启动按钮1SB,这时有电流流过接触器线圈KM,电场转变为磁场,使接触器的所有触点发生改变,其常开触点KM_1.KM_2闭合。主触点KM_1闭合,电动机转动。

辅助触点KM_2闭合实现自保,电流回路为:$U_{相}$→熔断器FU_2→停止按钮2SB→辅助触点KM_2→线圈KM→$V_{相}$。这时,即使松开启动按钮1SB,线圈KM仍能保证持续有电流流过,主触点KM_1始终闭合,保证电动机稳定运转。所以辅助触点KM_2也叫自保触点。

(2)停止。停止顺序与启动顺序相反。按下停止按钮2SB,线圈KM断电,触点KM_1、KM_2恢复为常态断开。触点KM_1的打开使电动机停止运转;KM_2的断开使自保解除,为下次启动做准备。在检修或长时间停止电动机时,必须要把三相隔离开关QS打开。

(3)保护。电动机具有过流保护。当发生短路故障时,熔断器熔断,自动切除电源,实现过流保护。该电路还具有失压保护,当由于某种原因电源电压过低或消失时,接触器线圈中流过的电流降低,自保被解除,电动机停止运转。当电源电压恢复后,由于启动按钮1SB和辅助触点KM_2的断开,没有电流流过线圈KM,避免了电动机的自启动事故。

第二节 煤矿低压控制电器

低压电器是指工作在交流电压1200V或直流电压1500V及以下的电器。按照使用场合不同,可分为低压配电电器和控制电器两大类。

低压配电电器是用来通断和保护配电线路的,如隔离开关在检修设备时隔离电源但无灭弧装置,又如断路器有灭弧装置是用来通断和保护配电线路的。

低压控制电器是用于控制和保护电动机等用电设备的,如继电器、按钮等主令电器用来接通和断开控制、信号、测量等辅助回路发出控制指令,由于辅助回路电流较小,通断时没有电弧产生,因此通常主令电器没有灭弧装置;又如用来接通和断开主回路的控制开关接触器是执行电器,接触器的主触点带有灭弧装置,可实现对电动机等设备的控制。隔离开关和断路器在矿用隔爆性低压自动馈电开关中介绍,下面主要介绍矿用隔爆真空电磁启动器的隔爆按钮与交流接触器。

一、交流接触器

接触器是一种利用电磁吸力来动作的自动开关,是用来执行主令电器指令的,具有控制容量大,可远距离操作,配合继电器可以实现定时操作,联锁控制,可进行失压及欠压保护,主要用于控制远距离频繁通断电动机或其他电力负荷,在煤矿井下多用在磁力启动器中。

(一)分类

接触器按被控电流的不同可分为交流接触器和直流接触器。下面主要介绍常用的交流接触器。交流接触器又可分为电磁式和真空式两种。电磁式交流接触器型号为CJ,真空式交流接触器型号为CZ。煤矿常用的交流接触器有CJ0、CJ10、CJ20等系列电磁式交流接触器。

(二)电磁式交流接触器的结构和工作原理(见图5-2)

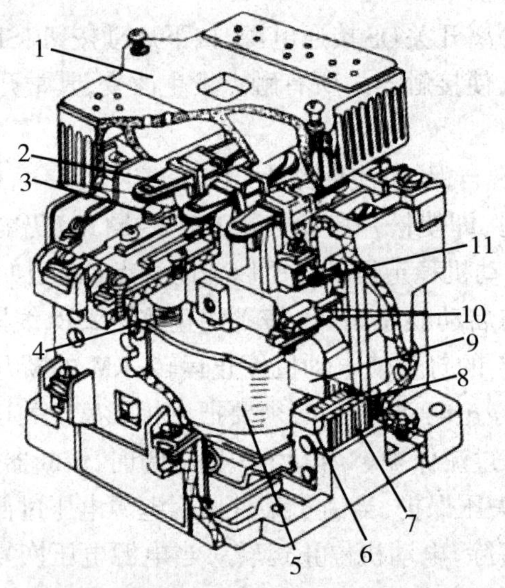

图5-2　CJ10-20型交流接触器的结构

1——灭弧罩;2——触点压力弹簧片;3——主触点;4——反作用弹簧;5——线圈;6——短路环;7——静铁芯;8——弹簧;9——动铁芯;10——辅助常开触点;11——辅助常闭触点

1.结构

接触器主要由电磁系统、触点系统、灭弧系统及其他四个部分组成。

(1)电磁系统:

电磁系统由电磁线圈和铁芯组成,铁芯又由动铁芯(衔铁)和静铁芯组成,其作用是将电磁能转换成机械能,产生电磁吸力带动触点闭合与断开。

(2)触点系统:

接触器触点是接触器的执行部分,包括主触点和辅助触点。主触点的作用是接通和分断主回路，控制较大的电流，通常为三对常开触点。而辅助触点是接在控制回路中，一般有常开、常闭各两对触点，以满足电磁启动器各种控制方式的要求。

(3)灭弧系统：

当触头接通和分断电路时，在触头的间隙中会产生电弧。此时，电路虽已分断，但电流仍以电弧的形态存在，电路维持通电状态，只有电弧熄灭后，电流才算被完全切断。同时，当电流较大时，电弧的高温还会使触头熔化或烧毁，甚至烧伤操作人员，所以接触器就需要灭弧装置。灭弧系统用来保证能够可靠地熄灭触点断开电路时产生的电弧，减少电弧对触点的损伤等。

低压交流接触器中，常用的灭弧方法有金属栅片灭弧及真空管灭弧。

①金属栅片灭弧法（见图5-3）。

金属栅片灭弧法常用于空气接触器中。该灭弧装置由金属灭弧栅片和灭弧罩组成。在灭弧罩内的触头上方装设若干缺口相互交错的金属栅片，当动静触头1、2分离时，其电弧4在电磁力的作用下移动拉长，将一个长电弧分割成若干个短电弧，利于灭弧，同时金属栅片也有良好的冷却作用。

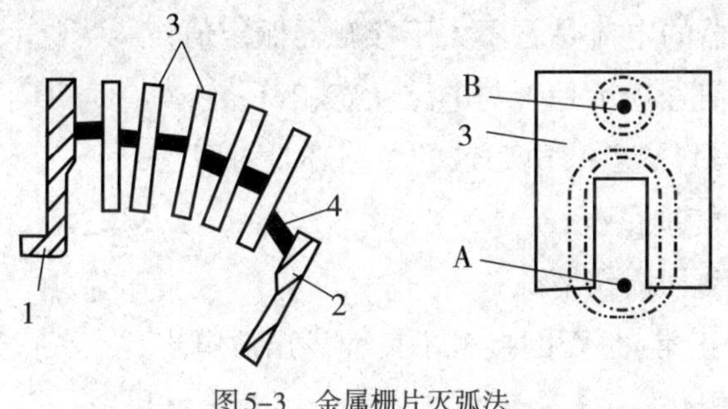

图5-3　金属栅片灭弧法

1——静触头　2——动触头　3——栅片　4——电弧

②真空管灭弧法。

真空管灭弧法常用于真空接触器中。各种真空管的结构基本相同，都是由绝缘外壳，动、静触头，动、静触杆，波纹管，屏蔽罩及其他零件组成的，如图5-4所示。

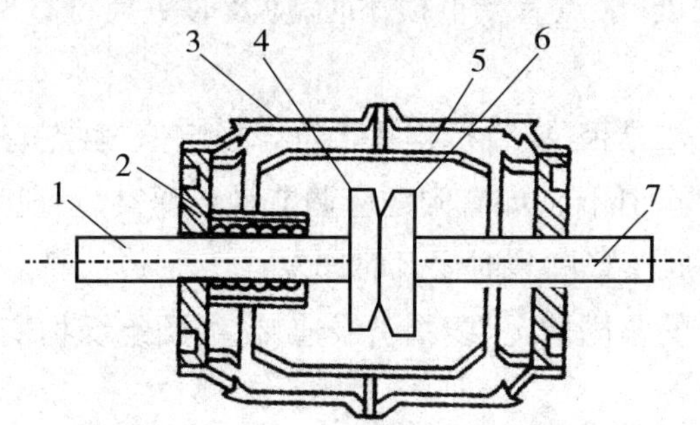

图5-4　真空管灭弧的结构

1——动触杆；2——波纹管；3——真空管；4——动触头；5——金属屏蔽罩；6——静触头；7——静触杆

由图5-4可以看出，主触点4、6密封在真空管3内，动静触点4、6断开时触头间距的增大由于没有空气可以分离，在强电压的作用下，只有触点表面的金属被激发而形成金属蒸汽，当交流过零时，电压消失，电弧也随之熄灭。

(4)其他部分

包括绝缘外壳、反作用弹簧、缓冲弹簧、短路环、传动机构等。

2.工作原理

当接触器电磁线圈不通电时，弹簧的反作用力和衔铁芯的自重使主触点保持断开位置。当线圈通电后，在铁芯中产生电磁吸力。当电磁吸力大于弹簧反力使得衔铁吸合，带动触点机构动作，常闭触点打开，常开触点闭合，互锁或接通线路。

直流接触器的结构和工作原理基本上与交流接触器相同。在结构上也是由电磁机构、触点系统和灭弧装置等部分组成。由于直流电弧比交流电弧难以熄灭，直流接触器常采用磁吹式灭弧装置灭弧。

(三)交流接触器的运行维护

1.交流接触器运行中需要检查的项目

(1)通过交流接触器的电流是否不大于接触器额定值；

(2)接触器的分合信号指示是否与电路状态相符；

(3) 电磁线圈有无过热现象，电磁铁的短路环是否脱落；

(4) 辅助触点有无烧损情况；

(5)灭弧罩有无松动和损伤情况；

(6) 运行声音是否正常，是否因接触不良而发出放电声；

(7)传动部分有无损伤；

(8)周围运行环境有无不利运行的因素，如振动过大、通风不良、尘埃过多等。

2.维护

为保证接触器的正常运行，在检查电气设备时，同时要做好接触器的维护检查。

(1) 检查触点磨损程度，触点有严重损伤时，应及时更换；修理触点时应使用整形锉而不得使用砂纸处理

(2) 检查辅助触点动作是否灵活，行程是否符合规定值，触点有无松动脱落，动、静触点位置是否对正，三相是否同时闭合，如有问题应调节触点弹簧，发现问题应及时修理或更换；

(3) 电磁铁的短路环脱落或断裂时要及时修复；

(4) 检查电磁铁铁芯的紧固情况、线圈引线连接，线圈绝缘物变色、老化现象，线圈表面温度不应超过65°C；

(5) 检查灭弧罩位置有无松脱、位置是否发生变化、灭弧罩是否破损，如有问题应及时修理；

(6)及时清理运动部件及铁芯吸合接触面间、灭弧罩缝隙内的灰尘、金属颗粒及杂物。

3.接触器的常见故障及处理(见表5-17)

表5-1　　接触器的常见故障及处理

常见故障	故障的原因	处理方法
吸力不足	1.电源电压过低或波动太大 2.线圈的额定电压高于控制回路电压 3.可动部分被卡阻,铁心歪斜等 4.反作用弹簧压力过大	1.调整电源电压 2.更换线圈,使其符合要求 3.调整可动部分 4.调整反作用压力弹簧
线圈过热或烧毁	1.线圈匝间短路 2.衔铁与铁心间隙过大 3.操作频率过高 4.电源电压过高或过低	1.更换线圈 2.修理或更换铁心 3.按使用条件操作接触器 4.调整电源电压
衔铁振动或噪声	1.短路环损坏或脱落 2.衔铁不正或铁心端面有锈蚀、油污、灰尘等 3.可动部分卡阻 4.电源电压偏低	1.更换铁心或短路环 2.调整或清理铁心端面 3.调整可动部分 4.提高电源电压
触头不能复位	1.触头熔焊在一起 2.铁心剩磁太大 3.铁心端面有油污 4.可动部分被卡阻	1.修理或更换触头 2.消除剩磁或更换铁心 3.清理铁心端面 4.拆除机械卡阻现象

二、矿用隔爆按钮

矿用隔爆型按钮主要用于煤矿井下及周围介质中含有爆炸性气体混合物的场所,在交流50Hz、电压36V的线路中,对电磁启动器、接触器、继电器和信号装置等进行控制。

(一)矿用隔爆按钮的结构

隔爆按钮是一种具有自动复位功能的手动开关,可实现煤矿井下低压继电器、接触器、磁力启动器的远方控制。隔爆按钮与普通按钮结构相同,只是把普通按钮的外壳改为隔爆外壳,图5-5为矿用隔爆按钮的外形图。

图5-5　矿用隔爆按钮外形图

由图5-5可以看出,隔爆按钮按照按钮数量分为单钮、双钮、三钮三种,分别用于电气设备的点动控制，如带式输送机；用于电气设备的启、停控制；用于需要正反转电气设备的控制，如回柱绞车。

隔爆按钮按照按钮颜色分为红、绿、黄等。不同颜色的按钮含义不同，应用于不同场合，见表5-2。

表5-2　　隔爆按钮颜色含义及应用

颜色	含义	应用
红色	危险情况的操作 用于停止或分断	危险情况的紧急停止
		停止一台、多台电动机或停止一台机器的一部分，使电器元件失电
绿色	用于启动或接通	启动一台、多台电动机或启动一台机器的一部分，使电器元件得电
黄色	用于应急或干预	中断原有的工作或抑制不正常情况，如电动机的反转

（二）矿用隔爆按钮型号的含义

BZA1-5/36-□

其中，B——防爆；Z——主令电器；A——按钮；1——设计序号；5——额定电流（A）；36——额定电压（V）；□——按钮数。

（三）使用与维护

1.打开线盒盖时，必须切断上一级电源。电源线与内连接线必须保持规定的电气间隙与爬电距离。

2.使用与维护时，应防止碰撞隔爆面，造成失爆，上盖时应将隔爆面擦拭干净，涂上防锈油剂，以防生锈。

（四）常见故障

隔爆按钮常见故障是不通电，造成此故障的原因可能是接线不牢固、接错线或按钮失灵，经检查是由于接线不牢固、接错线造成的，可以重新接线，如果是按钮失灵，就只能更换按钮了。

第三节　矿用隔爆真空电磁启动器

矿用隔爆型电磁启动器是一种组合电器，它将隔离开关、接触器、按钮、保护装置等元件装在隔爆外壳中，用于控制和保护煤矿井下电动机。随着市场的需求及科技的发展，矿用隔爆型电磁启动器也在不断更新，并且广泛应用在煤矿井下。

矿用隔爆型电磁启动器的类型较多，按接触器分，可分为空气型电磁启动器和真空型电磁启动器。前者用于40kW以下电动机的控制和保护，后者用于40kW及以上电动机的控制和保护。按控制方式分，可分为非可逆型和可逆型电磁启动器，前者用于频繁启动、停止电动机的控制保护，后者用于频繁换向的电动机控制和保护。按保护装置分，可分为过流继电器、电子继电器和单片机电磁启动器。过流继电器电磁启动器用于空气型作短路或过载保护，电子继电器电磁启动器用于真空型作短路、过载保护和漏电闭锁保护，单片机电磁启动器用于智能真空型作短路、过载、漏电等保护和故障显示功能。

下面选择几种常用的电磁启动器进行介绍。

一、BQD5系列型真空电磁启动器

《煤矿安全规程》第454条规定：井下40kW及以上的电动机，应采用真空电磁启动器控制。

QC8系列空气型电磁启动器使用空气接触器，其分断能力较小、触点易烧损和熔焊，甚至发生短路，而QC8系列真空型电磁启动器即使使用的是真空接触器，但由于保护系统不够完善，给安全生产带来极大的隐患，为提高煤矿安全保障能力，淘汰不符合国家有关法律法规规定、存在安全隐患的设备及工艺，预防事故发生，因而在2008年国家安监总局发布的第二批禁止井工煤矿使用的设备及工艺目录中对QC8系列予以淘汰（见附录四）。

BQD5系列真空电磁启动器，控制主电路的通断是真空接触器，它灭弧能力强，使用寿命长，另外配置了比较完善的保护系统，使得真空型电磁启动器的使用性能与传统的QC8型系列启动器相比较显现出更大的优越性。

（一）BQD5系列型真空电磁启动器型号含义

BQD5系列型真空电磁启动器型号含义如下：

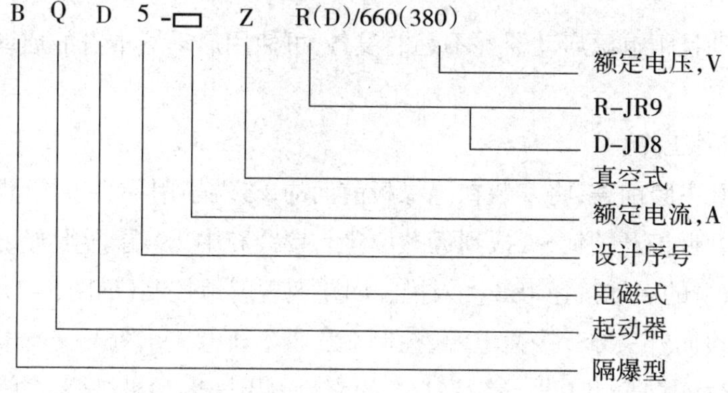

(二)结构(见图5-6)

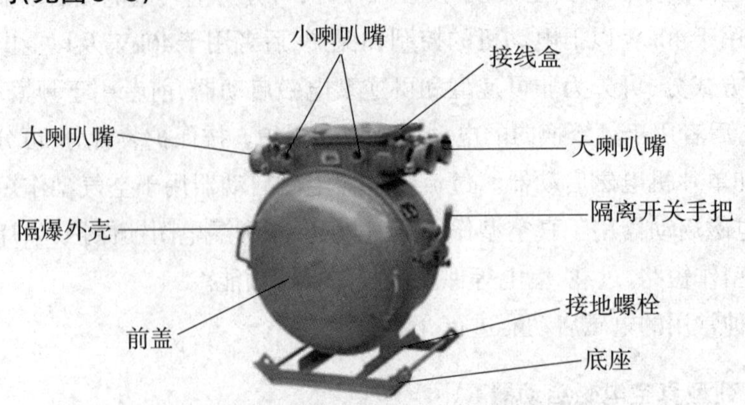

图5-6　BQD5系列型真空电磁启动器

BQD5系列型真空电磁启动器由隔爆外壳和真空本体(电路板)组成,真空本体(电路板)装于隔爆外壳中。启动器外壳为圆形,壳转盖为转动式止口结构,壳身上部为接线箱,用于引进电源电缆和引出负载电缆,且均采取隔爆措施,以达到隔爆要求。从壳转盖这一侧看,在外壳右侧有隔离换向开关手把和启、停按钮。隔离换向开关手把和停止按钮之间有机械闭锁,只有按下停止按钮后,才能扳动隔离换向开关手把并打开转盖,保证断电开盖检修。底座为两端翘起的托架,以便于在井下移动,底座上还设有接地螺栓,进行保护接地。

真空本体(电路板)所有元件都装于底板,其正面装有真空接触器、电动机综合保护器或热继电器、过电压吸收装置、中间继电器和熔断器,背面装有隔离换向开关、变压器及启动和停止按钮,这些电器元件一般无须调整。

(三)工作原理

BQD5系列型真空电磁启动器能实现就地控制(近控)、远方控制(远控)、联锁控制三种控制,下面分别介绍其工作原理。

1.就地控制(近控)

对于不经常启动且距电磁启动器并不远的设备,可使用启动器本身的启动、停止按钮进行就地操作。

(1)启动前的准备工作:

启动前首先打开主腔前盖,将安装在绝缘板前面的2.5端子用导线短接(设置有远、近控开关钮的启动器,远、近控开关钮SA扳到近控位置),接线腔中2.9端子用导线连接或分别接地,从而将启动器自身的启动按钮1SB接入控制回路实现就地控制(见图5-7)。

然后合上隔离换向开关QS,接通电源,控制变压器T通电输出36V交流电,为控制电路供电作好准备。这时,由4号和9号导线将36V的交流电引入电动机综合保护装置JDB的4号和9号接线柱上,电动机综合保护装置JDB带电,电动机综合保护装置对负荷侧的电路进行漏电检测,如果绝缘电阻值小于规定闭锁值,则3.4之间的常开触点不能闭合,实现漏电闭锁保护，主回路没有电流流过，电动机无法启动。如果绝缘电阻值大于规定闭锁值，则3、4之间的常开触点闭合，为启动器的启动作好准备。

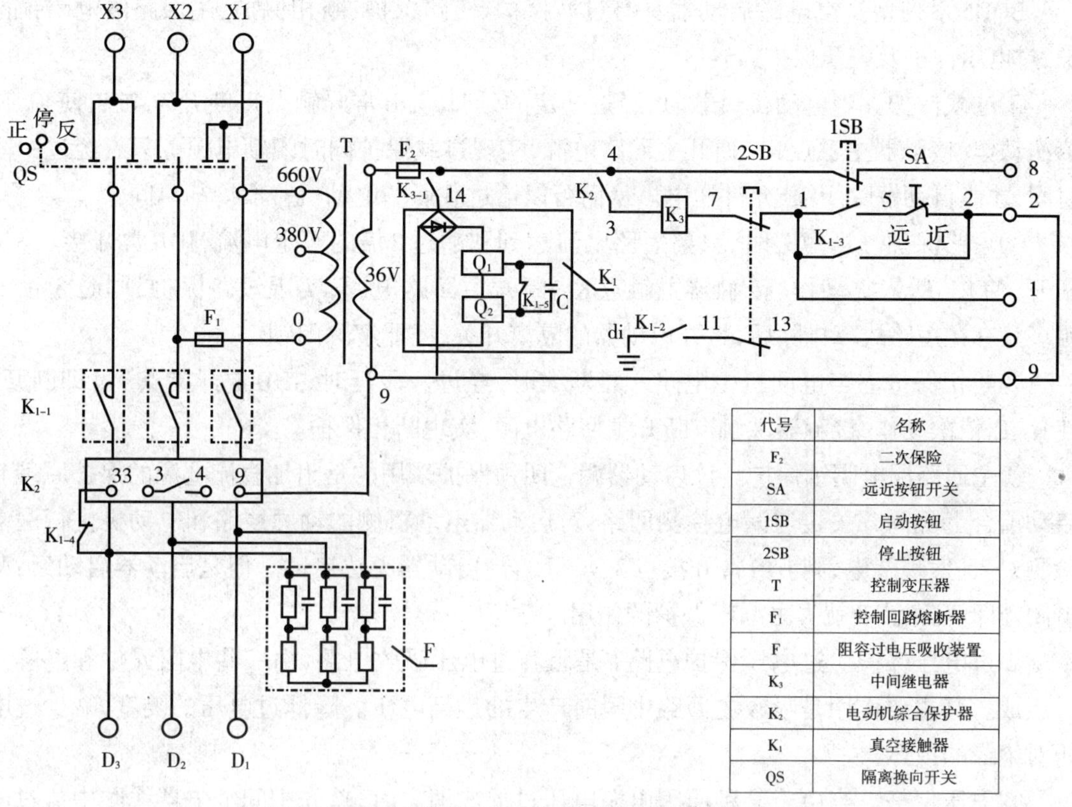

代号	名称
F_2	二次保险
SA	远近按钮开关
1SB	启动按钮
2SB	停止按钮
T	控制变压器
F_1	控制回路熔断器
F	阻容过电压吸收装置
K_3	中间继电器
K_2	电动机综合保护器
K_1	真空接触器
QS	隔离换向开关

图5-7　BQD5系列型真空电磁启动器就地控制工作原理

(2)启动：

按下启动按钮1SB，回路为：变压器T→熔断器F_2→常开触点K_2(4.3)→中间继电器线圈K_3→7→停止按钮2SB→1→启动按钮1SB$_下$→5.2端→9端→T。中间继电器线圈K_3通电，使中间继电器的所有触点吸合改变原来的状态，中间继电器常开触点K_3吸合，控制电压经全波整流后使真空接触器线圈K_1通电，同时断开漏电检测回路，以防主回路通电后使附加直流电源烧毁；真空接触器线圈K_1通电，使真空接触器K_1所有触点吸合改变原来的状态，主触点K_{1-1}吸合，电动机启动。常开触点K_{1-3}吸合实现回路自保，自保回路为：变压器T→熔断器F_2→常开触点K(4.3)→中间继电器线圈K_3→7→停止按钮2SB→1→自保K_{1-3}→2端→9端→T。这样，中间继电器线圈K_3保持通电，从而真空接触器线圈K_1保持通电，主触点K_{1-1}始终吸合，电动机稳定运转。

(3)停止：

按下停止按钮2SB，中间继电器线圈K_3断电，中间继电器的所有触点均变为原来的状态即常态，真空接触器线圈K_1断电。其中主触点K_{1-1}断开，电动机停止运转。

(4)反转：

按下停止按钮2SB，使电动机停止运转，反向合隔离开关，再按启动按钮1SB即可实现电动机反转。

(5)保护:

BQD5系列型真空电磁启动器具有过载保护、短路保护、断相保护、主回路漏电闭锁保护、过电压保护及失压保护。

①过载保护。当电动机过载时,经过一定的延时,JDB常开触点K_2断开3、4点,使K_3、K_1依次动作,接触器主触点K_{1-1}断开主回路电源,实现过载保护同时闭锁电源。只有经过一段时间,才能自动解除闭锁,允许通电。从而可以给过载后的电动机一段冷却时间。

②短路保护。当短路时,只要短路电流达到和超过8倍的额定电流,JDB常开接点3、4断开,使K_3、K_1依次动作,接触器主触点K_{1-1}断开主回路电源,实现短路保护,同时闭锁电源。只有在短路故障排除后,打开启动器的隔离开关,才能解除闭锁。

③断相保护。当电动机主电路一相断线时,经过一段延时,JDB常开接点3、4即断开,使K_3、K_1依次动作,接触器主触点断开主回路电源,实现断相保护。

④主回路漏电闭锁保护。该启动器漏电闭锁保护采用的是附加直流电源的保护原理。启动前合上隔离开关接通漏电检测回路,对启动器电动机侧的动力线路和电动机进行漏电检测,一旦发现漏电,则JDB常开接点3、4不闭合,启动器无法启动。但是启动器启动后,漏电闭锁即解除,JDB就失去漏电保护的作用。

⑤过电压保护。过电压保护电路F是阻容过电压吸收电路,由一些电阻元件和电容元件组成。其主要作用是吸收主回路中瞬时产生的过高电压。降低过电压的陡度,减少过电压对绝缘的损坏。

⑥失压保护。当由于某种原因电源电压过低或消失时,首先中间继电器线圈中流过的电流降低,继而主接触器线圈电流消失,自保触点K_{1-3}断开,自保被解除,电动机停止运转。当电源电压恢复后,由于启动按钮1SB和辅助触点K_{1-3}断开,没有电流流过线圈,避免了电动机的自启动事故。

2.远方控制(远控)

对于电磁启动器无法安放于靠近生产设备的地方如采掘工作面,可在生产设备处设置远方控制按钮,采用外接的这一组启动和停止按钮对电磁启动器进行控制。

(1)启动前的准备工作:

启动前首先打开主腔前盖,将安装在绝缘板前面的2、5端子断开(设置有远、近控开关钮的启动器,将远、近控开关钮SA扳到远控位置),接线腔中1、2、9端子用三根控制电缆从小喇叭嘴引出接到远控按钮上,将远控启动按钮3SB、停止按钮4SB接入控制回路实现远方控制(图5-8)。

然后合上隔离换向开关QS,接通电源,控制变压器T通电输出36V交流电,为控制电路供电作好准备。这时,由4号和9号导线将36V的交流电引入电动机综合保护装置JDB的4号和9号接线柱上,电动机综合保护装置JDB带电,电动机综合保护装置对负荷侧的电路进行漏电检测,如果绝缘电阻值小于规定闭锁值,则3、4之间的常开触点不能闭合,实现漏电闭锁保护，主回路没有电流流过，电动机无法启动。如果绝缘电阻值大于规定闭锁值，则3、4之间的常开触点闭合，为启动器的启动作好准备。

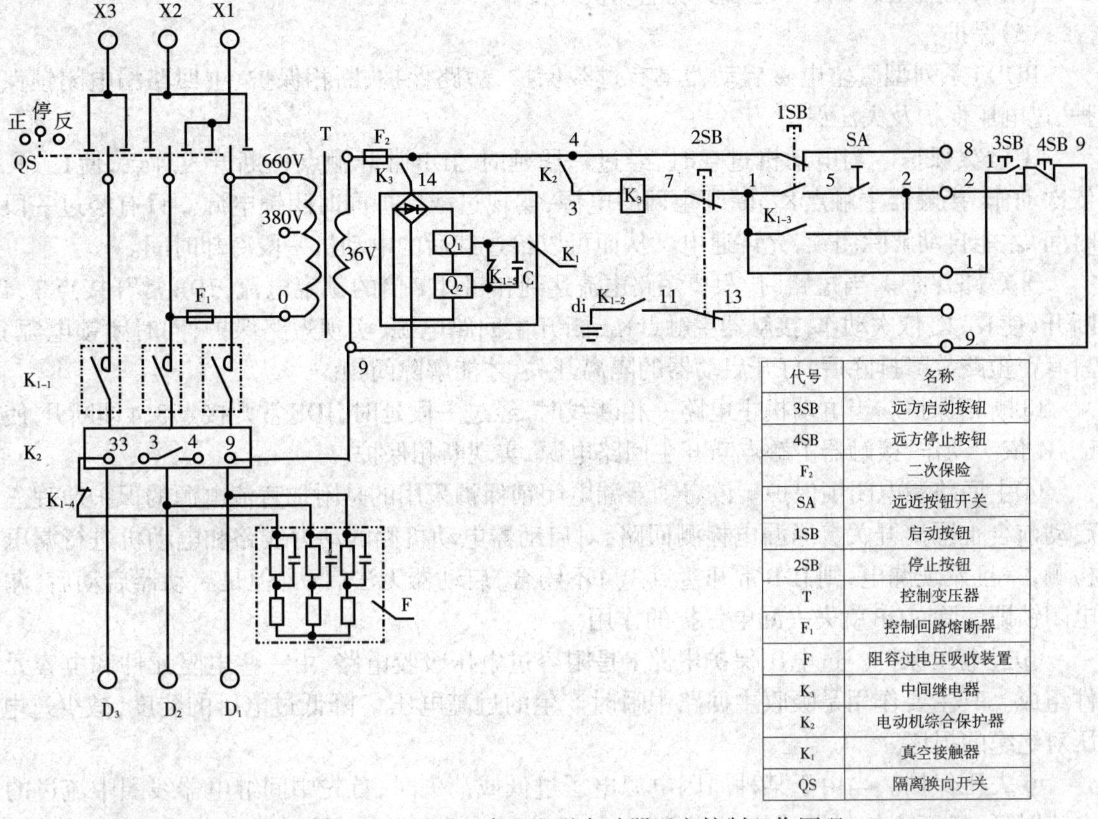

代号	名称
3SB	远方启动按钮
4SB	远方停止按钮
F_2	二次保险
SA	远近按钮开关
1SB	启动按钮
2SB	停止按钮
T	控制变压器
F_1	控制回路熔断器
F	阻容过电压吸收装置
K_3	中间继电器
K_2	电动机综合保护器
K_1	真空接触器
QS	隔离换向开关

图5-8　BQD5系列型真空电磁启动器远方控制工作原理

(2)启动：

按下远方启动按钮3SB，回路为：变压器T→熔断器F_2→常开触点K_2(4、3)→中间继电器线圈K_3→7→停止按钮2SB→1→远方启动按钮3SB→远方停止按钮4SB→9端→T。中间继电器线圈K_3通电，使中间继电器的所有触点吸合改变原来的状态，中间继电器常开触点K_3吸合，控制电压经全波整流后使真空接触器线圈K_1通电，同时断开漏电检测回路，以防主回路通电后使附加直流电源烧毁；真空接触器线圈K_1通电，使真空接触器K_1所有触点吸合改变原来的状态，主触点K_{1-1}吸合，电动机启动。常开触点K_{1-3}吸合实现回路自保，自保回路为：变压器T→熔断器F_2→常开触点K_2(4、3)→中间继电器线圈K_3→7→停止按钮2SB→1→常开触点K_{1-3}→远方停止按钮4SB→9端→T。这样，中间继电器线圈K_3保持通电，从而真空接触器线圈K_1保持通电，主触点K_{1-1}始终吸合，电动机稳定运转。

(3)停止：

按下启动器自身停止按钮2SB或远控停止按钮4SB，中间继电器线圈K_3断电，中间继电器的所有触点均变为原来的状态即常态，真空接触器线圈K_1断电。其中主触点K_{1-1}断开，电动机停止运转。这样实现了一处启动，两处停止电动机，从而保证安全。

(4)反转：

按下启动器自身停止按钮2SB或远控停止按钮4SB，使电动机停止运转，反向合隔离开关，再按启动按钮3SB即可远方实现电动机反转。

(5)保护：

BQD5系列型真空电磁启动器具有过载保护、短路保护、断相保护、主回路漏电闭锁保护、过电压保护及失压保护。

①过载保护。当电动机过载时，经过一段延时，JDB常开触点K_2断开3、4点，使K_3、K_1依次动作，接触器主触点K_{1-1}断开主回路电源，实现过载保护同时闭锁电源。只有经过一段时间，才能自动解除闭锁，允许通电。从而可以给过载后的电动机一段冷却时间。

②短路保护。当短路时，只要短路电流达到和超过8倍的额定电流，JDB常开接点3、4断开，使K_3、K_1依次动作，接触器主触点K_{1-1}断开主回路电源，实现短路保护，同时闭锁电源。只有在短路故障排除后，打开启动器的隔离开关，才能解除闭锁。

③断相保护。当电动机主电路一相断线时，经过一段延时，JDB常开接点3、4即断开，使K_3、K_1依次动作，接触器主触点断开主回路电源，实现断相保护。

④主回路漏电闭锁保护。该启动器漏电闭锁保护采用的是附加直流电源的保护原理。启动前合上隔离开关接通漏电检测回路，对启动器电动机侧的动力线路和电动机进行漏电检测，一旦发现漏电，则JDB常开接点3、4不闭合，启动器无法启动。但是启动器启动后，漏电闭锁即解除，JDB就失去漏电保护的作用。

⑤过电压保护。过电压保护电路F是阻容过电压吸收电路，由一些电阻元件和电容元件组成。其主要作用是吸收主回路中瞬时产生的过高电压。降低过电压的陡度，减少过电压对绝缘的损坏。

⑥失压保护。当由于某种原因电源电压过低或消失时，首先中间继电器线圈中流过的电流降低，继而主接触器线圈电流消失，自保触点K_{1-3}断开，自保被解除，电动机停止运转。当电源电压恢复后，由于启动按钮3SB和辅助触点K_{1-3}断开，没有电流流过线圈，避免了电动机的自启动事故。

3.联锁控制

联锁控制用于几台设备的电动机联合工作时，因生产需要为实现按一定的顺序进行启动或停止的控制。如煤矿井下由多台电动机控制的输送机组，启动时应逆煤流依次进行，停止时应顺煤流依次停止以防造成堆煤，使电动机过载等事故。这时可用联锁控制线路来实现。

联锁控制的接线是将主控台的联锁触点K_{1-2}串入受控台的控制回路中，将受控台的9与地断开，将主控台联锁触点K_{1-2}两端的13与PE接线柱分别与受控台的9与PE接线柱连接，其电气工作原理接线如图5-9所示。

图中上方开关为下方开关的主控台。由于下方开关启动器的9号线是通过上方开关启动器的辅助线13及辅助触点K_{1-2}连接成回路的，所以上方开关不启动时，上方开关联锁触点K_{1-2}不闭合，即使按下下方开关启动器的启动按钮也无法启动；只有上方开关启动器中的接触器吸合，上方开关联锁触点K_{1-2}闭合，即第一台电动机启动后，第二台电动机即下方开关启动器才允许启动。停止输送机时，应按照电磁启动器下方启动器、上方启动器的顺序停机。如果操作错误，先按下上方电磁启动器的停止按钮，则两台电磁启动器同时停止，从而实现了联锁控制。

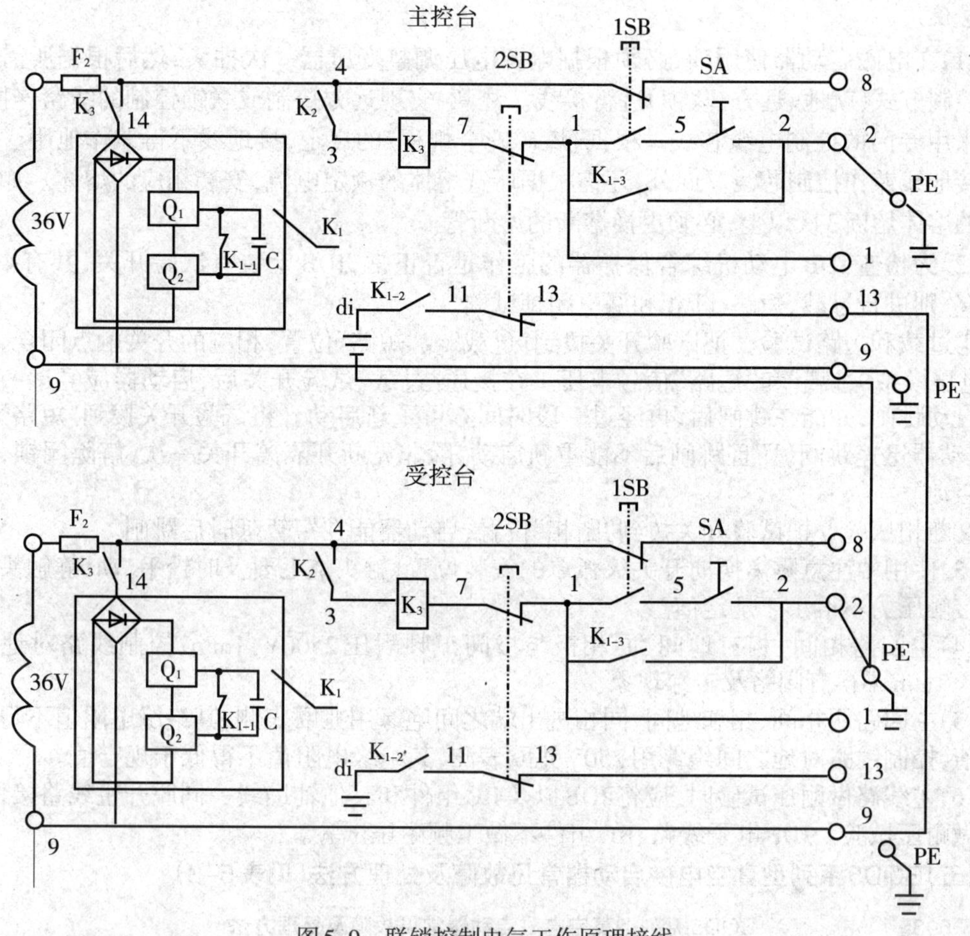

图5-9　联锁控制电气工作原理接线

(四)安装与使用

1.安装

(1)启动器在安装前应检查其技术数据是否与实际工作电压、所控制电机的容量相符,启动器零部件是否完好无损。

(2)电缆的引入及引出应该用接线装置中的橡胶密封圈、金属堵环、压紧螺母或压紧法兰将电缆压紧,达到电气设备隔爆的技术要求,同时注意电缆防松脱装置的紧固度。

(3)不使用的喇叭嘴要用符合要求的橡胶密封圈、金属堵环、金属堵板严密封堵。

(4)启动器外壳要有保护接地,安装时启动器应和地面垂直,其最大倾斜度不得大于15°。

(5)使用带有JDB电动机综合保护器的启动器时,要根据实际工作电流对所用的JDB电动机综合保护器进行电流整定。过载整定时过载整定是由设置在JDB保护器面板的两个开关来进行的。其中一个为粗调开关,有高低两个档位;另一个为微调开关,通常按照启动器所控制和保护的电动机功率大小乘以系数得出其整定值。漏电闭锁电阻值的整定也是在JDB的面板上进行,在面板左下侧有两个接线柱并且标有380V和660V或660V和1140V,在使用中根据主回路的电压等级,一定要将漏电闭锁回路的33号线接在对应的接线柱上。

2.使用

(1)在电磁启动器使用前,必须根据电源电压调整变压器一次抽头,然后根据所需要采用的控制方式(就地、远方、联锁)进行接线。注意:实现远方控制或联锁控制的线路连接时,必须采用专门的控制电缆芯线。根据《煤矿安全规程》的规定,接地线不得兼作他用。不得利用接地线兼作控制芯线。此外,还需根据所选熔体的额定电流,安装相应的熔体。如果熔断器的熔体熔断3次以上,必须更换熔断的熔断管。

(2)为检查JDB电动机综合保护器的工作是否正常,JDB上装有试验开关,共有4个位置,可分别进行过载、短路、断相和漏电闭锁试验。

①过载和短路试验。把试验开关拨到“过载”或“短路”位置,相应的开关触点闭合,并以24V电压模拟“过载”和“短路”信号电压。在接通“过载”试验开关后,启动器应经过一段延时后自动跳闸,并能在跳闸后,再经过一段时间方可重新启动。将试验开关拨到“短路”位置后,启动器迅速跳闸,而且跳闸后不能重新启动,除非先断开隔离开关一次,解除闭锁,然后方可启动。

②断相试验。把试验开关拨到“断相”位置,启动器能在短暂延时后跳闸。

(3)使用中注意隔离换向开关灭弧罩的安装位置,触头烧毛要及时锉平,动、静触头修复后其接触压力不得小于规定值。

(4)主回路相间、相对地间、同相极与极间工频耐压2500V,1min;控制线路对地耐压1000V,1min不得有闪络及击穿现象。

(5)主回路两相间、相和地间、同相进出端之间绝缘用兆欧表测,其绝缘电阻值不得低于规定值,控制线路对地之间绝缘用250V兆欧表测,其绝缘电阻值不得低于规定值。

(6)主线路做耐压试验时,应将JDB以及RC组件和其他辅助线一同脱开主线路接地,然事再做耐压试验。JDB电子线路、RC组件不做工频耐压试验。

(五)BQD5系列型真空电磁启动器常见故障及处理方法(见表5-3)

表5-3　BQD5系列型真空电磁启动器常见故障及处理方法

常见故障现象	故障原因	处理故障方法
按下启动按钮时接触器不吸合	1.启动按钮接触不好 2.无36V电源 3.整流桥损坏 4.接触器损坏 5.JDB漏电闭锁保护或热继电器触点接触不好 6.中间继电器损坏 7.接触器主触点被卡	1.修理或更换按钮 2.检查更换变压器或线圈,检查RD是否烧坏或接触不良 3.更换损坏的二极管 4.更换线圈或接触器 5.找出故障并排除负载漏电 6.排除故障或更换继电器 7.调整触点位置
启动后无法维持	1.2号线断或2与PE不通 2.电源电压低于额定电压规定值 3.反力弹簧调节过紧 4.按钮接错 5.自保触点接触不良或损坏	1.重新接线 2.换大截面电缆减少线路压降 3.放松反力弹簧,但要保持一定的分闸速度 4.重新接线 5.调整自保触点使其接触良好或更换
启动后无法停止	1.启动按钮没有恢复原位或损坏 2.1、9号短路 3.中间继电器卡死或熔焊 4.主触点被卡	1.修复或更换启动按钮 2.排除短路故障 3.排除故障或更换继电器 4.调整主触点
电磁启动器一闭合,上一级馈电开关跳闸	1.电磁启动器负荷侧发生了单相接地故障 2.馈电开关保护整定值不合适	1.检查电磁启动器、线圈、电动机找出故障点并处理 2.重新整定

续表5-3

阻容保护器电阻烧毁	1.电源三相严重不平衡 2.电容击穿 3.电容容量、电阻阻值降低	1.调整负荷,使三相尽量平衡 2.更换被击穿电容器 3.更换电容或电阻
三相严重不同步	1.接触器整定电流太大 2.保护器动作不可靠	1.按电机容量的额定电流值调整保护器的合适整定电流 2.更换保护器
熔断器熔断	短路	找出短路点排除短路故障并更换熔体

二、QJZ型矿用隔爆兼本质安全型真空电磁启动器

QJZ-315/1140型矿用隔爆兼本质安全型真空电磁启动器适用于含有甲烷爆炸气体和煤尘的煤矿中。在交流50Hz,电压1140V或660V供电系统中,对400A以下电流的三相鼠笼异步电动机进行软启动、限流启动、全压启动、软停车等。需要时还可进行远方控制,并可在停机时进行换向。

在必要时允许使用机壳处的隔离换向开关(手动操作)断开电源(电压1140V时,电流分断能力为945A)。

通过改换控制变压器的接线及拨动漏电转换开关至660V(或380V)位置,亦可控制额定电压为660V(或380V)的电动机。

(一)QJZ系列矿用隔爆兼本质安全型(智能化)真空电磁启动器型号含义

矿用隔爆兼本质安全型(智能化)真空电磁启动器型号含义如下:

QJZ—□/□

其中,Q——启动器;J——隔爆兼本质安全型;Z——真空;第一个□——额定电流,A;第二个□——额定电压,V。

(二)结构

启动器的外形如图5-10所示,上部为接线腔,下部为主腔。接线腔内有3个主回路进线接线柱,3个主回路出线接线柱,4个7芯控制线接线端子。两侧各有2个主回路电缆引入装置。方形隔爆外壳装在橇形底托架上,底托架上有接地螺栓。外壳的前门为平面止口式,前门右侧有隔离换向开关及其停止按钮,二者之间设有机械闭锁,只有当机械闭锁解除后,才可以抬起启动器左侧固定于铰链上的操作手把,将门抬起约30mm后,前门即可打开(注意抬得不要过高),避免了带电开盖检修的危险。关门时,用手提平铰链上的手把,转动前门即可关闭,转动前门时,注意操作手把的抬起高度,避免操作手把上部凸轮与铰链顶撞。

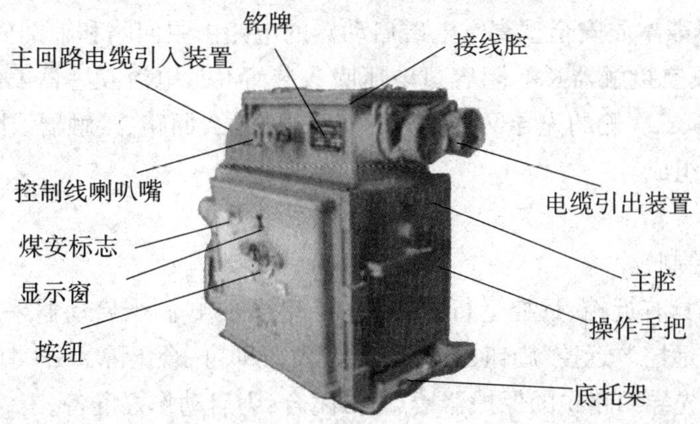

图5-10 QJZ系列矿用隔爆兼本质安全型真空电磁启动器外形

主腔内有软启动器组件、控制变压器、中间继电器板和旁路接触器，这些部件均安装在抽屉式手车上，以便现场检修维护。

松开机芯底座上的两个固定螺钉，拔下接线板上的插头插接件后，整个机芯可从主腔内拉出，便于维护保养。

拧下紧固壳上芯子四角的四个螺钉和六根主导线，同时将控制回路的插接件拔下，壳上芯子装配即可取出。

门芯上装有电子保护插件，它具有漏电闭锁、过流、过载及断相保护功能；同时还具有程控及联控保护功能，电流整定、漏电选定及程控选定可通过该插件上的旋钮或开关来选定。还有本安电路变压器、中间继电器、控制变压器、先导回路插件、CA型接插件及千伏级插件。

壳上芯子装有主回路作后备保护的千伏级熔断器和控制回路千伏级熔断器、电流互感器和阻容吸收装置等。

前门上装有启动按钮、复位按钮、试验开关、信号显示板、运行显示及过载、短路、断相、漏电、联控等故障显示。

（三）工作原理

由于电机的转矩与加在定子端的电压平方成正比，而电机电流与定子端的电压成正比，因此，可以通过控制电压对加速转矩和启动电流进行限制，电压的控制是通过控制可控硅的导通相位角实现的。

启动器主回路是采用三对反并联可控硅，利用全数字控制技术，通过速度与电流的闭环调节来完成电机端电压、电流的控制，从而实现电机的软启动等。工作时，启动器接收到控制信号后，由微处理器根据面板设定的参数或通过PC口输入的数据，控制三相可控硅的导通角，使得电机按设定的值平滑启动。启动结束后，由控制器发出信号，使旁路真空接触器开始正常工作后，可控硅停止工作。但控制器仍对电机进行检测保护。需要停车时，给出停车信号，真空接触器断开，停止工作，然后由可控硅完成全部停车过程 。

QJZ型矿用隔爆兼本质安全型真空电磁启动器能实现就地控制（近控）、远方控制（远控）、联锁控制三种控制。

下面介绍QJZ-200/1140（660）矿用隔爆兼本质安全型真空电磁启动器（见图5-11）。

1.电路组成

QJZ型矿用隔爆兼本质安全型真空电磁启动器的电路由主回路和辅助回路组成。主回路由隔离开关QS、真空接触器KM、阻容过电压吸收装置RC、电流互感器TA等组成。辅助回路由控制变压器T_1、二次侧的先导回路XD、中间继电器KA回路、接触器线圈KM回路及微机综合保护器CB等组成。

2.工作原理

（1）近控（就地控制）。

准备：该启动器具有近控、远控运行方式和多台程控方式。当启动器采用就地控制时，将前门内芯板上的“远控／近控”旋钮SA_1置“近控”位置即可，合上隔离开关QS，如果未发生漏电等故障，串接在先导回路中的保护器接点CB闭合，为启动作好准备。

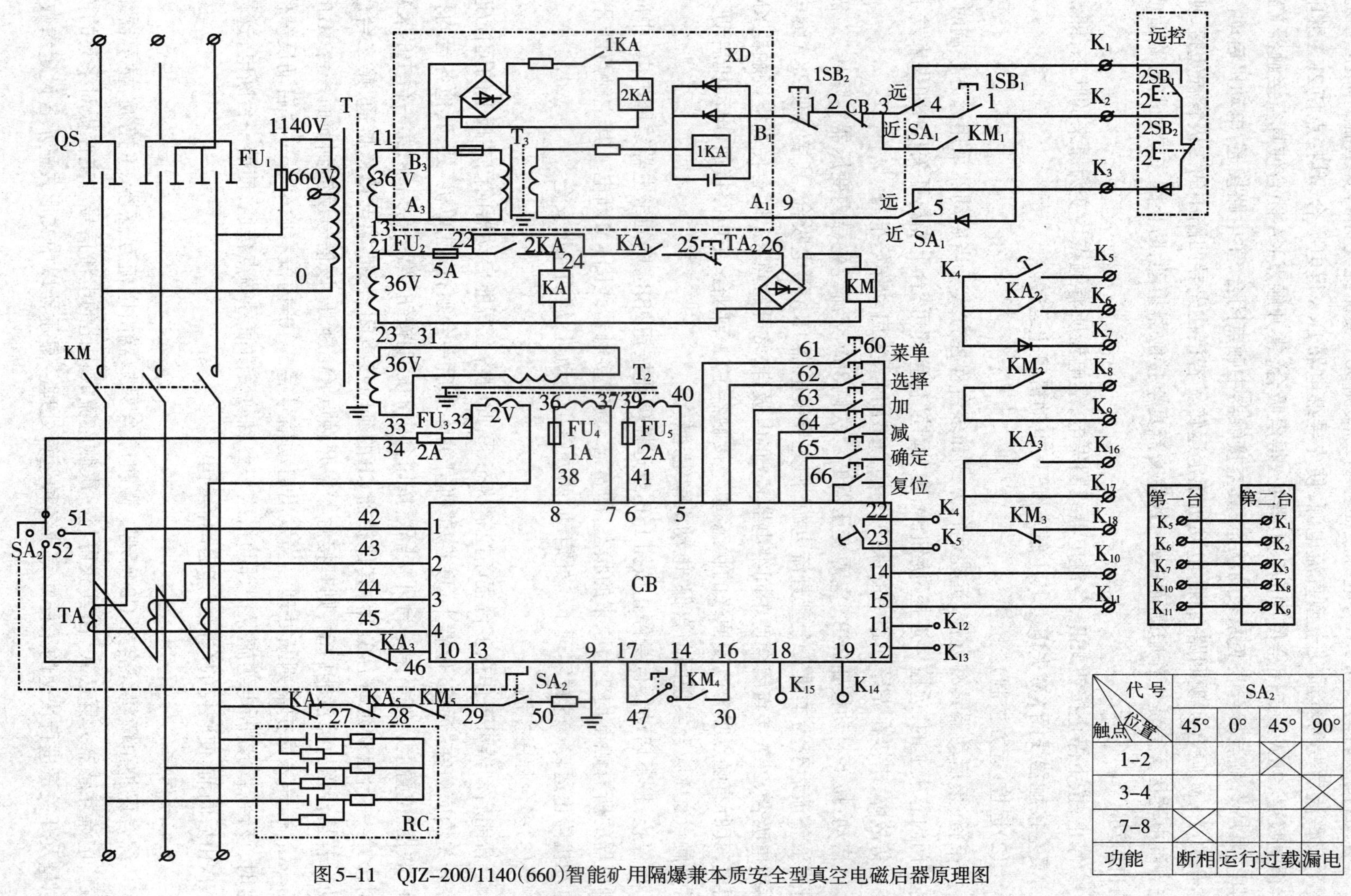

图 5–11　QJZ–200/1140(660)智能矿用隔爆兼本质安全型真空电磁启动器原理图

启动:按下启动按钮$1SB_1$,电源变压器T_1二次侧36V交流经先导内变压器T_3降压、二极管半波整流后变为本质安全型直流电源,使先导继电器1KA得电吸合,其接点使2KA继电器得电吸合,2KA接点闭合使中间继电器KA得电吸合,常开触点KA_1闭合使真空接触器KM得电,其所有触点吸合改变原来的状态,真空接触器主触点闭合,主电路接通,电动机启动。常开触点KM_1吸合实现回路自保,电动机稳定运转。若接在先导回路中的二极管被短接,则先导继电器因无直流工作电源而拒动,致使交流真空接触器拒动,防止因先导回路短路造成的自启动。

停止:按下停止按钮$1SB_2$,各继电器线圈失电,继电器所有触点均变为原来的状态,即常态,真空接触器线圈KM失电。其主触点断开,电动机停止运转。

(2)远控(远方控制)。

准备:该启动器具有近控、远控运行方式和多台程控方式。当启动器采用远方控制时,将前门内芯板上的"远控/近控"旋钮SA_1置"远控"位置即可,合上隔离开关QS,如果未发生漏电等故障,串接在先导回路中的保护器接点CB闭合,为启动作好准备。

启动:按下启动按钮$2SB_1$,电源变压器T_1二次侧36V交流经先导内变压器T_3降压、二极管半波整流后变为本质安全型直流电源,使先导继电器1KA得电吸合,其接点使2KA继电器得电吸合,2KA接点闭合使中间继电器KA得电吸合,常开触点KA_1闭合使真空接触器KM得电,其所有触点吸合改变原来的状态,真空接触器主触点闭合,主电路接通,电动机启动。常开触点KM_1吸合实现回路自保,电动机稳定运转。

停止:按下启动器自身停止按钮$1SB_2$或远控停止按钮$2SB_2$,中间继电器线圈失电,中间继电器的所有触点均变为原来的状态,即常态,真空接触器线圈KM断电。其主触点断开,电动机停止运转。这样实现了一处启动,两处停止电动机,从而保证安全。

(3)多台程序控制。

智能启动器可工作在多台程序控制状态下,此时各台智能启动器前门芯板上的远控/近控开关均应打在"远控"位置上,联控/单机开关除最后一台须打在"单机"处,其他各台均打在"联控"位置上。按下第一台外接隔爆按钮盒中的启动按钮,第一台启动;第一台中的KA_2闭合,第一台启动延时1~3s后,其保护器CB的延时接点闭合,使端点K_4、K_5接通,第二台启动。若某台因故障没能启动,则其接触器常开触点KM_2断开,该信号反馈到前面一台CB的K_{10}、K_{11}端,送入保护器判断处理。当发出启动信号后5~10s内没有收到下一台启动反馈信号时,该台启动器断电实施保护,同时,这一台启动反馈信号端点接通,使前一台断电,这样依次由后向前,使联控的全部智能启动器断电。

3.综合保护

综合保护由微机综合器CB实现。微机综合保护器由电流互感器、主控板、显示器组成。电流互感器为穿芯式,由其获得与一次侧电流成正比的电流信号。主控板对采集的模拟量及开关量进行快速的采样并完成各种运算处理。显示器以中文形式显示各设定参数、实时参数及故障类型等。主控板上还设有设定按钮，通过操作可随时对保护器的参数进行整定。

保护器采用单片机微处理器技术，能完成启、停控制，漏电闭锁、短路、三相不平衡、欠压等多种保护。漏电闭锁保护后，当主电路对地绝缘电阻恢复后将自动恢复；短路、过载、断相保护动作后，启动器不能自动恢复，排除故障，必须按"复位"按钮复位后才能重新启动。

各项保护功能参数，模拟试验参数均可以通过菜单选择、调整。保护器还具有记忆功能，每次调整的各项参数均记忆保存，并记忆故障信息。当我们要了解上一次故障类型、动作时间参数时，点击"故障查询"菜单，便可全部显示出来。

（四）常见故障处理

可通过菜单查询故障，按"菜单"键，进入主菜单选择操作，将光标移至"4故障查询"，按"确定"键，显示屏显示：故障类型、故障时间、故障电流和故障时的系统电压。故障类型：过载、短路、漏电闭锁、欠压、三相不平衡等。然后，根据所显示的故障进行相应处理。

（五）安装与使用

1.安装

（1）启动器在井下装卸及搬运过程中，应尽量避免强烈振动颠簸。

（2）启动器电源、电压等级与其控制变压器一次侧接线要一致。

（3）启动器使用前应检查其产品合格证、煤安标志，并检查在运输或存放过程中有无损坏、失爆，发现问题应及时处理。

（4）启动器接线腔两侧的进出线引入装置及控制回路进出线引入装置暂不使用的均应用符合防爆要求的压盘、金属挡板和密封圈进行可靠密封。

2.使用

（1）每班使用前，对启动器进行线路检查，确认正常后，再复位投入运行。

（2）使用过程中不得随意更改控制系统及保护系统，否则控制系统及保护系统将失效，使启动器工作在无保护状态下。

（3）在使用过程中应定期检查真空开关管的真空度。

（4）故障显示灯损坏，应选用相同型号和规格的发光二极管更换，不准随意代用，更不得拆除。

（5）检修时不得随意更改本安电路及其关联电路元器件规格、型号、参数。

（6）试验要严格按照操作规程进行，不得拆除闭锁装置开门试验。

（7）为保证安全，启动器的外壳必须可靠接地。

三、QBZ-80（120）/1140隔爆真空型电磁启动器

（一）型号含义

QBZ-80（120）/1140隔爆真空型电磁启动器

其中，Q——启动器；B——隔爆；Z——真空；80（120）——额定工作电流，80（120）A；

1140——额定工作电压,1140V。

(二)结构

1.外壳

QBZ型系列隔爆真空型电磁启动器结构如图5-12所示,由隔爆外壳和壳内电路板装配组成。隔爆外壳的上方为隔爆接线盒,内设接线端子,接线盒的两端分别设有两个大接线嘴(俗称大喇叭嘴),用来固定电源侧、负荷侧的进出线电缆,接线盒的前方设有远方控制接线用的小接线嘴(俗称小喇叭嘴)。隔爆外壳下方为隔爆主腔,隔爆主腔的前面为隔爆前盖。隔爆外壳的右侧为隔离开关操作手把,手把的上方为启动按钮和停止按钮,手把的前方是与隔爆外盖闭锁的螺栓,由于隔离开关没有灭弧装置,只能在负荷断开时进行操作,为此,隔离开关手把与停止按钮间设有机械闭锁装置,只有按下停止按钮即断开负载后才能操作隔离开关;只有隔离开关断开电源后,才能将闭锁螺栓退入,转动并打开前盖,这就保证了只有断电以后,才能开盖进行检修、维修及整定等。隔爆外壳的底座为两端翘起的拖架,以便移动,拖架上设有接地螺栓。

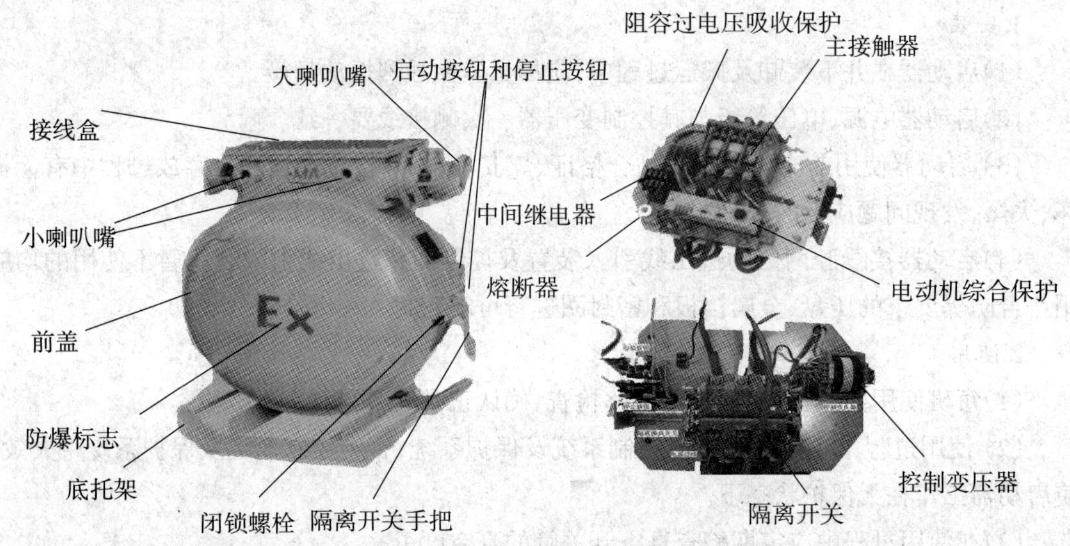

图5-12　QBZ型系列隔爆真空型电磁启动器结构

2.电路板

电路板前方装有主接触器、中间继电器、电动机综合保护、熔断器、阻容过电压吸收保护、电源电压选择及远近控钮等。

电路板后方装有换向隔离开关、控制变压器、启动和停止按钮等。

(二)工作原理

QBZ—80(120)/1140型系列隔爆真空型电磁启动器的电气原理如图5-13所示。

QBZ—80(120)/1140型系列隔爆真空型电磁启动器能实现就地控制(近控)、远方控制(远控)、联锁控制(也叫顺序控制)三种控制方式。下面分别介绍其工作原理:

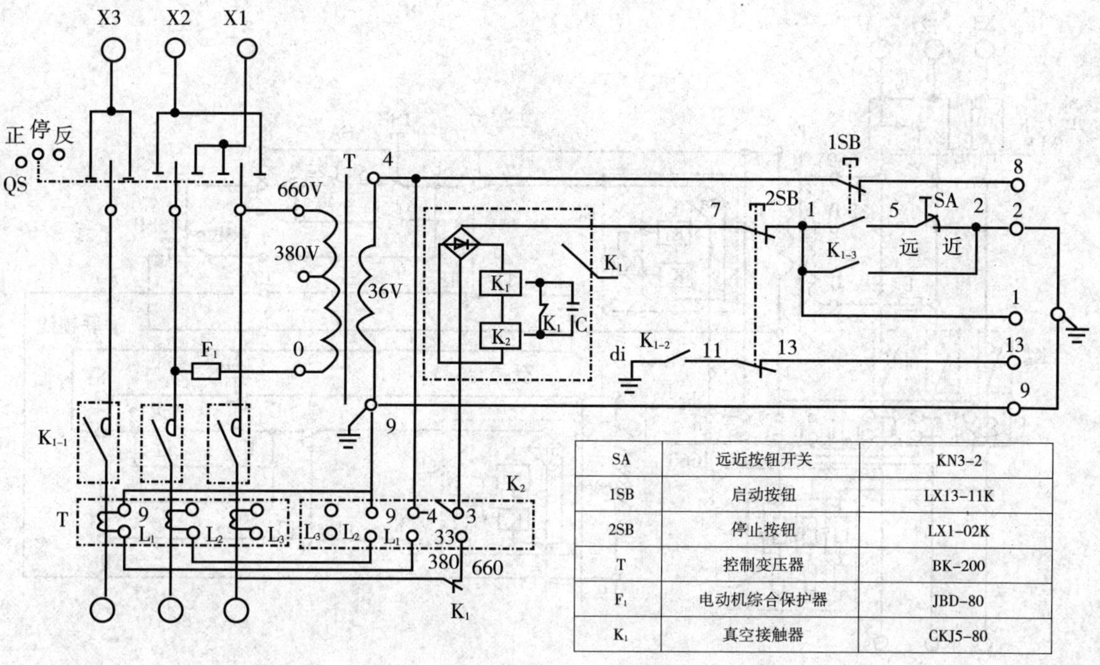

SA	远近按钮开关	KN3-2
1SB	启动按钮	LX13-11K
2SB	停止按钮	LX1-02K
T	控制变压器	BK-200
F_1	电动机综合保护器	JBD-80
K_1	真空接触器	CKJ5-80

图5-13(a)　QBZ-80(120)/1140系列隔爆真空型电磁启动器就地控制原理图

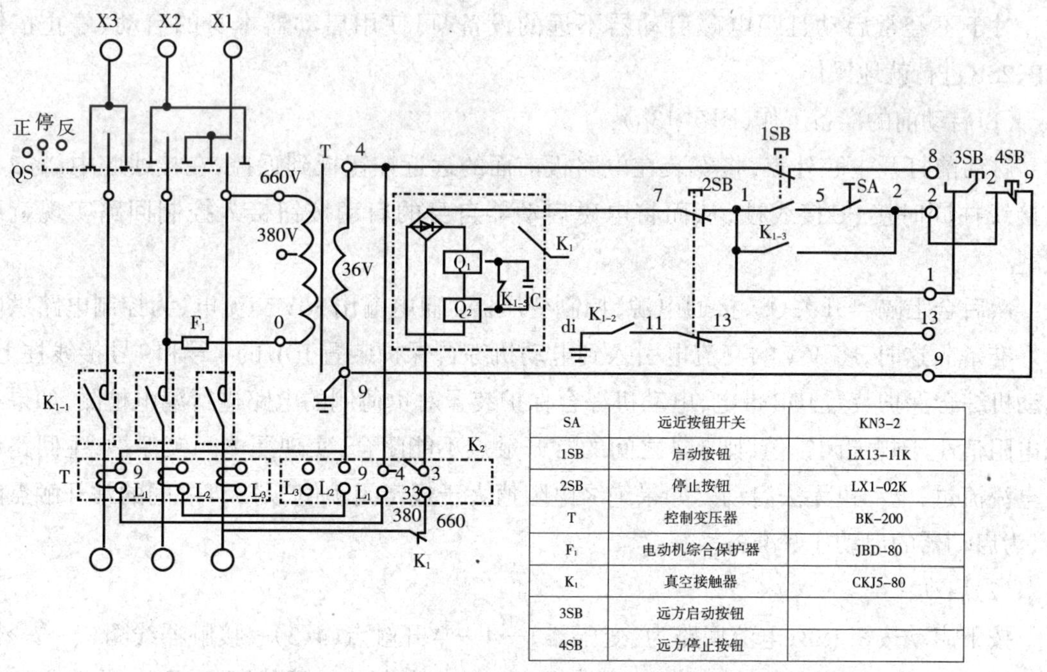

SA	远近按钮开关	KN3-2
1SB	启动按钮	LX13-11K
2SB	停止按钮	LX1-02K
T	控制变压器	BK-200
F_1	电动机综合保护器	JBD-80
K_1	真空接触器	CKJ5-80
3SB	远方启动按钮	
4SB	远方停止按钮	

图5-13(b)　QBZ-80(120)/1140系列隔爆真空型电磁启动器远方控制原理图

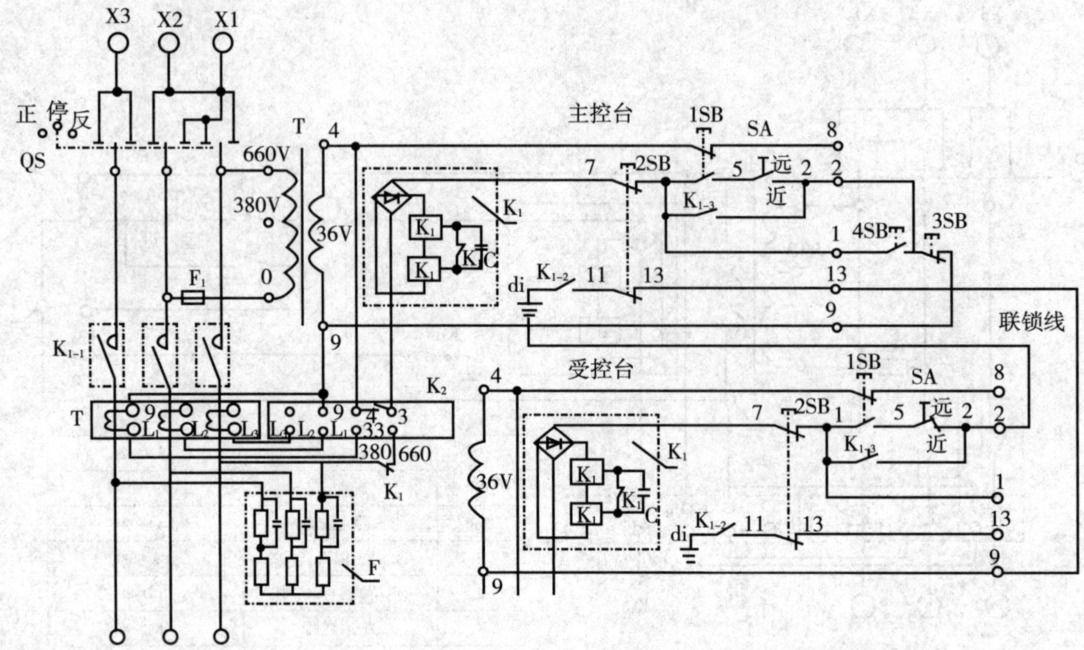

图5-13(c) QBZ-80(120)/1140系列隔爆真空型电磁启动器联锁控制原理图

1.就地控制

对于不经常启动且距电磁启动器不远的设备,可使用启动器本身的启动、停止按钮1SB、2SB进行就地操作。

(1)启动前的准备工作(图5-13a):

启动前打开主腔外盖,将安装在电路板前面的远近控钮扳到近控,在接线腔中,将2、9号接线柱同时接PE接线柱,从而将电磁启动器自身的启动按钮接入控制回路实现就地控制。

然后合上隔离开关QS,接通电源,控制变压器T通电输出36V交流电,为控制电路供电作好准备。这时,将36V的交流电引入到电动机综合保护装置JDB的4号和9号接线柱上,电动机综合保护装置JDB带电,电动机综合保护装置对负荷侧的电路进行漏电检测,如果绝缘电阻值小于规定闭锁值,则3、4之间的常开触点不能闭合,实现漏电闭锁保护,主回路没有电流流过,电动机无法启动。如果绝缘电阻值大于规定闭锁值,则3、4之间的常开触点闭合,为启动器的启动作好准备。

(2)启动:

按下启动按钮1SB,电流回路为:变压器T→4→常开触点(4、3)→接触器线圈K_1→7→停止按钮2SB→1→启动按钮$1SB_{下}$→5、2端→9端→T。真空接触器线圈K_1通电,使真空接触器K_1所有触点吸合改变原来的状态,主触点K_{1-1}吸合,电动机启动。常开触点K_{1-3}吸合实现回路自保,自保回路为:变压器T→4→常开触点(4、3)→接触器线圈K_1→7→停止按钮2SB→

1→自保K_{1-3}→2端→9端→T。这样,真空接触器线圈K_1保持通电,主触点K_{1-1}始终吸合,电动机稳定运转。接触器线圈K1通电,断开漏电检测回路,以防主回路通电后使附加直流电源烧毁。

(3)停止:

按下停止按钮2SB,真空接触器线圈K_1断电,真空接触器的所有触点均变为原来的状态即常态。其中主触点K_{1-1}断开,电动机停止运转。检漏回路常闭触点闭合,检漏回路接通,为下一次启动检测漏电作好准备。

(4)保护:

该真空电磁启动器具有过载保护、短路保护、断相保护、主回路漏电闭锁保护、过电压保护及失压保护。

①过载保护。当电动机过载时,经过一段延时,JDB常开触点K_2断开3、4点,使K_3、K_1依次动作,接触器主触点K_{1-1}断开主回路电源,实现过载保护同时闭锁电源。只有经过一段时间,才能自动解除闭锁,允许通电。从而可以给过载后的电动机一段冷却时间。

②短路保护。当短路时,只要短路电流达到和超过8倍的额定电流,JDB常开接点3、4断开,使K_{1-3}、K_{1-1}依次动作,接触器主触点K_{1-1}断开主回路电源,实现短路保护,同时闭锁电源。只有在短路故障排除后,打开启动器的隔离开关,才能解除闭锁。

③主回路断相保护。当电动机主电路一相断线时,另两相过载,经过一段延时,JDB常开接点3、4即断开,使K_3、K_1依次动作,接触器主触点断开主回路电源,实现断相保护。

④主回路漏电闭锁保护。该启动器漏电闭锁保护采用的是附加直流电源的保护原理。启动前合上隔离开关接通漏电检测回路,对启动器电动机侧的动力线路和电动机进行漏电检测,一旦发现漏电,则JDB常开接点3、4不闭合,启动器无法启动。但是启动器启动后,漏电闭锁即解除,JDB就失去漏电保护的作用。

⑤过电压保护。过电压保护电路是阻容过电压吸收电路,由一些电阻元件和电容元件组成。其主要作用是吸收主回路中瞬时产生的过高电压。降低过电压的陡度,减少过电压对绝缘的损坏。

⑥失压保护。当由于某种原因电源电压过低或消失时,主接触器线圈电流消失,自保触点K_{1-3}断开,自保被解除,电动机停止运转。当电源电压恢复后,由于启动按钮1SB和辅助触点K_{1-3}断开,没有电流流过线圈,避免了电动机的自启动事故。

2.远方控制

对于电磁启动器无法安放于靠近生产设备的地方如采掘工作面的设备,可采用在生产设备处设置远方控制按钮进行远方控制。

(1)启动前的准备工作:

启动前首先打开主腔前盖,将安装在电路板前面的远、近控开关钮扳到远控位置,将接线腔中1、2、9端子用三根控制电缆从小喇叭嘴引出接到远控按钮上,将远控启动按钮3SB、停止按钮4SB接入控制回路实现远方控制(图5-13b)。

然后合上隔离换向开关QS,接通电源,控制变压器T通电输出36V交流电,为控制电路供电作好准备。这时,由4号和9号导线将36V的交流电引入电动机综合保护装置JDB的4号和9号接线柱上,电动机综合保护装置JDB带电,电动机综合保护装置对负荷侧的电路进行漏电检测,如果绝缘电阻值小于规定闭锁值,则3、4之间的常开触点不能闭合,实现漏电闭锁保护,主回路没有电流流过,电动机无法启动。如果绝缘电阻值大于规定闭锁值,则3、4之间的常开触点闭合,为启动器的启动作好准备。

(2)启动:

按下远方启动按钮3SB,回路为:变压器T→4→常开触点(4、3)→接触器线圈K_1→7→停止按钮2SB→1→远方启动按钮3SB→2→远方停止按钮4SB→9端→T。真空接触器线圈K_1通电,使真空接触器K_1所有触点吸合改变原来的状态,主触点K_{1-1}吸合,电动机启动。常开触点K_{1-3}吸合实现回路自保,自保回路为:变压器T→4→常开触点(4、3)→接触器线圈K_1→7→停止按钮2SB→1→自保触点K_{1-3}→2→远方停止按钮4SB →9端→T。这样,真空接触器线圈K1保持通电,主触点K_{1-1}始终吸合,电动机稳定运转。真空接触器线圈K1通电,同时断开漏电检测回路,以防主回路通电后使附加直流电源烧毁。

(3)停止:

按下启动器自身停止按钮2SB或远控停止按钮4SB,真空接触器线圈K1断电,其所有触点均变为原来的状态即常态。其中主触点K_{1-1}断开,电动机停止运转。这样实现了一处启动,两处停止电动机,从而保证安全。

3.联锁控制

联锁控制用于几台设备的电动机联合工作时,因生产需要按一定的顺序进行启动或停止的控制。如煤矿井下由多台电动机控制的输送机组,启动时应逆煤流依次进行,停止时应顺煤流依次停止以防造成堆煤、使电动机过载等事故,这时可用联锁控制线路来实现。

联锁控制的接线是将主控台的联锁触点K_{1-2}串入受控台的控制回路中,将受控台的9与地断开,将主控台联锁触点K_{1-2}两端的13与PE接线柱分别与受控台的9与PE接线柱连接,其电气工作原理接线如图5-13c所示。

由于受控台启动器的9号线是通过主控台启动器的辅助线13及辅助触点K_{1-2}连接成回路的,所以主控台不启动时,主控台联锁触点K_{1-2}不闭合,受控台即使按下启动按钮也无法启动;只有主控台启动器中的接触器吸合,主控台联锁触点K_{1-2}闭合,即主控台电动机启动后,受控台电动机才允许启动。停止时,应按照电磁启动器受控台、主控台的顺序停机。如果操作错误,先按下主控台电磁启动器的停止按钮,则受控台电磁启动器同时停止,从而实现了联锁控制。

(三)接线与调试

在电磁启动器使用前,必须根据电源电压调整变压器一次抽头,再根据所采用的控制方式进行接线。根据《煤矿安全规程》的规定,接地线不得兼作他用,所以进行远方控制或联锁控制的线路连接时,必须采用专门的控制电缆芯线,不得利用接地线兼作控制芯线。

(四)安装与使用

QBZ-80(120)/1140型系列隔爆真空型电磁启动器的安装与使用,与BQD5系列型真空电磁启动器类同。

(五)常见故障处理

QBZ-80(120)/1140型系列隔爆真空型电磁启动器的常见故障及处理方法基本与BQD5系列型真空电磁启动器相同。

第四节　矿用隔爆型低压自动馈电开关

矿用低压自动馈电开关是将隔离开关、断路器、保护装置组装在隔爆外壳内的一种成套配电装置。矿用低压隔爆自动馈电开关用于接受和分配低压电能、控制和保护低压线路,主要用于煤矿井下变电所或配电点,作为低压配电总开关或分路开关使用。由于DW80和DWKB30两大系列矿用隔爆型自动馈电开关,其结构简单,保护功能不健全,因而目前使用较多的是采用真空断路器、具有电子保护装置、保护功能齐全、具有信号显示装置的DKZB、DZKB、KBZ、BKD等系列的矿用隔爆型真空自动馈电开关。

一、BKD1-500/1140(660)矿用隔爆型真空馈电开关

该矿用隔爆型真空馈电开关主要用于煤矿井下在交流50Hz,额定电压为1140V、660V,额定电流500A及以下线路中,作为供电系统的总开关、分支开关,并可与大容量变压器配套使用。该开关具有短路、过载、欠电压、漏电动作、漏电闭锁、电容补偿及过电压保护功能。

(一)结构

开关的隔爆外壳呈方形,隔爆体外壳分为上、下两部分,上方为隔爆接线室,下方为隔爆主腔体,各种接线通过接线柱和接线室相接。上盖为平面止口式隔爆盖,用螺栓固定。下方主腔体由空腔和前门组成,前门板面装有试验开关及机械脱扣按钮,开门前,将控制电源开关打在停止位置,将闭锁杆退出,闭锁住真空断路器和控制电源合闸手柄,即可打开前门。

(二)组成

BKD1-500/1140(660)矿用隔爆型真空馈电开关主要由隔爆外壳、真空断路器、控制回路电源、芯板组件、故障信号指示等组成。

该馈电开关的电气电路主要由主回路、控制电路、保护电路三大部分组成。主回路是通过500A真空断路器U、V、W三相真空管的接通与分断来完成的,电源侧和负荷侧由插接式的导电排连接;控制回路由组合开关GK、真空断路器的三对常开及常闭辅助触点、断电器、欠压线圈Q、分励线圈F等元件组成;保护电路由检漏继电器和半导体脱扣器、过电压保护装置组成。电气原理图如图5-14所示。

(三)工作原理

1.控制回路

控制回路的电源变压器将1140V(1200V)电压变为127V、100V、50V、27V、6V,通过整流和稳压后,分别作为合闸线圈、半导体脱扣器、电压表、继电器、指示灯的工作电源。

2.半导体脱扣器工作原理

该馈电开关采用运算放大器,CMOS数字电路和外围元件组成的半导体脱扣器电路,该电路具有功耗低、工作可靠、抗干扰性能好、动作稳定准确、延时单元采用数字计数器电路等优点。

控制电源变压器输出50V,经整流后,一路经稳压得17V和9V直流电压,供给控制电路;另一路通过开关电源,为欠压线圈提供直流电压。

电流电压变换器输出的电压经整流后,得到反应主回路电流大小的脉动电流电压信号,将它们分压后分别送到瞬时、短延时、长延时及预报警电路,各单元电路按设定值翻转,输出一动作信号到记忆电路,寄存并显示故障类型。记忆电路输出的驱动信号一路晶体管使V_4截止,关断开关电源,使欠压线圈Q失电;另一路送往整形电路,再触发晶闸管。导通的晶闸管同时使二极管VD_{30}导通,关断开关电源;VD_{29}导通,使欠压线圈Q失电,并使分励线圈F得电,完成脱扣动作,使断路器分断。

(四)保护

该馈电开关具有短路、过载、欠电压、漏电动作、漏电闭锁、电容补偿及过电压保护功能。

过载延时过电流整定范围为额定电流的0.4~1倍;短路过电流整定范围为额定电流3~10倍;当馈电开关在断开位置时,电源电压满足要求时,保证馈电开关能够可靠闭合;当馈电开关在闭合位置时,电源电压降至额定电压的70%~35%时,保证馈电开关能够可靠断开电路,实现欠电压保护,欠电压延时可调范围为1~3s;馈电开关U、V、W三相分别接入阻容器装置,当电网出现过电时,通过阻容吸收来实现过电压保护,消除过电压对线路的危害。

漏电保护由检漏继电器来实现。检漏继电器主要由电源、取样放大、比较放大、输出、千欧表等组成。先由电源变压器供给127V交流电源,经桥式整流后从B3L输出,供给24V直流继电器J_1;另一路经电容滤小及三端稳压器稳压后供检测部分。

稳压后的24V经隔离、滤波后从B_6输出,再经外接R_{25}电阻、三相电抗器SK、检测漏电电阻由大地返回B_1到24V负端。这个回路电流的大小由被检测的漏电电阻值的大小决定,取样后经放大器放大,进入比较器。

输出端由比较器带动三极管V_4驱动继电器动作,当三相绝缘电阻大于120kΩ时,比较器输出高电平,三极管V_4饱和导通,继电器JL吸合,闭锁灯灭,分闸、检测灯亮,真空馈电开关的欠压线圈得电,闭锁灯灭,分闸、检测灯亮,真空馈电开关允许合闸。

按下合闸按钮,真空馈电开关迅速合闸,此时分闸灯灭,检测、合闸灯亮,当电网绝缘电阻下降到检漏继电器动作值60kΩ(三相)时,执行继电器JL释放,从而迫使J_1释放,则欠压线圈断电,真空馈开关跳闸,J_1~J_3触电断开,漏电灯亮,分闸、闭锁灯亮。

当电网对地绝缘电阻恢复到120kΩ(三相),JL吸合,JL_1触电闭合,漏电指示灯灭,分闸、闭锁指示灯亮。

按下复位按钮,J_1吸合,闭锁灯灭,检测灯和分闸灯亮,真空馈电开关允许合闸。

闭锁电阻值的调整通过电位器W_2来实现,动作值的调整通过电位器W_1来实现。

二、KBZ-630/1140(660)(Y)矿用隔爆型真空馈电开关

KBZ—630/1140(660)(Y)矿用隔爆型真空馈电开关,适用于有煤尘、瓦斯爆炸性混合物气体的煤矿井下,在交流50Hz,额定电压1140V或660V,额定电流至630 A的电网中,作为移动变电站用开关(打开后盖板与移动变电站对接)或单独作为配电总开关、分支开关用,也可用于控制大容量不频繁启动的电动机。

KBZ—630/1140(660)(Y)矿用隔爆型真空馈电开关采用ZKI型真空断路器合、分主电路,电动合闸,分励脱扣,欠压脱扣或手动脱扣,具有寿命长、维护最少、工作可靠等特点。

KBZ—630/1140(660)(Y)矿用隔爆型真空馈电开关具有过载、短路、欠压、漏电等保护和监视电网绝缘状态、电容电流补偿、高低压电气联锁、温度报警等功能,并可外接远方控制按钮。

(一)结构

KBZ—630/1140(660)(Y)矿用隔爆型真空馈电开关具有方形隔爆外壳,隔爆外壳装在撬形底座上(图5-15)。隔爆外壳上部为接线腔,内装所有主电路和控制电路的接线端子。两侧各有两个大进出线嘴、一个小接线嘴。外壳下部为主腔,内装真空断路器、控制芯板和阻容吸收装置等。

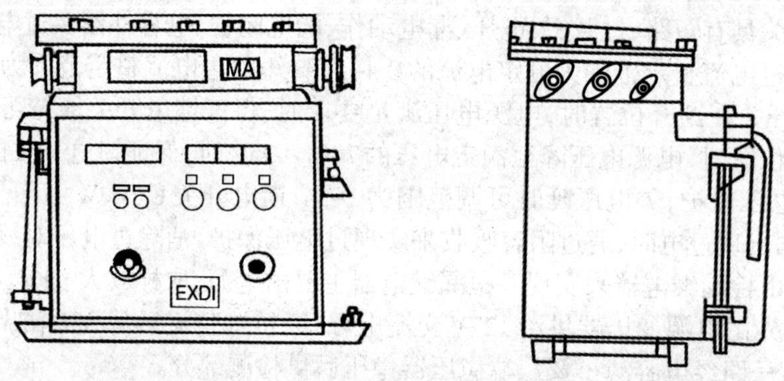

图5-15　KBZ-630/1140(660)(Y)矿用隔爆型真空馈电开关的外形结构

外壳前门为平面止口式,并与外壳右侧的电源开关QS之间有机械联锁,保证只有关闭前门后,才能接通电源;断开电源开关,拧紧联锁螺杆,上提左侧固定于铰链上的操作把手,才能打开前门。

外壳前门上装有试验选择开关SA,显示插件XS,瓷盘电位器RP,分、合闸按钮2SB、1SB,漏电试验按钮4SB和补偿按钮3SB,电流表A、电压表V、毫安表mA和千欧表。

安装在主腔中的真空断路器QF是用来接通、分断被控电路,同时发生故障时能够自动跳闸断电。

安装在主腔内左侧的控制芯板正面装有熔断器1FU~4FU,漏电保护插件LC,电子脱扣器保护插件BC,时间继电器KT、控制闸的中间继电器HZ、控制断路器合闸电磁换HT的闭锁继电器BS,660 V、1140 V换接端子等。

控制芯板的反面装有控制变压器1TC,三相电抗器SK,磁放大器2TC,滤波电容C4、C6和扼流线圈EL,漏电试验及补偿用电阻RS。

(二)工作原理

KBZ-630/1140(660)(Y)型真空馈电开关电气工作原理如图5-16所示。

1.准备工作

盖好上盖,关闭前门,解除联锁之后,顺时针转动控制电源开关QS的把手至接通位置,控制变压器1TC有电,控制变压器副边输出240 V、220 V、50 V和18 V电压,其中240 V经VT_{1-4}整流后,为合闸电磁铁HT提供电源;时间继电器KT通电吸合,KT_1闭合。50 V电压一路供给电子脱扣器BC,经整流后送给控制电路,经开关电源输出,使欠压线圈Q通电(GK已闭合),其铁心下移,断路器可以合闸;另一路为漏电保护插件LC提供漏电检测电源,漏电检测回路投入工作。如果不漏电,漏电继电器不吸合,接点JL_1保持闭合,闭锁继电器BS吸合,为合闸作好准备。18 V为LC的漏电保护提供电源,分闸指示灯亮。如果故障指示灯亮,用SA进行复位。

2.电动合闸

将试验开关SA转换至运行位置,触点1、2闭合。按下电动合闸按钮1SB→HZ吸合→QF合闸。同时,QF_5分断→线圈KT断电→触点KT_1延时断开→HZ释放→HT断电,确保HT不致因通电时间过长而烧毁。分闸指示灯灭,合闸指示灯亮,开关运行。

3.电动分闸

按下分闸按钮2SB或远方分励按钮,分励线圈F经QF_2通电,半轴脱扣,断路器断电。按动开关右侧的机械分励脱扣按钮也可以进行分闸操作。若分断电源开关QS,开关也跳闸,但因控制电路没电,所以无显示。

(三)电气保护

1.过载、短路保护

当发生过载或短路故障时,由电流电压变换器输出的电压信号送至电子脱口器BC,经整流、分压后得到反映主回路电流大小的直流电压信号,再将它们分别送到瞬时、短延时、长延时电路,各单元电路按设定值翻转,输出一动作信号到记忆回路并显示故障类型。记忆电路的输出使开关电源关断,使欠压线圈Q无电释放,同时使晶闸管V导通,F吸合,断路器脱扣分闸;另一方面,闭锁继电器BS释放,对控制闸的中间继电器HZ闭锁,使得故障在未得到处理并复位的情况下,合闸电磁铁HT不能得电,断路器不能合闸送电。

2.欠压保护

当电源电压降到额定电压的70%~35%时,欠压环节动作,同上述过程,欠压线圈Q失电,分励线圈得电,使断路器跳闸,同时闭锁继电器BS释放,对控制闸的中间继电器HZ闭锁,使得故障在未得到处理并复位的情况下,合闸电磁铁HT不能得电,断路器不能合闸送电。

3.漏电闭锁和漏电保护

漏电检测回路为:LC的4号脚→扼流线圈EL→磁放大器2TC→三相电抗器SK→电网→电网对地绝缘电阻→大地→主接地极DZ→千欧表→LC的6号脚。

漏电保护采用的是附加直流电源的原理,当电网对地绝缘电阻下降到设定值时,流过漏电检测回路的漏电检测电流增大,经取样、比较环节后,触发电路动作并记忆指示故障,漏电继电器JL吸合,接点JL_2闭合、JL_1断开,使得分励线圈F得电,断路器跳闸断电,并使闭锁继

电器BS释放闭锁。

在断路器闭合前漏电保护装置对断路器负荷侧的绝缘状态进行检测，当绝缘电阻值小于或等于闭锁电阻值时，漏电保护插件内的执行元件动作闭锁中间继电器KT，断路器不能合闸实现漏电闭锁。

KBZ-630／1140(660)(Y)型真空馈电开关还能实现高低压电气闭锁、温度报警。

(四)试验

1.漏电试验：将试验开关SA转换至运行位置，然后按下漏电试验按钮4SB，开关跳闸，指示灯亮显示故障，复位后方能运行。

2.短路试验：复位后，将SA转换至短路试验位置，开关跳闸，短路指示灯亮显示故障，复位后方能运行。

3.电容电流补偿调节：馈电开关合闸后，在后级负载全部带电时，将试验开关SA转换至补偿位置，按下补偿按钮3SB，转动补偿调节电位器RP，使毫安表mA的读数最小，然后松开3SB，将SA转换到运行位置。

(五)使用与维护

1.使用前，应检查开关的技术条件是否与被控制电网条件相符合，紧固部位有无松动，有无出厂合格证书、煤安标志等，在搬运中应避免强烈振动，严禁翻滚。

2.按要求接线，0号和32号端子为外接远方分励按钮，不接远方分励按钮时，严禁短接。

3.辅助接地极距离该开关的接地极不应小于5m。

4. 当开关不与移动变电站配合使用时，应将46号、74号端子短接。

5. 控制变压器1TC出厂整定为1140 V，若用于660V系统，应将5号线改接到660 V端子上。

6. 根据实际使用情况对LC插件上用于660 V、1140 V电网的转换开关，动作延时、瞬时选择开关和延时整定电位器进行整定。

7. 过载(长延时)、短路(短延时)的动作值由电子脱扣器BC上的拨码开关整定，拨码开关的数值及其动作值的对应关系如表5-4所示。

表5-4　　拨码开关的数值及其动作值的对应关系

拨码开关数值	1	2	3	4	5	6	7	8	9	10
常延时整定倍数	0.4	0.4	0.4	0.4	0.5	0.6	0.7	0.8	0.9	1.0
短延时整定倍数	3	3	3	4	5	6	7	8	9	10

8. 欠压保护的动作时间为1~5 s，用电子脱扣器BC上的欠压延时电位器按要求整定。

9. 开关在使用过程中，不可随意更改控制电器和操作机构的零部件。

10.馈电开关的维修检查应按照《煤矿安全规程》以及《煤矿设备完好标准》进行。每半年应检查断路器紧固件是否松动，擦去污垢，并给轴承添加机油，检查与调整触点参数使其满足：

触点开距　3^{+1}mm；

超程　$1.5^{+0.5}$mm；

开距+超程　5~6mm；

在断开位置时CH　25~28mm；

触点允许的最大磨损量　2mm。

11.在安装或更换零序电流互感器和电流互感器时一定要注意极性，不可随意改动，否则会造成保护装置的误动或拒动。

第二部分　专业核心知识点

本章专业核心知识点包括以下内容：

1.电气图的绘制原则。
2.电气图的绘制、阅读方法。
3.常用矿用低压自动馈电开关的工作原理、结构。
4.交流接触器的结构和工作原理。
5.矿用隔爆型电磁启动器近控、远控及联锁控制的实现。
6.常用矿用隔爆型电磁启动器及自动馈电开关的工作原理、结构。
7.矿用电磁启动器常见故障及其处理。

第三部分　专业技能训练

技能一　矿用真空电磁启动器(开关)的闭锁装置

1.闭锁的解除

(1)按下停止按钮使启动器停止。

(2)扳动隔离换向开关手把,切断与上一级电源的联系。

(3)向后推入止推螺栓,闭锁解除。

(4)打开转盖,保证断电开盖检修。

2.设置闭锁

(1)合上转盖。

(2)向前拧止推螺栓,卡住外盖,设置闭锁。

(3)扳动隔离向开关手把,合上与上一级电源的联系。

(4)按下启动按钮使启动器启动。

技能二　矿用真空电磁启动器(开关)的三种控制方法及接线

1.就地控制(近控)的实现

(1)按下停止按钮使启动器停止。

(2)扳动隔离换向开关手把,切断与上一级电源的联系。

(3)向后推入止推螺栓,闭锁解除。

(4)打开主腔外盖。

(5)将安装在绝缘板前面的2、5端子用导线短接(设置有远、近控开关钮的启动器,将远、近控开关钮扳到近控位置即可)。

(6)在接线腔中,将2、9号接线柱用导线连接或同时接PE接线柱,从而将电磁启动器自身的启动按钮接入控制回路实现就地控制。

(7)盖上接线腔盖,合上转盖。

(8)向前拧止推螺栓,卡住外盖,设置闭锁。

2.远方控制(远控)的实现

(1)按下停止按钮使启动器停止。

(2)扳动隔离换向开关手把,切断与上一级电源的联系。

(3)向后推入止推螺栓,闭锁解除。

(4)打开主腔外盖。

(5)将安装在绝缘板前面的2、5端子断开(设置有远、近控开关钮的启动器,将远、近控开关钮,扳到远控位置即可)。

(6)1、2、9端子用三根控制电缆从小喇叭嘴引出接到远控按钮上,将远控启动按钮、停止按钮接入控制回路实现远方控制。

(7)盖上接线腔盖,合上转盖。

(8)向前拧止推螺栓,卡住外盖,设置闭锁。

3.联锁控制的实现

(1)按下停止按钮使启动器停止。

(2)扳动隔离换向开关手把,切断与上一级电源的联系。

(3)向后推入止推螺栓,闭锁解除。

(4)打开主腔外盖。

(5)将受控台的9与地断开。

(6)将主控台联锁触点两端的13与PE接线柱分别与受控台的9与PE接线柱连接,就将主控台的联锁触点串入受控台的控制回路中,实现了联锁控制。

(7)盖上接线腔盖,合上转盖。

(8)向前拧止推螺栓,卡住外盖,设置闭锁。

技能三　矿用隔爆真空电磁启动器(开关)的电气故障及处理方法

常见故障现象	故障原因	处理故障方法
按下启动按钮时接触器不吸合	1.启动按钮接触不好 2.无36V电源 3.整流桥损坏 4.接触器损坏 5.JDB漏电闭锁保护或热继电器触点接触不好 6.中间继电器损坏 7.接触器主触点被卡	1.修理或更换按钮 2.检查更换变压器或线圈,检查RD是否烧坏或接触不良 3.更换损坏的二极管 4.更换线圈或接触器 5.找出故障并排除负载漏电 6.排除故障或更换继电器 7.调整触点位置
启动后无法维持	1.2号线断或2与PE不通 2.电源电压低于额定电压规定值 3.反力弹簧调节过紧 4.按钮接错 5.自保触点接触不良或损坏	1.重新接线 2.换大截面电缆,减少线路压降 3.放松反力弹簧,但要保持一定的分闸速度 4.重新接线 5.调整自保触点使其接触良好或更换
启动后无法停止	1.启动按钮没有恢复原位或损坏 2.1、9号短路 3.中间继电器卡死或熔焊 4.主触点被卡	1.修复或更换启动按钮 2.排除短路故障 3.排除故障或更换继电器 4.调整主触点
电磁启动器一闭合,上一级馈电开关跳闸	1.电磁启动器负荷侧发生了单相接地故障 2.馈电开关保护整定值不合适	1.检查电磁启动器、线圈、电动机,找出故障点并处理 2.重新整定

阻容保护器电阻烧毁	1.电源三相严重不平衡 2.电容击穿 3.电容容量、电阻阻值降低	1.调整负荷,使三相尽量平衡 2.更换被击穿电容器 3.更换
三相严重不同步	1.接触器整定电流太大 2.保护器动作不可靠	1.按电机容量的额定电流值将保护器的整定电流调整合适 2.更换保护器
熔断器熔断	短路	找出短路点排除短路故障并更换熔体

技能四　矿用低压电气设备的操作

送电操作

1.检查设备外壳的机械闭锁,使其处于闭锁状态。

2.合上隔离开关,使设备与上一级电源接通。

3.按下电气设备的启动按钮。

断电检修操作

1.按下电气设备的停止按钮。

2.打开隔离开关,使设备与上一级电源断开。

3.挂牌。

4.测瓦斯。

5.开盖验电。

6.放电。

7.检修。

检修完毕,不要将工具、零件、电缆毛刺留在设备壳内或接线盒内。

复习题

1.电气图的绘制原则是什么？

2.试述交流接触器是由哪些部件组成的？

3.试述KBZ-630／1140（Y）矿用低压自动馈电开关结构及具有哪些保护。

4.矿用隔爆真空电磁启动器的常见故障有哪些？如何处理？

5.矿用低压馈电开关有哪些类型？其适用范围是什么？

6.BKD1型矿用隔爆型真空馈电开关与DW80型自动馈电开关相比有哪些特点？

讨论题

1.QBZ-80（120）/1140型矿用隔爆性电磁启动器如何实现近控、远控及联锁控制？

2.电气原理和安装图阅读时应注意什么？

3.电磁启动器一闭合，上一级馈电开关跳闸的原因，处理方法。

第六章　煤矿高压电气设备

额定电压在3千伏及以上的设备，属于高压电气设备。矿用高压电气设备有单独使用的分立开关，主要有熔断器、断路器、隔离开关、负荷开关；有以高压开关为主，根据使用场合、控制对象及主要元器件的特点，按照一定的接线，将这些分立开关组合起来，装于封闭式金属柜内的高压成套配电装置即矿用高压配电箱。

第一部分　系统理论知识

第一节　矿用高压开关

一、隔离开关

隔离开关又叫刀闸，触头间有符合规定要求的绝缘距离和明显的断开标志，在合位置时，能承载正常回路条件下的电流及在规定时间内异常条件(例如短路)下的电流。其主要特点是无灭弧能力，只能在没有负荷电流的情况下分、合电路。

(一)主要作用

1.根据运行的需要，换接线路实现电路转换。

2.为保证检修人员和设备的安全，隔离开关分闸后，将需要检修的设备或线路与电源用一个明显断开点隔开。

3.由于当电路中电流很小时，触头上不会产生强烈的电弧，所以可用来分、合线路中一定容量的小电流电路，如开关的电容电流，双母线换接时的环流以及电压互感器的励磁电流等。

(二)类型

高压隔离开关的种类很多，按其安装地点的不同，可分为户外高压隔离开关(图6–1)与户内高压隔离开关。户外高压隔离开关指能承受风雪、雨霜冷冻等作用，适于安装在露天使用的高压隔离开关。按其绝缘支柱结构的不同可分为单柱式隔离开关、双柱式隔离开关、三柱式隔离开关。其中单柱式刀闸在架空母线下面直接将垂直空间用作断口的电气绝缘，因此，具有的明显优点就是节约占地面积，减少引接导线，同时分合闸状态特别清晰。在超高压输电情况下，变电所采用单柱式刀闸后，节约占地面积的效果更为显著。按操作机构的不同，可分为手动、电动、气动高压隔离开关。

图6–1　户外高压隔离开关

隔离开关电气符号为：____／__QS

（三）操作与选用

由于隔离开关没有灭弧装置，只能切除相当小的负荷电流，所以隔离开关通常和断路器配合使用，断路器的两侧均应配置隔离开关，以便在断路器检修时形成明显的断口与电源隔离。严禁隔离开关带负荷进行分、合闸操作。必须严格遵守“倒闸操作”的规定，即合闸时，首先合上母线侧隔离开关，其次合上负载侧隔离开关，最后合上断路器；分闸时与上述操作顺序相反，即先断断路器，后断隔离开关。

选择隔离开关时，首先根据额定电压、电流等进行选择，然后按照短路时的动、热稳定性进行校验。

（四）隔离开关的常见故障

表6–1　　隔离开关的常见故障及原因

常见故障	故障原因	解决方法
接触部分过热	负荷过重、接触电阻增大、锈蚀、卡滞、检修调试未调好	汇报调度，设法减少或转移负荷；双母线接线如果一母线侧刀闸过热，通过倒母线，将过热的隔离开关退出运行，停电检修；单母线接线必须降低其负荷，并采取措施降温，如条件许可，尽可能停止使用。
电动操作失灵	操作错误，电源回路、动力电源回路不完好，熔断器熔断或松动	重新正确操作，停电检修，更换熔断器
拒绝分合闸	轴销脱落、楔栓退出、铸铁断裂	更换修理，用绝缘棒进行操作，或在保证人身安全的情况下，用扳手转动每相隔离开关的转轴

二、高压断路器

高压断路器是电力系统中最主要的控制设备，它具有断流能力强的特点，不仅可以可靠地接通和断开负荷电路，而且还可以作为保护装置的执行机构，用来切断强大的短路电流。

（一）高压断路器型号含义

例：SN1–35G–3000–30

其中，S——少油（灭弧方式）（K——空气，D——多油，Z——真空，C——磁吹，L——六氟化硫）；N——安装方式（N——户内，W——户外）；1——设计序号；35——额定电压，kV；G——代表改进型；3000——额定电流，A；30——额定容量，MVA。

高压断路器电气符号为：——/×— QF

（二）高压断路器的类型

按断路器的灭弧介质不同，矿用高压断路器可分为油断路器、六氟化硫断路器和真空断路器三种。目前广泛使用的是真空型的断路器。

1.油断路器

油断路器是以密封的绝缘油作为灭弧介质的一种开关设备，有多油断路器和少油断路器两种形式。它较早应用于电力系统中，技术已经十分成熟，价格比较便宜，但是，由于绝缘油的绝缘性能容易恶化，同时还有发生爆炸和火灾的危险，故在煤矿井下较少采用，逐渐被其他新型断路器取代。

（1）多油断路器：

多油断路器的触头系统放在装有绝缘油的箱体中，使用油作为灭弧和绝缘介质，箱内充油较多。多油断路器每相有一个油箱的，叫做单箱式结构；三相共用一个油箱的，叫做共箱式结构。10kV及以下的供电系统多采用共箱式结构多油断路器，35kV及以上的供电系统多采用单箱式结构多油断路器。目前矿用多油断路器主要有DN1-10和DN1-10G型。

（2）少油断路器：

少油断路器又叫贫油断路器，油箱为单箱式结构，充油较少，油只作为灭弧介质和动静触点间的绝缘用，不起对地绝缘及相间绝缘用，对地绝缘及相间绝缘靠空气和磁绝缘子实现。运行时油箱带电，必须安装在支持绝缘子上。相比多油断路器因其油量少，结构坚固，使用安全可靠、安装简单、维护方便的优点，在煤矿得到了广泛应用。

油断路器在安装前应严格检查，是否符合制造厂的技术要求，断路器的遮断容量必须大于装设该断路器回路的短路容量；为保证灵活可靠，检修时，应对其进行操作试验，调整好三相动作的同期性；检修完毕应进行绝缘测试，严禁将工具遗留在油箱内发生事故；投入运行前，应检查绝缘套管和油箱盖的密封性能，以防油箱进水受潮，造成断路器爆炸燃烧；在运行时应经常检查油面高度，油面必须严格控制在油位指示器范围之内，发现声音异常、喷油、漏油、渗油等现象时，必须立即采取措施停止运行进行检查；断路器切断三次严重短路故障后，除要检查触点的损坏情况和油质情况外，还必须对绝缘油进行耐压试验。

2.六氟化硫断路器

六氟化硫断路器是利用SF_6气体作为绝缘和灭弧介质的无油化开关设备，六氟化硫断路器不仅密封性能好、绝缘性能和灭弧特性大大高于油断路器，而且其安装方便、检修周期及电气寿命长、控制回路中采用了两套分闸电磁铁和防跳保护，保证操作准确无误，适于煤矿井下的频繁操作。所以一段时间以来，曾作为油断路器的替代产品。但由于其价格较高，对SF_6气体的使用、管理、运行都有较高要求，尽管SF_6是一种化学性质稳定的惰性气体，正常状态下无色、无味、无毒、不易燃，具有良好的绝缘和灭弧性能，但在开断大的故障电流时会产生有毒的低氟化硫气体，对操作人员的健康不利，故在煤矿应用还不够广泛。

3.真空断路器

真空断路器是采用高真空作为灭弧介质和触点绝缘的，断路器由导电回路、绝缘系统、密封件和壳体组成。其中导电回路由进出线导电杆、进出线绝缘支座、导电夹、软连接与真空灭弧室连接而成。整个结构由合闸弹簧、储能系统、过流脱扣器、分合闸线圈、手动分合闸系统、辅助开关、储能指示等部件组成。真空断路器的核心部件是真空灭弧室。真空灭弧室内空气非常稀少，气体几乎没有游离作用，触头在分离过程中能迅速灭弧，不会产生大的电弧。

（1）真空断路器灭弧原理：

真空断路器灭弧室的结构如图6-2所示，由绝缘外壳，动、静触头，动、静触杆，波纹管，屏蔽罩及其他零件组成，触头密封在真空灭弧室内，动、静触头分别焊接在动、静导电杆上，动触头借助波纹管实现密封。在机械机构的驱动作用下，动触头可在灭弧室内沿轴向移动，实现分合电路的作用。真空管灭弧法常用于真空接触器中。

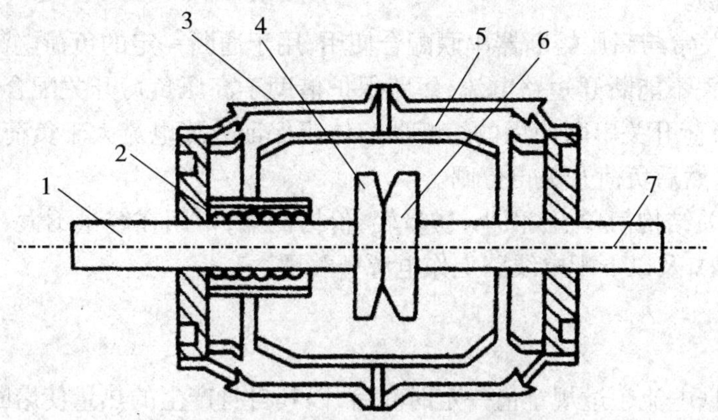

图6-2　真空断路器灭弧室的结构

1——动触杆；2——波纹管；3——真空管；4——动触头；5——金属屏蔽罩；6——静触头；7——静触杆

由图6-2可以看出，主触点4、6密封在真空管3内，动静触点4、6断开时触头间距增大，由于没有空气可以分离，在强电压的作用下，只有触点表面的金属被激发而形成金属蒸汽，当交流过零时，电压消失，电弧也随之熄灭。

(2)真空断路器运行维护：

真空断路器运行中要及时清除绝缘表面的粉尘，在活动部位注入润滑脂；运行中主要检查机构的运动部件磨损情况、紧固件有无松动等，发现问题要及时处理更换。

(3)真空断路器真空度判断：

真空断路器可以借鉴断开负荷时，真空泡内闪光的颜色来初步判断真空泡的真空度。颜色暗红时表明真空度降低；颜色淡蓝时，表明真空度良好。

(4)真空断路器的优点：

真空断路器具有燃弧时间短、绝缘强度高、电气寿命长、触头的开距与行程小、操作功率小；机械寿命长，在日常的运行中维护量小；触点密封在真空管内不外露，安全性高的优点。因此，真空断路器特别适应煤矿井下的特殊工作场所使用。

(5)真空断路器的保护：

真空断路器的触头在真空中分断时，会产生电流和能量十分集聚的阴极斑点，从阴极斑点上大量地蒸发金属蒸汽，使电弧在其中燃烧。同时，弧柱内的金属蒸汽和带电质点不断地向外扩散，电极也不断地蒸发新的质点来补充。在电流过零时，电弧的能量骤减，电极的温度下降，蒸发作用减少，弧柱内的质点密度降低，最后，在过零时阴极斑消失，电弧熄灭。但有时，蒸发作用不能维持弧柱的扩散速度，电弧突然熄灭，发生截流现象。截流现象容易产生较高的操作过电压，将绝缘薄弱处击穿，因此在电路中必须采取过电压保护装置。

三、高压负荷开关

高压负荷开关是一种配有简单灭弧装置的开关，可以隔离电源，有明显的断开点，多用于固定式高压设备。

高压负荷开关常与高压熔断器串联配合使用，用于通断一定的负荷电流和过负荷电流，但是高压负荷开关不能断开短路电流，短路保护借助于高压负荷开关配合使用的熔断器来实现。不过，与负荷开关串联使用的熔断器熔体应保证故障电流大于负荷开关的开断能力时能先熔断熔体，然后负荷开关再分闸。

高压负荷开关结构简单、体积小、质量轻、价格低廉，常用在容量不大、对保护要求不高或不太重要的10kV及以下配电线路上作电源开关用。

四、熔断器

熔断器是根据电流超过规定值一定时间后，以其自身产生的热量使熔断器熔体熔化，并借助灭弧介质的作用，使与熔断器连接的电路断开，从而保护电力线路和电气设备的一种过流保护器。熔断器有高压熔断器和低压熔断器，其中，低压熔断器在第三章中已作了介绍，下面介绍高压熔断器。

高压熔断器按结构和动作原理分为限流式熔断器和跌落式熔断器，按使用地点的不同分为户内式和户外式高压熔断器。

（一）高压熔断器的型号含义

高压熔断器的型号□□□-□□/□，其含义为：第一位：产品字母代号（R——熔断器），第二位：使用环境（N——户内，W——户外），第三位：设计序号（1，2……），第四位：额定电压（kV），第五位：结构特点（H——带有限流电阻，Z——带重合闸，T——带热脱扣器），第六位：额定电流（A）。

例：RW4-6为户外6kV高压熔断器，第四次设计，供高压线路和设备的短路过载保护用。

（二）户内限流式熔断器

限流式熔断器由熔体、磁管、填料石英砂及附件等组成。由于开断电路时无游离气体排出，因而广泛用于室内配电装置中。其具有以下特点：

1.灭弧能力强，可使短路电流在达到最大值前切断电源、熄灭电弧。

2.由于切断电源、熄灭电弧时，使电弧电流过零，所以容易产生过电压。需要采用变截面熔体，使各段熔体的熔化时间错开，达到适当延长熔化时间并限制过电压的目的。

3.可满足电气设备的动、热稳定性的要求，限制短路电流。

（三）户外跌落式熔断器

跌落式熔断器（图 6-3）适用于频率为50Hz、额定电压为35kV及以下的电力系统中，它装置在配电变压

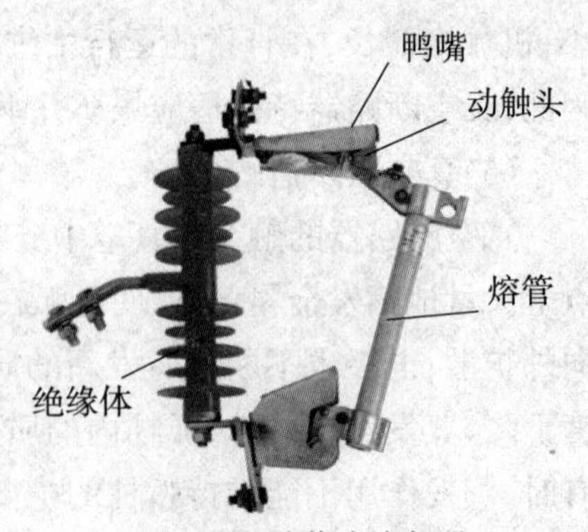

图 6-3　跌落式熔断器

器一次侧或配电支干线路上，用作配电变压器和线路的短路、过载保护，因其有一个明显的断开点，所以起隔离开关的作用。跌落式熔断器在灭弧时会产生大量的游离气体，并伴随巨大响声，常用作户外高压保护电器。

跌落式熔断器由绝缘支架和熔丝管两部分组成。跌落式熔断器在正常运行时，动触头卡在鸭嘴上，熔丝管利用熔丝张紧后形成闭合位置，熔断器保持在通路状态。当系统发生短路或严重过载时，故障电流使熔丝迅速熔断，动触头失去拉力从鸭嘴中脱落，熔管靠自重跌落，断开电路，实现短路、过载保护。

（四）高压熔断器的技术参数

1.额定电压（KV）

额定电压是熔断器可以长时间正常工作时的最高电压值。

2.额定电流（A）

额定电流是保证熔断器长时间正常工作时的最大电流。

3.开断电流（A）

开断电流是熔断器动作，而使熔体熔断或熔丝管在自身重力和上下静触头弹簧片的作用下迅速跌落，使电路断开时的电流值范围，是由其灭弧能力决定的。

4.工频耐压（KV）

工频耐压是工频50Hz的条件下，熔断器正常工作时允许的过电压值。

例如：高压跌落熔断器RW3-10/100，其参数如下：额定电压为10kV、额定电流为100 A、开断电流为6.3kA 、工频耐压为34/42kV（湿/干）。

第二节　矿用高压配电箱

矿用高压配电箱（配电装置），也叫高压开关柜，是将高压隔离开关、高压断路器、互感器和测量仪表，以及保护装置组装在封闭外壳内的一种成套配电装置。用来接受和分配高压电能、控制和保护高压线路或高压电气设备。按防护功能可分为用于通风良好的井下中央变电所的矿用一般型高压配电箱和用于有爆炸危险的采区变电所的矿用隔爆型高压配电箱。下面主要介绍使用真空断路器的这两种矿用高压配电箱。

一、矿用一般型真空高压配电箱

矿用一般型高压配电箱适用于矿井地面变、配电所或没有煤与瓦斯突出的低瓦斯矿井主要进风巷、井底车场附近的中央变电所，用来控制和保护10kV、6kV高压电缆线路、煤矿变压器和高压电动机。

用于煤矿井下的高压配电箱应具有防机械损伤、防潮结构的全封闭外壳；应具有防误操作的机械闭锁装置；在相对湿度较大的环境中运行，绝缘良好；引入电缆接线端子有一定的漏电距离和电气间隙；使用非煤矿用高压油断路器时，其实际开断电流应不超过额定最大值的一半。

(一)型号含义

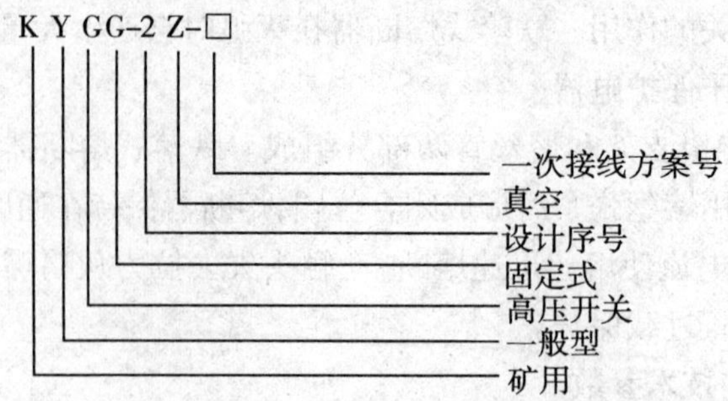

(二)结构

图6-4为KYGG-2Z型矿用高压真空配电箱结构示意图。该配电箱由坚固外壳和壳内电路两部分组成。开关柜内的真空断路器以真空管作为绝缘和灭弧的器件,具有结构简单、维护方便、安全可靠、适应频繁操作等特点。

为防止误操作,配电箱具有"五防"功能,即只有先合隔离开关才可合断路器,防误操作隔离开关;只有先分断路器才可分隔离开关,防误操作断路器;检修前只有先分隔离开关才可挂接地线,防误挂接地线;只有挂接地线后才可进入配电柜,防误入带电间隔;检修后只有先撤地线才可合隔离开关,防误送电。

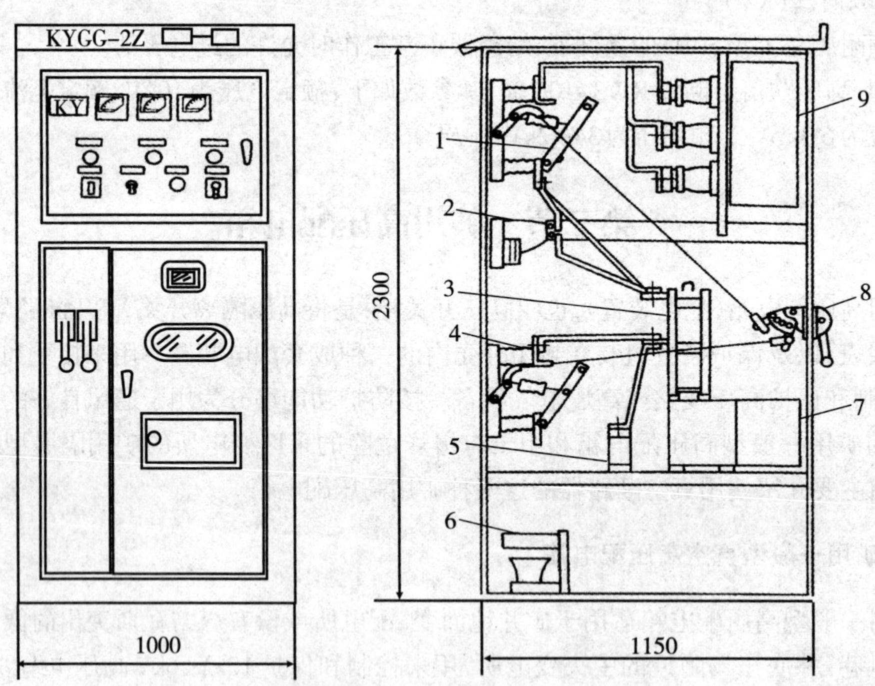

图6-4　KYGG-2Z型矿用高压真空配电箱结构

1——上隔离开关;2——电流互感器;3——真空断路器;4——下隔离开关;5——电压互感器;6——压敏电阻;7——断路器操作机构;8——隔离开关操作机构;9——仪表继电器室

(三)工作原理

KYGG-2Z型矿用高压真空配电箱由主回路和辅助回路组成。

1.主回路

主回路实现对高压电器的控制和保护。KYGG-2Z型矿用高压真空配电箱,一次接线方案共有20种,2号主回路接线方案如图6-5所示。

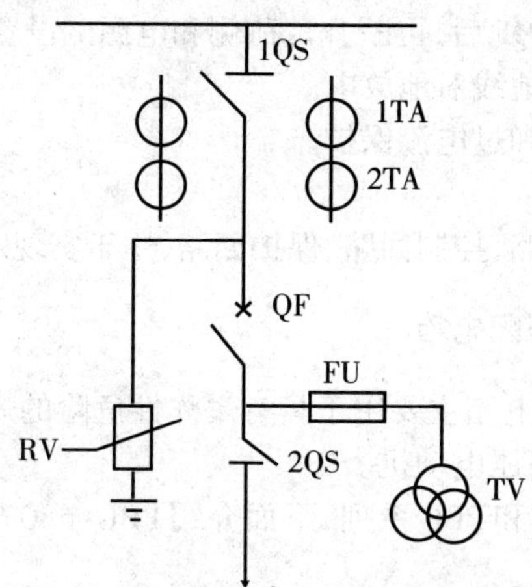

图6-5　KYGG-2Z-02型主回路接线方案

由上、下隔离开关1QS、2QS,真空断路器QF,电流互感器1TA、2TA,电压互感器TV,高压熔断器FU以及压敏电阻RV组成。辅助回路由电压互感器和电流互感器二次侧引出。

(1)各组成元件的作用。

①上、下隔离开关1QS、2QS:

隔离开关没有灭弧装置,为保证安全,严禁隔离开关带负荷进行分、合闸操作,所以隔离开关和断路器配合使用,真空断路器QF的两侧配置上、下隔离开关1QS、2QS,以便在检修时切断电源。即:合闸时,首先合上隔离开关1QS,其次合负载侧下隔离开关2QS,最后合上断路器QF;分闸时与上述操作顺序相反。

②真空断路器QF:

真空断路器是一种触头封闭在真空灭弧装置内的开关,用来通断负荷电流及切断短路电流。

③电流互感器1TA、2TA:

电流互感器是一种特殊变压器,工作原理和变压器相似,其作用是将大电流转变成小电流,向仪表和保护装置提供比较大的电流信号。

④电压互感器TV:

电压互感器是一种特殊变压器,工作原理也和变压器相似,其作用是把高电压转变成100V或更低等级的标准二次电压,向仪表和保护装置提供比较大的电压信号。

⑤高压熔断器FU:

高压熔断器在前面已介绍过,其作用是实现过电流保护。

⑥压敏电阻RV:

压敏电阻的阻值随电压的增大而减小,正常情况下,压敏电阻的阻值很大,当发生过电压时,压敏电阻的阻值很小,相当于短路,释放过电压,从而保护了设备。

(2)工作原理。

接通。首先合上隔离开关1QS,其次合负载侧下隔离开关2QS,最后合上断路器QF;被控高压电气设备通电工作。

断电。切断真空断路器QF,被控高压电气设备停止工作。

检修。切断真空断路器QF后,再断开负荷侧和电源侧设置的隔离开关2QS和1QS。以切断开关柜电源同时要挂接地线对地放电。

保护。具有过电压保护和过电流保护。

2.辅助回路

辅助回路主要有测量回路、控制回路、保护回路,用于实现对主回路的测量、控制、保护。

二、矿用隔爆型真空高压配电箱

矿用隔爆型真空高压配电箱主要用于具有爆炸性危险的煤矿井下,用来控制和保护高压电缆线路、煤矿变压器和高压电动机。

目前使用的有BGP系列和PBG系列,下面介绍PBG-630/6Z矿用隔爆型智能高压真空配电装置的使用。

(一)型号含义

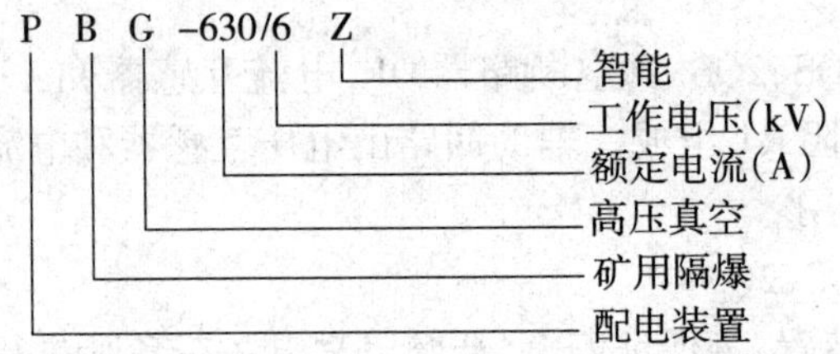

(二)结构

图6-6为有两个电源进线端的PBG-630/6Z矿用隔爆型智能高压真空配电装置结构。

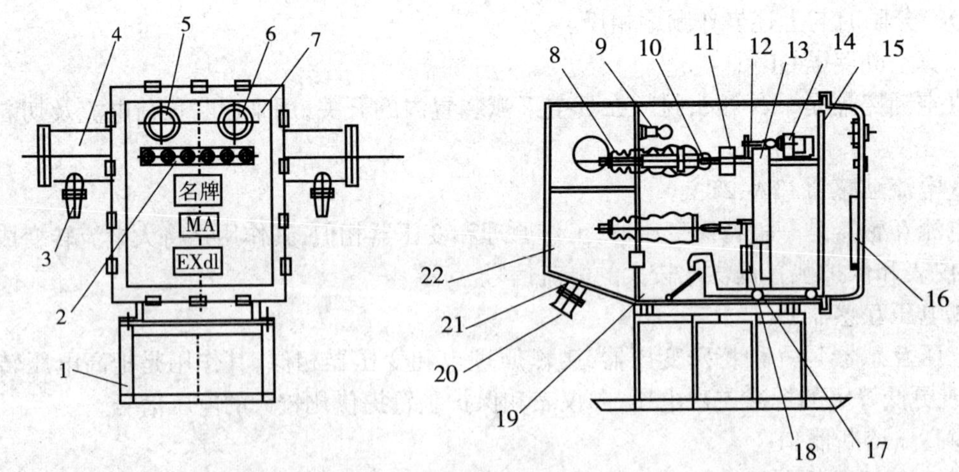

图6-6 PBG-63/6Z矿用隔爆型智能高压真空配电箱结构

1——底架;2——按钮;3——铠装电缆引入装置;4——连接管;5——显示板;6——电度表;7——箱门;8——接线端子;9——照明灯;10——隔离插销;11——电流互感器;12——高压熔断器;13——真空断路器;14——电压互感器;15——托架;16——综合保护器;17——车轮;18——压敏电阻;19——箱体;20——橡套电缆引入装置;21——零序互感器;22——接线箱

由图6-6可以看出，PBG-630/6Z矿用隔爆型智能高压真空配电箱由隔爆箱和机芯小车两大部分组成，隔爆箱由壳体、箱门、后盖、接线腔、底架等主要部分组成。为提高隔爆性能，壳体为长方体结构，中间有一隔板，将箱体分为前后两腔，机芯小车装在前腔。车上装有真空断路器、三相电压互感器、电流互感器、压敏电阻、隔离插销动触头等。

在箱体中隔板上装有6个插销静触头座和一个穿墙式九芯接线柱。隔离板左上角装有照明灯，后腔分为上、下两室（中间有横隔板，但不起隔爆作用），下室为接线箱，高压电缆从下室引出至负载，内侧装有零序互感器。在侧板上装有小出线嘴，用户可以引出风电闭锁、远方控制等控制线。另外下室内，还有终端电阻，它接在九芯接线端子上，如果要实现绝缘监视保护，可将下室终端电阻取下，将电缆中的监视线与地线分别接到原终端电阻两个接线柱上，终端电阻的引出线分别与电缆另一端的监视线与地线连接即可。在箱体内外均有可靠的机械电气联锁装置。

箱门上装有显示板（用来显示电压、电流、故障种类）和电度表、微电脑智能综合保护装置，装有“照明”“移位”“确定”“复位按钮”及有真空断路器电动分、合闸按钮。若要检修需要打开高压真空配电箱，只有使断路器分闸，隔离插销在分闸位置，闭锁杆退出门闭锁块，门盖方可向上运动解除箱体与门的闭锁，配电箱门才能打开。

箱门打开后，隔离插销在分闸位置，锁杆在弹簧力作用下，插入轮套凹部不能转动，隔离插销不能合闸。

（三）工作原理

1.主回路接线型式

按使用方式不同，PBG-630/6Z矿用隔爆型智能高压真空配电箱主回路接线型式有四种。

（1）第一种接线型式。主回路接线型式如图6-7所示。有两个电源进线端，负荷侧为单回路馈出，配电装置可单台使用，也可联台使用。

双电源6kV三相电源从配电装置接线盒引入，经上隔离插销、真空断路器和下隔离插销，再往后腔下室的电缆口输出到负载。上、下隔离插销由电气人员手动操作进行合、分闸。真空断路器既能电动合闸、分闸，也能手动合闸和分闸。

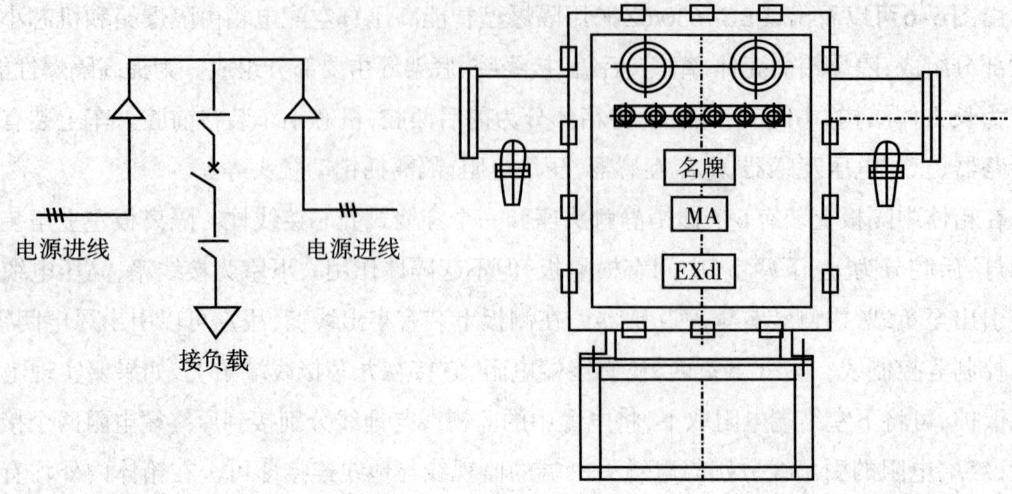

图6-7　第一种接线型式

(2)第二种接线型式。主回路接线型式如图6-8所示。 有一个电源进线端,负荷侧为单回路馈出,配电装置可单台使用,也可联台使用。

6kV单电源三相线路从配电装置接线盒引入,经上隔离插销、真空断路器和下隔离插销,再往后腔下室的电缆口输出到负载。上、下隔离插销由电气人员手动操作进行合、分闸。真空断路器既能电动合闸、分闸,也能手动合闸和分闸。

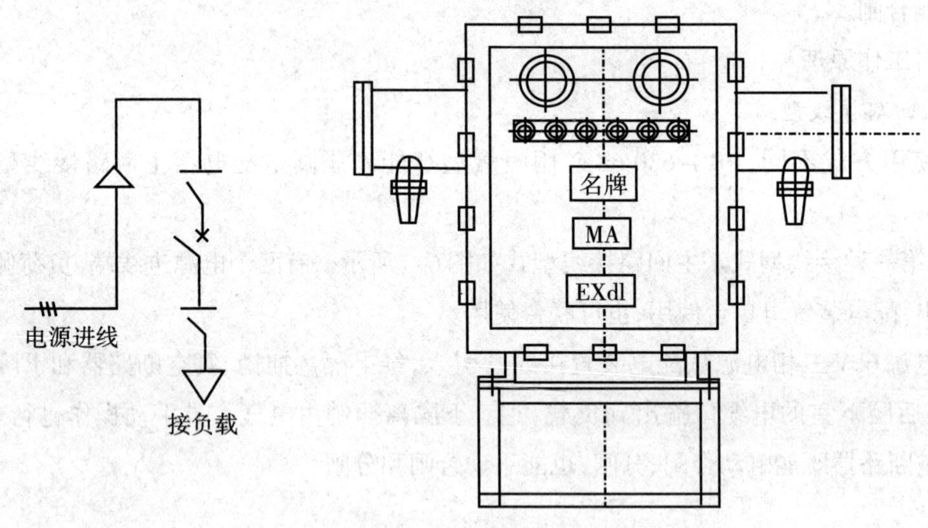

图6-8　第二种接线型式

(3)第三种接线型式。主回路接线型式如图6-9所示。配电装置无电源进线端,配电装置只能联台使用。

三相电源线从相邻开关上直接引入,经上隔离插销、真空断路器和下隔离插销,再往后腔下室的电缆口输出到负载。上、下隔离插销由电气人员手动操作进行合、分闸。真空断路器既能电动合闸、分闸,也能手动合闸和分闸。

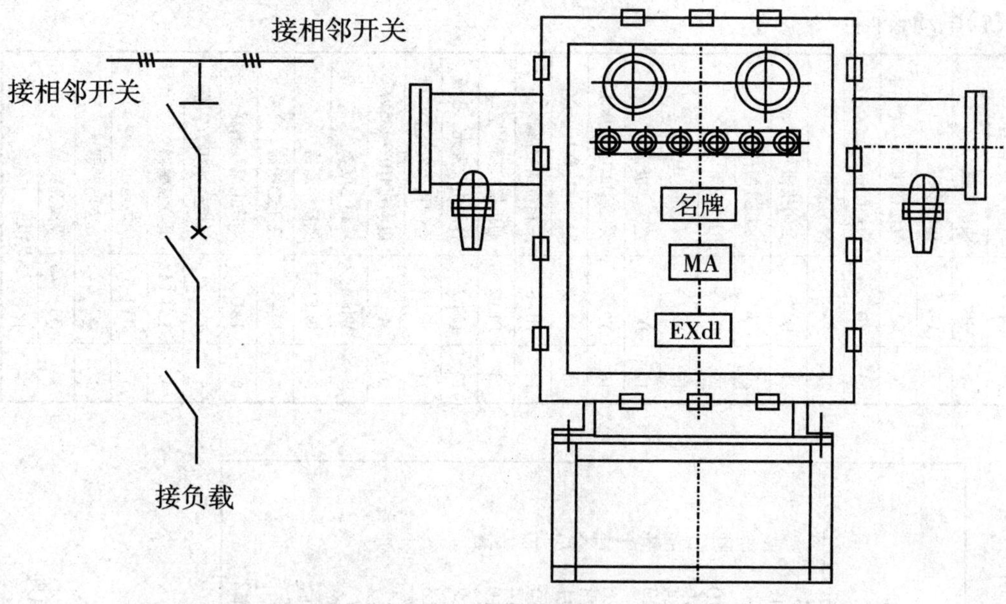

图6-9　第三种接线型式

(4)第四种接线型式。主回路接线型式如图6-10所示。配电装置无进线端,三相电源从相邻开关上直接引入,没有负荷馈出线,该配电装置不能单台使用,只作为多台配电装置联台使用的联络开关用。联络用的上、下隔离插销由电气人员手动操作进行合、分闸;真空断路器既能电动合闸、分闸,也能手动合闸和分闸。

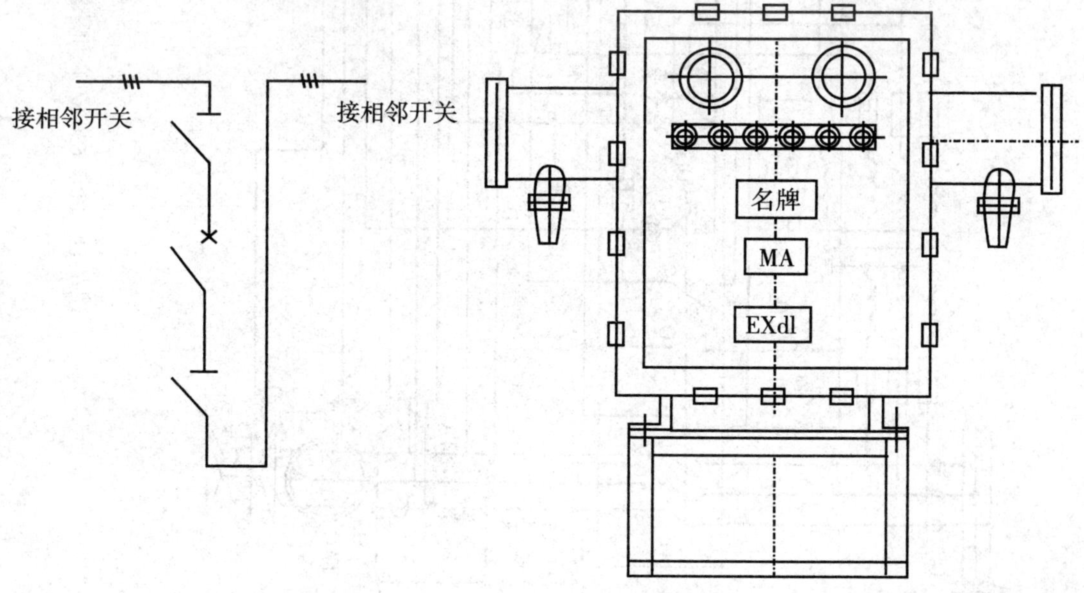

图6-10　第四种接线型式

2.工作原理(图6-11)

(1)电动合闸:

序号	代号	说明
28	ZLZB-5	电脑保护(中文)
27	Q1-4	辅助开关NK2-1
26	QR	确认按钮
25	YW	移位按钮
24	FA	复位按钮
23	FD	风电闭锁
22	TA	分闸按钮
21	QA	合闸按钮
20	YK	远控分闸按钮
19	R	RJ1K/2W
18	XS	显视板(中文)
17	D7	整流二极管
16	Y2	失压脱扣电磁铁DC135V
15	Y1	脱扣电磁铁DC24V
14	D1-6	三相桥式整流器
13	P1.P2	通讯接口插头座
12	LED2	合闸指示发光二极管
11	LED1	合闸指示发光二极管
10	M	电动机HDZ-135V
9	Wh	单相电度表
8	BLF1-3	低压熔断器
7	F1-3	高压熔断器
6	TAO	零序电流互感器
5	TV	三相五柱电压互感器
4	TA1.TA2	电流互感器
3	RY1-3	压敏电阻
2	Q	真空断路器
1	QS	隔离开关

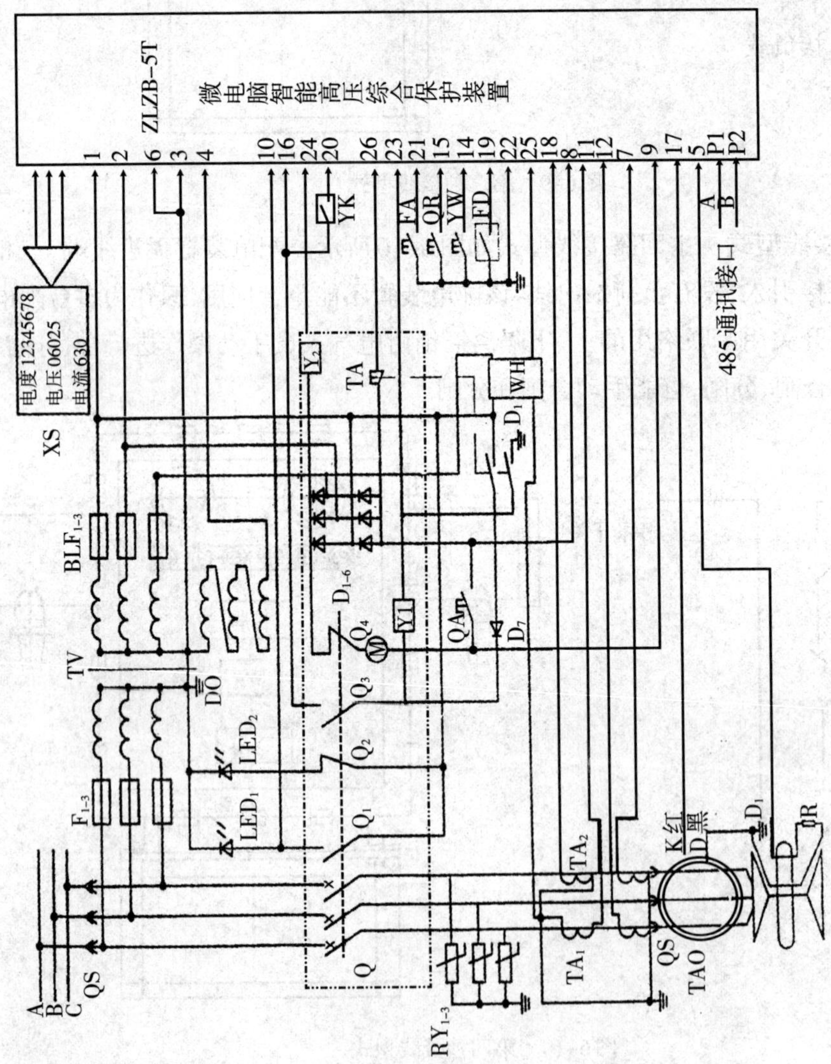

图6-11　PBG-630/6Z矿用隔爆型智能高压真空配电箱原理

电压互感器二次三相交流电压100V经D_{1-6}三相整流输出直流135V电压，经断路器常闭接点Q_4和合闸按钮QA加到直流电机M上，断路器储能并完成合闸动作(时间约为3s)，Q_4自动切断合闸电源。

(2)电动分闸：

电压互感器二次U相对地电压59V，经分闸按钮TA和二极管D_7，半波整流输出26.5V直流电压，加至脱扣电磁铁Y_1，完成断路器分闸动作。

(3)保护：

该高压配电装置的电脑综合保护装置为电脑自动处理，全中文显示，具有漏电、过载、短路、绝缘监视、相不平衡、失压、欠压、风电闭锁、联网通讯等保护。电脑保护装置输出24V直流电压经接点Q_3加至脱扣器Y_1，完成断路器分闸。失压、欠压是通过Y_2来完成的。

由于故障保护由电脑自动处理，所以当故障发生后，相应的中文显示能长期记忆，只有当故障消除后，按动复位按钮，记忆才能消除。

①过载保护动作值按电流互感器二次额定电流(5A)的0.2、0.3、0.4、0.5、0.6、0.7、0.8、0.9、1.0、1.2、1.4倍分级进行整定，其延时动作特征应符合表6-2规定。

表6-2　　PBG-630/6Z矿用隔爆型智能高压真空配电箱过载保护延时动作特征

延时时间 / 过载电流	整定位置			
	1	2	3	4
1.05Ie	∞	∞	∞	∞
1.20Ie	40″～60″	60″～2′	2′～3′	3′～6′
1.50Ie	20″～40″	30″～60″	1′～1′30″	1′30″～2′30″
2.00Ie	11″～20″	14″～20″	20″～40″	40″～60″
6.00Ie	>8″	>8″	>8″	>8″

②短路保护的动作电流按电流互感器二次电流(5A)的1.6、2、3、4、5、6、8、10倍分级、整定。

③绝缘监视对高压双屏蔽电缆的地线及监视线状况进行监视，其动作特征符合表6-3规定。

表6-3　　PBG-630/6Z矿用隔爆型智能高压真空配电箱绝缘监视动作特征

保护工作状态	可靠动作	允许动作	不允许动作
监视线与地线间回路电阻(kΩ)	>1.5	0.8~1.5	<0.8
监视线与地线间绝缘电阻(kΩ)	<3.0	3.0~5.5	>5.5
动作时间(S)	<0.1	<0.1	—

④欠电压、过电压保护：

当电网发生欠电压、过电压故障时,综合保护装置可靠动作进行保护。其中过电压保护功能由压敏电阻实现。

3.技术数据(表6-4)

表6-4　　PBG-630/6Z矿用隔爆型智能高压真空配电箱主要技术数据

额定电压	7.2kV	额定峰值耐受电流(峰值)	31.5kA
工作电压	6kV	额定短路耐受电流(有效值)	12.5kA
额定电流	630A	额定短路耐受时间	2s
电流互感器一次额定电流	50、100、150、200、300、400、500、630A	额定电流开断次数	10000次
额定频率	50Hz	机械寿命	10000次
额定短路开断电流(有效值)	12.5kA	隔离插销机械寿命	2000次
额定短路关合电流(峰值)	31.5kA	分闸时间	不大于0.1s

额定绝缘水平表				
1min工频耐压(有效值)			标准雷电冲击全波(峰值)	
对地、相间、断路器断口间	隔离开关断口间	二次回路对地	对地、相间、断路器断口间	配电装置装配完整时隔离开关断口间
30kV	34kV	2kV	60kV	70kV

(四)常见故障及处理

PBG-630/6Z矿用隔爆型智能高压真空配电箱常见故障及处理见表6-5。

表6-5　　PBG-630/6Z矿用隔爆型智能高压真空配电箱常见故障及处理

故障现象	产生原因	处理方法
配电装置工作正常、电压指示正常,但指示灯不亮	指示灯线路不通或发光二极管损坏	检修线路或更换发光二极管
真空断路器电动合闸拒合,手动合闸正常	配电装置的控制线路、电动机构故障或棘爪断裂	检修控制线路或电动机构,更换棘爪
真空断路器手动、电动分闸均拒合	断路器的锁扣机构失灵,或欠压脱扣机构损坏	进行处理或更换
真空断路器手动,电动分闸均拒分	断路器脱扣机构故障	检修脱扣机构

续表6-5

有放电现象	高压开关受潮、引线电缆绝缘不良或有尘	除尘、干燥
隔离插销严重发热	触头、触桥烧坏	更换
隔离插销合闸卡滞	插座与触头中轴线偏离太大，或触桥排列不整齐	校正两者中轴线，更换触桥或弹簧
低压熔芯烧断	线路有短路或严重过载现象	查找故障点并处理
各种保护工作不正常，显示混乱	高压综合电脑保护装置故障	检修保护器相应部分，更换相应集成电路元件或更换整台保护器

(五)安装与使用

1.试验

配电装置在下井安装之前，应进行主回路能承受30kV、1min的工频耐压试验、机械联锁试验、真空断路器操作和高压电脑综合保护装置试验等。将6(10)kV电源送入配电装置中，显示板上应显示正常。

(1)工频耐压试验。

①配电装置在下井安装之前应进行1min工频耐压试验，试验时必须将三相电压互感器，高压电脑保护装置、压敏电阻与高压主回路脱开。

②在高压主回路的相间，每相导体对地、真空断路器灭弧室的触头断口间施加30kV，历时1min应无击穿与闪络现象。试验完毕应将电压互感器与压敏电阻与高压主回路的连接恢复原先位置，高压电脑保护装置的插头插好，并固定好各螺栓、紧固件。

(2)真空断路器操作试验。

①拆除三相熔断器的熔芯，在熔断器的下接口处分别引入电压为100V的三相低压电源。将6kV电源送入配电装置中，合上隔离开关，此时箱门上电压指示6kV，电源指示灯(绿色)应当亮，真空断路器的欠压脱扣器应当吸合。

②操作配电装置上的手动合闸手柄(顺时针操作)，真空断路器应当可靠合闸。合闸指示灯(红色)应当亮，操作手动分闸旋钮，真空断路器应可靠分闸。

③操作配电装置上的电动合闸按钮，真空断路器应能可靠合闸，操作电动分闸按钮，真空断路器应可靠分闸。

(3)高压电脑综合保护装置试验。

①真空断路器合闸，按下“过载”、“短路”、“漏电”、“监视”等试验项目，相应的指示灯亮，真空断路器应能分闸。按下“复位”按钮，相应的指示灯灭。上述试验均要做手动和电动试验。

②把工频单相变流器的电流输出端引线分别接到进线腔绝缘座上A或C相及后腔下室的A或C相(任意一组)的接线端子上，按照电流互感器的额定电流值，将工频单相变流器调

整到所需的标准电流值。

③将电脑保护装置的“过载电流整定”值置任意位置（如0.5档位），但不要在最大档位，“延时调整”值置适当位置（如1位置），调整变流器输出电流，使之等于“过载电流整定”值所在档位的电流（如2.5A），然后切断变流器的电源。

④真空断路器合闸，变流器送电开始记时，经过一段延时后，真空断路器应当分闸，“过载”故障指示并记忆，且记录的延时时间应当符合要求。

⑤复位后将电脑保护装置的“过载电流整定”值置最大档位，“延时调整”置最大档位。将“短路电流整定”值置适当位置（如2档），将变流器的输出电流调整到适当的数值（如300A），然后切断变流器电源。

⑥真空断路器合闸，变流器送电开始记时，真空断路器应当稍微延时就分闸，“短路”故障指示并记忆，且记录的延时时间不得大于0.1s。

⑦拆除试验线路，恢复配电装置的所有接线，紧固好各个螺栓，并对隔离插销进行合闸和分闸试验，应当合、分闸灵活无卡滞，并保证在合闸时，触头插入触桥的深度不少于20mm。

（4）机械联锁试验。

检查隔离插销与真空断路器的联锁装置是否正常。保证隔离插销在合闸位置时，箱门不能打开，只有隔离插销分闸到位时，闭锁杆退出，箱门方可向上运动解除联锁，打开箱门；真空断路器在合闸位置时，隔离插销不能进行分、合闸操作；门打开后，隔离插销不能进行合闸操作。

（5）通电试验。

上述试验完成后，将配电装置的一切元器件、电路恢复正常，引入配电装置6kV电源，进行三相6kV通电试验。保证各种电器元件的工作情况、综合电脑保护装置的工作情况正常。

2.安装

将配电装置安全运送到安装地点后，为保证配电装置的安全、正常使用，要按照以下步骤进行正确安装。

（1）配电装置的安装应保证水平，最大倾斜不超过15°，在配电装置的底架后下方，最好设宽度和深度约为400mm的电缆地沟。安装前认真阅读《产品使用说明书》，熟悉安装接线图，按正确的方式进行接线。由于运输过程中隔离插销处于合闸状态，所以要打开箱门，必须转动合闸方轴上的轮套，使锁杆从门盖的闭锁块中退出。

（2）门盖打开后，观察机芯是否脱轨偏移，断路器合闸转轴拨叉是否与拐臂错位；用操作手柄逆时针转动，将机芯退到分闸位置。

（3）放下托架，手拉机芯放置到托架端部。

（4）检查各电器元件、绝缘件应无松动，各导线连接应可靠，各防爆面应无锈蚀，箱体各腔内应洁净、干燥。如发现电器元件损坏、紧固件松动或导线连接不可靠，应当及时处理。

（5）多台配电装置联台使用时，相邻两台配电装置在联台腔中应用相应截面的导线连接。

（6）电缆头的制作应符合《煤矿安全规程》要求，并满足隔爆要求，电缆头制作完毕，应用适应的兆欧表进行检验,确认合格后方可将电缆接入配电装置接线柱上。

(7)安装接线完毕后,根据配电装置所带负荷及线路的绝缘水平,进行过载电流整定,过载延时整定,短路电流整定,零序电流、电压灵敏度及漏电延时动作时间值的整定。

如果输出电缆采用具有监视线的双屏蔽橡套电缆,配电装置具有绝缘监视保护功能,如果采用铠装电缆则无监视保护功能。有绝缘监视保护功能的配电装置,应将在后腔的终端电阻R(1k/2W)接至电缆终端监视线和地线之间,但终端的监视线和地线均不得接地。但电阻终端电阻R不得短路和开路。

(8)关闭箱门和紧固各个盖板,检查各处的隔爆间隙,必须符合隔爆要求。

3.使用注意事项

配电装置投入运行前,除了应目测检查外观,装配质量应无异常,各紧固件部位应无松动现象,在使用中还应该注意以下内容:

(1)将操作手柄顺时针转动,使隔离插销合闸到位。

(2)真空断路器使用电动合闸时,操作频率不得超过3次/min,如果连续操作3次以后,应当停5min方可进行以后操作。给每台配电装置送电后,要逐一观察配电装置是否正常工作,发现异常现象,应立即停电检查处理。断路器的传动、滑动部位,应经常涂润滑油,以保证其机构灵活、可靠。

(3)停电时严禁不进行断路器分闸操作,直接进行隔离开关分闸。要遵循先用手动或电动操作将真空断路器分闸,然后再转动隔离开关操作手柄,使隔离开关分离到位。

(4)配电装置带电正常工作后,应当定期检查一次各隔爆接合面,发现锈蚀斑,应进行防锈处理。

(5)配电装置在井下停电3天以后,在送电以前应当检查各电器元件是否有因受潮而引起绝缘下降。

(6)配电装置正常工作以后,每一年应对压敏电阻器进行一次预防性试验,试验参照压敏电阻说明书规定进行。

第三节　矿用隔爆型移动变电站

矿用隔爆型移动变电站是一种可移动的成套供、变电装置,它适用于有瓦斯、煤尘等有爆炸危险的矿井中使用,能够将高压6kV、10kV电源转换成煤矿井下所需的400 V(380 V)、693 V(660 V)、1200 V(1140 V)、3450V(3300 V)电源向综合机械化采掘工作面供电。由于采掘工作面的用电量随着采掘机械容量的增加而不断增大,为了缩短低压的供电距离,减少电能损耗,保证供电质量,在煤矿井下常采用移动变电站,将高压深入工作面附近,并随工作面的推进而移动。

一、型号含义

矿用隔爆型移动变电站常用型号有KBSGZY、KSGZY、KBSGZY-T和KSGJY型。其中:K——“矿用”;B——“隔爆”;S——“三相”;G——“干式”;Z——“组合式”;Y——“移动”;

J——“掘进专用”；T——“筒式外壳”。

例如KBSGZY-3150/10型号含义如下：

其中，K——矿用；B——隔爆；S——三相；G——干式；Z——组合式；Y——移动式；3150——额定容量3150千伏安；10——一次侧额定电压10千伏。

二、KSGZY型矿用隔爆型移动变电站

KSGZY型矿用隔爆型移动变电站主要由隔爆型高压开关箱、隔爆型干式变压器、隔爆型低压开关箱组成，如图6-12所示。

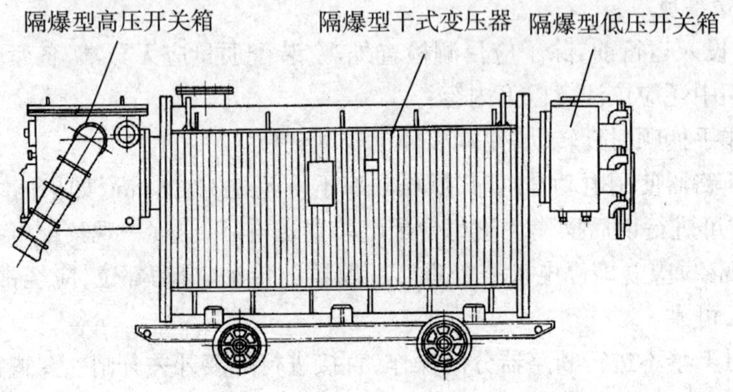

图6-12　KSGZY型矿用隔爆型移动变电站外形图

隔爆变压器的高压侧采用FB-6型隔爆高压负荷开关，低压侧采用DZKD型或BKD型、KDZ型等隔爆低压自动馈电开关。具有漏电闭锁、过载、短路、欠电等保护性能。

移动变电站除具备矿用隔爆干式变压器相同的性能外，还有以下三种保护方法，在使用中，可根据实际需要选用。

第一种，当移动变电站低压供电发生过载、短路、漏电等故障时，靠切断低压侧开关实现保护、高压侧负荷开关基本上只作为隔离开关。

第二种，高压负荷开关带过载、短路等保护，低压侧配置低压馈电开关。

第三种，当移动变电站低压供电发生过载、短路、漏电（包括移动变电站干式变压器故障）等故障时均反馈到高压侧，靠切断高压真空配电装置来实现保护，低压侧安装配电保护器箱。

（一）隔爆型高压开关箱

隔爆型高压开关由主回路和辅助回路（保护检测回路）组成。

1.主回路

主回路由隔离开关和六氟化硫断路器组成。隔离开关位于开关箱上部的隔离开关室内，实现检修时隔离电源。它有接通（ON）、断开（OFF）和接地（EARTH）三个位置，由于隔离开关没有灭弧装置不能分合负荷，为此隔离开关与外盖和断路器实现闭锁：断路器处于合闸位置时，隔离开关不能分合；当隔离开关不在接地位置时，外盖不能打开；只有将隔离开关置于接地位置时，变压器绕组中的高压静电被接地释放，方可打开外盖，从而防止带电检修。

六氟化硫断路器位于开关箱下部的断路器室内，实现对高压电源的通断。

2.辅助回路

辅助回路是实现保护和检测的，具有短路、过载、漏电、低气压及过电压保护。

六氟化硫断路器的主要工作介质是六氟化硫，当六氟化硫断路器中的六氟化硫气体减小时，其灭弧能力将大为降低。为此设有两个压力传感器：一个是低气压报警传感器，当断路器出现漏气故障，气体压力降低至第一个整定值时，报警传感器动作，使继电器中信号指示的低气压发光二极管闪光，发出报警信号，此时断路器仍可工作，但需要找出漏气原因并消除；另一个是低气压跳闸传感器，当气体压力降至第二个整定值时，跳闸传感器动作，使欠压脱扣线圈失电，断路器跳闸，同时低气压发光二极管连续点亮。此时，需消除漏气点，并通过充气阀门将六氟化硫气体补充至正常值时方可继续工作。

六氟化硫断路器的灭弧能力很强，同真空断路器一样，断路时也会产生操作过电压，为此必须设过电压保护。当出现过电压时，电压远高于正常值，压敏电阻的阻值变得很低，有利于过电压的释放；而过电压释放后，电压减小恢复正常，压敏电阻阻值变高，限制正常电压对地短路电流的产生，在短路电流第一次过零点时，便很容易被火花间隙隔断，恢复电网的对地绝缘。

（二）隔爆型干式变压器

干式变压器有两种基本结构，一种为上盖开启的箱式隔爆结构，用于800kVA及以上产品，它由内部器身、瓦楞箱体、上盖及变压器原边绕组抽头±5的分接变换法兰盒、变压器副边绕组的连接组变换法兰盒、高低压侧接线盒和凸缘滚轮等组成；另一种为两端开启的箱式隔爆结构，用于630kVA及以下产品，它由内部器身、瓦楞箱体、高低压侧端盖及接线盒，分接变换法兰盒、连接组变换法兰盒和移动拖架及凸缘滚轮等组成。

它的器身采用环氧树脂浇注，并经过多次特殊绝缘处理，具有良好的防潮、防尘性能及难燃、自熄、耐潮、机械强度高等优点。器身是由铁心和绕组组成。铁心采用优质低损耗硅钢片，空载损耗低、空载电流小、噪音低。绕组一般采用圆筒式结构，绕组导线采用NOMEX-410纸包扁铜线，具有良好的电气强度、机械强度及耐热性能。采用H级绝缘材料及先进的绝缘结构，热稳定性好，可在高温下持续满负荷运行。

干式变压器由于采用空气自冷，器身安装在隔爆外壳内，壳内的热量靠空气对流和辐射传递到壳外，散热条件差，铁心、绕组和外壳的温升较高，尤其是壳内上部温度较高，因此，在矿用隔爆型干式变压器的上夹件中部设有热敏温度继电器，因某种原因使变压器上部温度超出温度继电器的动作值时，能够立即发出温度报警信号。

（三）隔爆型低压开关箱

低压馈电开关箱是移动变电站低压侧配套装置，用来分配低压侧的负载，对过载、短路、漏电、绝缘状态、欠电压进行检测，并反馈到高压真空开关实现保护，且当电路出现过载、短路、欠电压或绝缘电阻低于规定值时，能够自动分断电路。

隔爆型低压开关由主回路和辅助回路（保护检测回路）组成，实现对低压电路的控制和保护。

1.主回路

主回路也由隔离开关和六氟化硫断路器组成，实现对低压电源的控制。其各部分作用同高压开关。这里不再赘述。

2.辅助回路

辅助回路是实现对低压回路的保护和检测的，低压断路器中除设有和高压开关中功能一样的互感器、欠压脱扣线圈、低气压传感器和过电压保护外，还设有高灵敏漏电保护和相敏保护。

漏电闭锁采用的是附加直流电源保护原理。当低压配电线路不工作，低压开关箱中的隔离开关闭合而断路器未闭合时，该漏电继电器监视电网对地绝缘电阻。当配电线路发生漏电时，绝缘电阻下降，如660V电网，小于11kΩ时，直流监测回路电流增加，使漏电继电器动作，其接点断开欠压脱扣线圈，断路器因脱扣无法合闸，从而实现漏电闭锁。

漏电保护采用零序电压保护原理。零序电压来自接入三相电网的三相电抗器中性点对地电压。低压配电线路工作未发生接地时，三相对地绝缘电阻相等，三相对地电压对称，所以三相电抗器的中性点对地电压为零；当一相接地时，该相对地绝缘电阻为零，导致该相对地电压为零，三相对地电压不对称，所以中性点对地电压不为零，产生零序电压信号，使得漏电继电器动作，其接点断开欠压脱扣线圈，断路器跳闸，漏电继电器的其他接点接通信号电路和闭锁继电器，发出信号并实现故障闭锁。

第二部分 专业核心知识点

本章专业核心知识点包括以下内容：

1.隔离开关操作与选用。
2.高压隔离开关、高压断路器、高压负荷开关、高压熔断器的作用。
3.高压真空配电箱的组成。
4.高压真空配电箱各组成元件的作用。
5.高压真空配电箱使用注意事项。
6.矿用隔爆型移动变电站各部分的作用及具有的保护。

第三部分　专业技能训练

技能　高压真空配电箱倒闸操作

高压真空配电箱倒闸操作注意事项：

1.倒闸操作，必须由两人执行，其中一人监护，一人操作。操作人和监护人必须由经过培训、考试合格并经批准后的人员担任，其中对操作现场和设备比较熟悉、级别较高的一人或值班员做监护人。

2.开始操作前，应先进行核对性模拟预演，确认无误后，再进行操作。

3.正式操作前应先核对设备名称、编号和位置，操作中应认真执行监护复诵制度（单人操作时也应高声唱票）。操作过程中按操作票填写的顺序逐项操作，每操作完一步，应检查无误后画对钩做标记，全部操作完毕后进行复查。

高压真空配电箱停电拉闸流程：

1.切断低压负荷。

2.切断低压总馈电开关。

3.切断变压器。

4.切断高压断路器。

5.断开负荷侧下隔离开关（刀闸）。

6.断开电源侧上隔离开关（刀闸）。

高压真空配电箱送电合闸流程：

1.用绝缘棒拉合电源侧上隔离开关（刀闸）。

2.用绝缘棒拉合负荷侧下隔离开关（刀闸）。

3.合上高压断路器。

4.合上变压器。

5.合上低压总馈电开关，给低压负荷送电。

送电合闸、停电拉闸操作的过程中，严禁带负荷拉合隔离开关（刀闸）。

复习题

1.矿用隔爆高压配电箱与矿用高压真空配电箱相比,在结构上有哪些不同?
2.高压隔离开关、断路器、负荷开关及熔断器各有哪些用途?
3.高压真空配电箱倒闸操作注意事项有哪些?
4.真空断路器与油断路器和六氟化硫断路器相比,具有哪些优点?
5.高压真空配电箱各组成元件的作用是什么?
6.PBG-630/6Z矿用隔爆型智能高压真空配电箱主回路有哪几种接线型式?
7.矿用高压配电箱在下井安装前,应进行哪些试验?

讨论题

1.矿用高压配电箱的用途是什么?
2.矿用隔爆高压配电箱具有哪些保护?
3.矿用高压真空配电箱是由哪些部分组成的?
4.为什么矿用高压配电箱应具有五防闭锁功能?
5.移动变电站的作用是什么?用移动变电站向采掘工作面配送电有哪些优点?
6.矿用隔爆型移动变电站的组成部分有哪些?各部分的作用及保护有哪些?

第七章 矿用电气设备防爆

第一部分 系统理论知识

第一节 矿用电气设备的类型及防爆

一、煤矿井下工作条件对矿用电气设备的要求

煤矿是一个特殊的行业，不仅生产环境复杂，而且自然条件恶劣，存在水、火、瓦斯、煤尘、顶板五大自然灾害。同时随着煤矿机械化程度的提高，井上、下各个系统大量地使用电气设备，而这些设备在这样的生产环境中又极易受到损坏，这样轻者影响生产，重者可能造成井下人员触电，甚至产生电气火花引起火灾或煤尘瓦斯爆炸事故。因此，根据煤矿井下特殊的生产、工作环境和条件，井下电气设备应满足以下要求：

1. 煤矿井下工作环境潮湿、有些地方有淋水，因此要求井下电气设备要防滴溅、防锈蚀，为保证电气设备绝缘性能好，电气设备的绝缘材料要耐潮湿。

2.由于煤矿井下常发生煤、岩石的冒落等顶板事故，使电气设备遭受碰、砸、挤、压等，因此煤矿井下电气设备应具有坚固的外壳。

3.由于煤矿井下电气设备经常因为采掘工作面的推进，需要搬迁、移动，因此电气设备应便于搬运，如大多数设备具有可移动的底托架。

4.由于煤矿井下工作空间狭窄、照明不足，因此要求电气设备尽可能轻便、运行可靠、操作及维修方便。

5.由于煤矿井下人体经常和电气设备近距离接触，因此为避免发生触电事故，要求电气设备应有机械、电气闭锁及专用接地螺栓。

6.煤矿井下存在瓦斯、煤尘等爆炸性物质，因此在煤矿井下，电气设备应具有一定的防爆性能并按使用场所的不同，严格按照《煤矿安全规程》选用电气设备。

7.电气设备对电网电压波动适应能力要强。

8.电气设备应运行可靠、有一定的过载能力。

9.煤矿井下电气设备除外壳坚固外，还应有一定的防护能力。

二、矿用电气设备的类型

矿用电气设备的分类方法很多，按照井下使用环境的不同可分矿用一般型和矿用防爆型两大类。

(一)矿用一般型电气设备

矿用一般型电气设备是指专为煤矿井下生产的非防爆的电气设备,使用在无瓦斯、煤尘爆炸的场所。矿用一般型电气设备外壳的明显处,铸有清晰的永久性红色凸纹标志“KY”字样。“KY”是矿用一般型的矿和“一”的汉语拼音第一个字母的大写组合。

(二)矿用防爆型电气设备

由于煤矿井下环境特殊,特别是井下存在瓦斯和煤尘,在一定条件下遇到点火源,会发生爆炸事故。而电火花、电弧等是引起爆炸事故的点火源,所以为防止因电火花、电弧等引起爆炸事故的发生,在煤矿井下有爆炸危险的场所必须使用矿用防爆型电气设备。

矿用防爆型电气设备是按照国家标准GB 3836·1—2000生产的专供煤矿井下使用的防爆电气设备。该标准按使用环境爆炸性气体的不同,将防爆型电气设备分为I类和II类。其中I类为甲烷爆炸环境(煤矿井下)用电气设备,II类为非甲烷爆炸环境用电气设备。矿用防爆型电气设备在防爆电气设备外壳的明显处,均有清晰的永久性红色凸纹标志“EX”和煤矿矿用产品安全标志“MA”字样。

1.矿用防爆型电气设备的类型

矿用防爆电气设备是指各类电气设备对其采取一定的安全技术措施后,能保证其在一定的爆炸危险场所安全供电、用电、通讯、检测和控制的设备。按采取的安全技术措施的不同,矿用防爆电气设备共分十类。

(1)间隙隔爆型防爆电气设备:

间隙隔爆型电气设备是具有隔爆外壳的电气设备,隔爆外壳既能承受内部混合性气体被引爆产生的巨大爆炸压力,又能防止内部爆炸火焰和高温气体沿隔爆接合面窜出后点燃壳外爆炸性混合物。

隔爆型电气设备的标准编号为GB 3836·2—2000,标志为“d”,标志全称为“ExdI”。可用于煤矿井下大功率、大电流、高电压的采掘机运等设备。

(2)本质安全型电气设备:

在规定条件下,无论是正常运行状态还是发生故障时,产生的电弧及电火花都不能将爆炸性混合物点燃的电路叫本质安全电路。本质安全型电气设备的全部电路均为本质安全电路。本质安全型电气设备是十类防爆设备中安全性最好的一种。

本质安全型电气设备标准编号为GB 3836·4—2000,标志为“i”,按照安全程度又分了两个等级即ia、ib,ia等级的安全程度高于ib等级。标志全称为“ExiaI”或“Ex ib I”。

本质安全电气设备的安全程度较高,但因其电路的能量很低(理论上最大功率约25 W),所以其应用范围受到限制。在煤矿井下,本质安全型电气设备主要用于通信、信号、监测监控以及测量仪器、仪表等。

(3)增安型电气设备:

增安型电气设备指在结构、制造工艺以及技术条件等方面采取措施,提高其安全程度,避免在正常或规定的过载条件下出现高温、电弧、火花而点燃爆炸性混合物的电气设备。

增安型电气设备的标准编号为GB 3836·3—2000,标志为“e”,标志全称为“ExeI”。

增安型电气设备的安全性并不一定很高,其安全性主要取决于设备运行的温度、自身结构形式、设备的使用环境等。在煤矿井下,增安型技术主要用于在正常运行条件下不会产生电弧、火花或危险温度的设备,如变压器、照明灯具等。

(4)正压型电气设备:

正压型电气设备是指具有正压外壳的电气设备,所谓正压外壳是指向外壳内充入保护性气体,并使壳内保护性气体的压力高于周围爆炸性环境的压力,以阻止外部爆炸性混合物进入壳内,实现防爆的目的。

正压型电气设备的标准编号为GB 3836·5—2000,标志为"p",标志全称为"ExpI"。

(5)充油型电气设备:

充油型电气设备是指将其全部元部件或可能产生电火花或过热的部件浸在绝缘油内,使其不能点燃油面以上或壳外的爆炸性混合物的电气设备。如,高压隔爆配电装置的油断路器,但绝缘油可能劣化,因此该技术的设备将逐渐在煤矿井下被淘汰。

充油型电气设备的标准编号为GB 3836·6—2000,标志为"o",标志全称为"ExoI"。

(6)矿用充砂型电气设备:

矿用充砂型电气设备是指设备壳体内部充填石英砂粒材料,使设备的导电部件或带电部分埋在其中,从而使其在规定条件下外壳内产生的电弧、传播的火焰、外壳壁或砂粒材料表面的过热温度均不能点燃设备周围的爆炸性混合物的电气设备。

充砂型电气设备的标准编号为GB 3836·7—2000,标志为"q",标志全称为"ExqI"。

(7)无火花型电气设备:

无火花型电气设备是指在设计和制造时采取措施,使设备在正常运行时不产生具有点燃作用的电弧、火花或危险温度,并且在一般情况下也不会发生具有点燃作用的电气或机械故障的设备。

无火花型电气设备的标准编号为GB 3836·8—2000,标志为"n",标志全称为"ExnI"。

(8)浇封型电气设备:

浇封型电气设备是指将设备有可能产生点燃爆炸性混合物的电弧、火花或高温的电气部件浇封在浇封剂中,避免这些电气部件与爆炸性气体混合物接触,使电气设备在正常运行或认可的过载和故障情况下不能点燃周围爆炸性气体混合物的设备。

设备的标准编号为GB 3836·9—2000,标志为"m",标志全称为"ExmI"。常用的有蓄电池、熔断器、电压互感器、变压器绕组及电缆接头等。

(9)气密型电气设备:

气密型电气设备是指将电气设备或电气部件置入经过熔接、挤压、胶黏的气密外壳内。该外壳能防止外部可燃性气体、粉尘、固体和液体侵入壳内。气密外壳一旦打开,就破坏了其外壳的气密性,需要重新密封并做气密试验,合格后方可使用,所以在煤矿井下使用较少。

设备的标准编号为GB 3836·9—2000,标志为"h",标志全称为"ExhI"。

(10)矿用防爆特殊型电气设备:

矿用防爆特殊型电气设备是指凡在结构上不属于上述基本防爆类型,而采取其他特殊措施经充分试验又确实证明其具有防止引燃爆炸性气体混合物的能力,且必须经国家安全生产监督部门指定的检验单位检验合格,报国家标准局备案的设备。

矿用防爆特殊型电气设备标志为“s”，标志全称为“ExsI”。

矿用防爆型电气设备的种类较多，但煤矿井下使用最多的是矿用隔爆型电气设备、本质安全型电气设备和增安型电气设备。

2.矿用防爆型电气设备的标志（见表7-1）

各种防爆电气设备的标志符号由防爆电气设备的总标志Ex、型式标志和类型标志组成。如：煤矿井下用隔爆型防爆电气设备的标志符号为“ExdI”、煤矿井下用本质安全型防爆电气设备的标志符号为“ExibI ”、煤矿井下用隔爆兼本质安全型防爆电气设备的标志符号为“ExdibI ”。其中，Ex——防爆总标志；d——间隙隔爆型；ib——本质安全型b级别；I——甲烷爆炸环境（煤矿井下）用电气设备。

表7-1　　矿用电气设备的类型及标志

类型	标志	标志全称	防爆电气设备类型	标志	标志全称
矿用防爆型					
隔爆型电气设备	d	ExdI	充砂型电气设备	q	ExqI
本质安全型电气设备	i	ExiI	正压型电气设备	p	ExpI
增安型电气设备	e	ExeI	充油型电气设备	o	ExoI
浇封型电气设备	m	ExmI	无火花型电气设备	n	ExnI
气密型电气设备	h	ExhI	特殊型电气设备	s	ExsI
矿用一般型					
矿用一般型电气设备	KY	KY			

三、矿用隔爆型电气设备的防爆

矿用隔爆型电气设备是具有隔爆外壳的电气设备，它将正常工作和故障状态下可能产生的电弧及电火花阻挡在隔爆外壳内，当隔爆外壳内发生爆炸时，巨大的爆炸压力既不会使外壳破裂、变形，也不会引燃壳外的瓦斯和煤尘。矿用隔爆型电气设备要想防爆，其外壳必须具有耐爆性和隔爆性。

（一）耐爆性

耐爆性是指在壳内发生爆炸时，所产生的高温气体及火焰既不会使外壳损伤，巨大的爆炸压力也不致使外壳产生永久变形或损坏。耐爆性是由外壳材质和本身机械结构强度来保证的。外壳强度必须能承受内部爆炸气体爆炸所产生的最大压力的1.5倍而不变形或损坏，瓦斯爆炸的最大压力为0.717 MPa；同时，法兰面的厚度另外增加15%作为修理余量。实践证明，外壳内爆炸压力与外壳容积大小、瓦斯浓度、外壳的间隙和形状有关。瓦斯浓度为9.8%时，产生的爆炸压力最大；外壳的净容积越大，爆炸的压力越大；外壳形状以长方体压力最小，因此，近年来防爆设备外壳多设计为长方体。

一般规定试验压力，当外壳净容积为0.5L及以下时，外壳能承受的压力应为0.35MPa；当外壳净容积大于0.5L小于等于2.0L时，外壳应能承受的压力为0.6 MPa；当外壳净容积大于2.0L时，外壳应能承受的压力为0.8MPa。

（二）隔爆性

隔爆性又叫不传爆性，是指外壳各部件的接合面要符合一定的要求，当壳内发生爆炸时，产生的火焰、气体或灼热物质沿隔爆接合面向外传出时不会引起壳外易燃、易爆性气体爆炸。隔爆接合面是外壳与外盖的各接合面，具有隔爆性。

隔爆型电气设备的隔爆性能，主要是由隔爆接合面的间隙大小、隔爆接合面的宽度及光洁度等结构参数来保证的。只要接合面结构参数符合一定防爆要求，当壳内发生爆炸时，火焰要通过隔爆面的间隙向外传播，因间隙足够小、宽度足够大，使通过隔爆面后的火焰、气体或灼热物质得到了足够的冷却，温度低于瓦斯点燃温度以下，这样就不会引起壳外气体爆炸。

（三）隔爆接合面的防锈处理

从上述可知，隔爆型防爆电气设备的隔爆接合面对设备隔爆性能的影响极大，如果发生锈蚀，会失去应有的隔爆性，为此应对其采取防锈措施。常用的防锈措施有：

1. 涂防锈油剂

在隔爆面上直接涂防锈油。

2. 涂磷化底漆

磷化底漆又称为洗涤底漆。由聚乙烯醇缩丁醛树脂、锌铬黄及助剂组成。以醇类为溶剂，以磷酸为处理液，按一定比例配套使用。

磷化底漆所形成的薄膜牢固附着金属表面，起到磷化和钝化处理的作用，该漆作为有色及黑色金属底层的防锈涂料，能代替钢铁的磷化处理，可增加有机涂层和金属表面的附着力，防止锈蚀，延长有机涂层的使用寿命，且漆膜不怕瓦斯爆炸的瞬间高温。

3. 热磷处理法

隔爆面在除油、除锈后，为了防止重新生锈，通常经热的磷酸盐溶液处理后，在其表面生成一层保护膜，该膜为只有几微米的磷化膜，与金属工件是一个结合紧密的整体结构。其间没有明显界限。磷化膜具有的多孔性，使封闭剂、涂料等可以渗透到这些孔隙之中，与磷化膜紧密结合，可以提供清洁、均匀、无油脂和无锈蚀的隔爆面。

4. 冷磷处理法

隔爆接合面一般经过大修后，要采用冷磷处理。使其表面形成一层金属氧化膜，以防氧化锈蚀。

第二节　井下防爆电气设备的通用要求

防爆电气设备的通用要求是各种防爆电气设备都应具有的性能。在GB 3836·1—2000标准中，对矿用防爆电气设备（I类）的使用温度、外壳、接地、连接件、紧固件、接线盒和引入装置、联锁装置、绝缘套管等均做了防爆通用要求。电气设备只有在满足防爆通用要求和专用规定的前提下，才能保证其防爆性。下面主要介绍I类防爆电气设备的通用要求。

一、电气设备的防爆通用要求

1.温度

一般I类矿用防爆电气设备的使用环境温度为-20℃~+40℃。当电气设备表面可能堆积煤尘时，表面温度不应超过150℃。当电气设备不会堆积煤尘或已采取密封防尘、通风等措施防止堆积煤尘时，电气设备的最高表面温度不应超过450℃。

如果电气设备的最高表面温度超过150℃的设备表面上可能堆积煤尘时，则应考虑煤尘的影响及其着火温度，以防止电气设备表面堆积一定厚度的煤尘，且设备表面温度达到200℃时发生自燃。

2.外壳材质

防爆电气设备外壳，一般应采用钢板或铸钢制成；如采用塑料外壳，须用经规定试验合格的不燃或阻燃材料制成以防产生静电；防爆电气设备限制使用铝合金外壳；井下手持式或支架式电钻（及其附带的插接装置）、携带式仪器仪表、灯具的外壳，可采用抗拉强度不低于120MPa，且按GB 13813规定的摩擦火花试验合格的轻合金制成。

3.连接件与紧固件

对保证防爆性能或用于防止触及裸露带电零件所必需的紧固件，常见的紧固件包括螺栓（螺钉）、螺母和弹簧垫圈，只允许用工具才能松开或拆除紧固件。含轻金属的外壳用的紧固螺钉允许用轻金属或塑料制成，只要紧固材料适用于外壳材料即可。

电气设备应有连接件与外部电路相连，连接件是置于接线盒内，用于与外部电缆或导线进行电气连接的端子、螺钉或其他零件。连接件必须保证电缆或导线连接可靠，在振动和温度的影响下不松动、过热或产生火花等现象。

4.接地

电气设备在接线腔内的电路连接件旁设置有接地柱，用于将电气设备金属外壳接到接地网上。电气设备的金属外壳也设置有外接地螺栓，外接地螺栓应将设备外壳就近接地。移动式电气设备不设外接地螺栓，但应使用具有接地芯线或等效接地芯线的电缆。在煤矿井下电气设备有了内外接地后，可以防止外壳意外带电时发生人身触电事故。

5.接线盒

电气设备与电缆的连接必须采用防爆接线盒，接线盒应有足够的尺寸以方便电缆的连接。由于受粉尘、环境温度及空气潮湿的影响，煤矿井下电气设备的绝缘性能可能降低而产生短路、电火花等，因此接线盒内裸露导体间的电气间隙、爬电距离要符合相应防爆类型标准的规定。

电气间隙是指两个不同电位的裸露导体之间的最短距离。爬电距离是指两个导体之间沿其固体绝缘材料表面的最短距离，爬电距离与额定电压、绝缘材料的耐泄痕性、表面形状有关。额定电压越高，爬电距离越大，反之就越小；绝缘材料的耐泄痕性越好，爬电距离越小，反之就越大。

6.电缆引入装置

电缆引入装置是将电缆引入电气设备内部的过渡装置，是防爆电气设备的薄弱环节。矿用电缆引入装置不仅要密封性好，而且应防止电缆被拔脱或扭转。常用的密封式引入装置有压盘式引入装置、压紧螺母式引入装置、浇封固化填料密封式引入装置和金属密封环式引入装置。引入装置所用密封圈的材料要用弹性好、不易老化、不易龟裂的橡胶材料或其他类似材料制成，其硬度应达到邵尔氏硬度45°~55°。密封圈只有硬度适宜才能起到密封和防松的作用，保证防爆性能。

压盘式引入装置、压紧螺母式引入装置均属于密封圈式引入装置,该种引入方式在矿用电气设备中应用最广泛。下面只介绍压盘式引入装置、压紧螺母式引入装置(如图7-1、图7-2所示)。

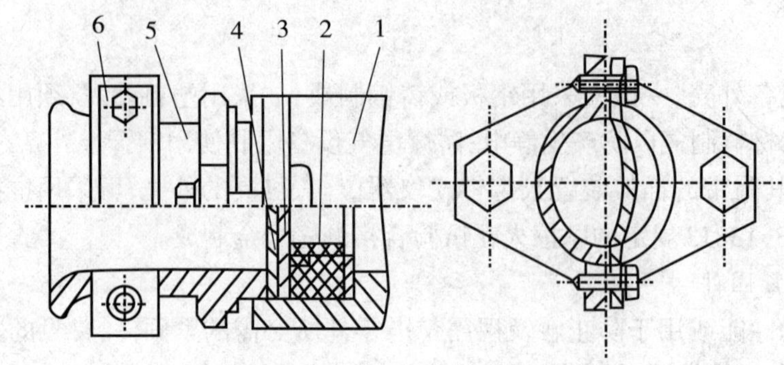

图7-1 压盘式引入装置

1——连通节;2——密封圈;3——钢堵;4——金属垫圈;5——压盘;6——防止电缆拔脱装置

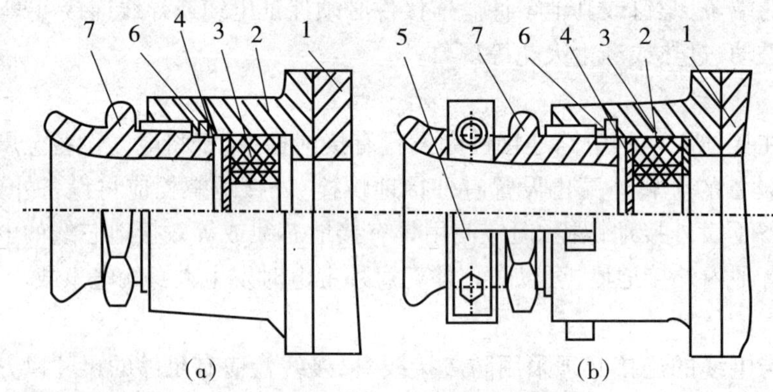

(a)适用于公称外径大于20mm的电缆;(b)适用于公称外径大于30mm的电缆

图7-2 压紧螺母式引入装置

1——接线盒;2——连通节;3——密封圈;4——金属钢堵;5——防止电缆拔脱装置;6——金属垫圈;7——压紧螺母

7.联锁装置

为防止误操作或带电检修电气设备造成人身触电或瓦斯、煤尘爆炸事故,防爆设备应设置联锁装置。仅在电源断电时才能打开外壳进行检修、整定、安装及更换内部元件,从结构上保护操作顺序,防止误操作。所有电气设备的联锁装置都必须保证使用专用工具才能解除其联锁功能。并设置“严禁带电开盖”“严禁带电断开”等警示牌。

8.绝缘套管

对于固定在设备外壳隔板上用于将导线穿过隔板的绝缘套管应安装牢固,在接线和拆线承受扭矩时,要保证所有部位不转动。

二、电气设备的防护要求

煤矿井下电气设备除外壳应坚固外,还应有一定的防护能力。防护能力是指防外物和防水能力。防外物就是指防止外部固体颗粒(煤粉尘)进入设备内部和防止人体触及设备内带电和运转部位的性能;防水是防止外部水分进入设备内部造成绝缘降低,甚至漏电的性能。

防护等级采用字母IP连同两位数字标志,即IP_{XY}标志,其中第一位数字X表示防外物能力,共分7级,数字越大表示外物能力越高;第二位数字Y表示防水能力,共分9级。数字越大表示防水能力越高。如IP_{54}, IP是防护等级标志,第一位数字5表示防外物等级是6级;第二位数字4表示防水等级是5级,据《低压电器外壳防护等级》标准,外壳防护等级如表7–2所示。表示防护等级的表征字母和数字应标在电器的铭牌上。

表7–2　电气设备外壳的防护等级

防护等级	防外物等级		防水等级	
	简　述	含　义	简　述	含　义
0	无防护	无专门防护	无防护	无专门防护
1	防止大于50mm的固体异物	能防止直径大于50mm的固体异物进入壳内	防滴溅	垂直滴水应无有害影响
2	防止大于12mm的固体异物	能防止直径大于12mm的固体异物进入壳内	15° 防滴	当电器从正常位置的任何方向倾斜至15° 以内任一角度时,垂直滴水应无有害影响
3	防止大于2.5mm的固体异物	能防止直径(或厚度)大于2.5mm的工具、金属线等进入壳内	防淋水	与垂直线成60° 范围以内的淋水应不能进入设备壳体内
4	防止大于1mm的固体异物	能防止直径(或厚度)大于1mm的固体异物进入壳内	防溅	任何方向的溅水应对设备无有害影响
5	防尘	不能完全防止尘埃进入壳内,但能防止影响产品正常运行的灰尘进入壳内	防喷水	任何方向喷咀喷出的水应对设备无有害影响
6	尘密	完全防止尘埃进入壳内	防海浪(强力喷水)	承受猛烈的海浪冲击或强烈喷水时,电器的进水量应不达到有害的影响
7			防浸水	规定时间内,电器在规定压力的水中浸泡,进水量应不达到有害的影响
8			防潜水	电器在规定的压力下长时间潜水时,进水量应不达到有害的影响

第三节　隔爆型电气设备常见的失爆现象及防爆管理

隔爆型电气设备的防爆，是将正常工作或故障情况下可能产生危险火源的部分放在具有耐爆性和不传爆性的隔爆外壳内，以限制火源作用在外壳内部，达到防爆目的。电气设备失爆即失去耐爆性或隔爆性的现象。失爆的设备因壳内火源会传播到壳外，与井下爆炸性气体混合物直接接触，引起瓦斯、煤尘爆炸和电气火灾，造成重大恶性事故。

一、隔爆型电气设备的失爆现象

1.因矸石冒落砸伤，支架变形挤压，搬运过程中严重碰撞等而使外壳严重变形或出现裂纹、焊缝开焊；因隔爆外壳上连接螺钉折断，螺扣损坏，连接螺钉不全等，致使其机械强度达不到耐爆性的要求而失爆。

2.在隔爆外壳内随意增加元件或部件，使某些电气距离小于规定值，造成经外壳相间短路，使外壳被电弧烧穿而失爆。

3.隔爆结合面严重锈蚀、机械损伤，造成间隙超过规定值、有凹坑，或者连接螺丝没有压紧等，导致失去隔爆性而失爆；

4.电缆进、出线口没有使用合格的密封圈或未用密封圈，不用的电缆接线嘴没有使用合格的挡板封堵或根本没有密封挡板而失爆。

5.两个隔爆腔由于接线柱、绝缘座管烧毁而连通，两腔连续爆炸时产生压力叠加造成外壳炸坏而失爆。

6.用螺栓固定的隔爆接合面在下列情况下使间隙过大而失爆：

（1）缺螺栓、弹簧垫圈等防松装置。

（2）弹簧垫圈未压平或螺栓松动者。

（3）螺栓或螺孔滑扣，未采取规定措施者。

7.隔爆设备的电缆引入装置，出现下列情况使间隙过大而失爆：

（1）密封圈内径与电缆外径之差超过1mm。

（2）接线嘴内径与密封圈外径之差超过1.0mm（D≤20mm时）或1.5mm（20mm<D≤60mm时）或2.0mm（D>60mm时）时。

（3）密封圈厚度小于电缆外径的0.7倍、密封圈内外径差小于电缆外经的0.3倍时。

（4）密封圈的硬度达不到邵氏硬度45°~55°要求，老化失去弹性、变质、变形，有效尺寸配合间隙达不到密封作用时。

（5）一个密封圈内穿进多根电缆时。

(6)密封圈没有完全套在电缆护套上或将密封圈割开套在电缆上时。

(7)密封圈与电缆护套之间有其他包扎物时。

(8)密封圈部分破损。

(9)一个进线嘴内有多个密封圈的。

(10)空闲进线嘴或备用的高压接线盒没有密封挡板或挡板不合格者。

(11)挡板直径比进线嘴内径小2mm以上,挡板绝对厚度小于1.82mm者。

(12)挡板放在密封圈里边的,压盘式进线嘴或螺母进线嘴金属圈放在挡板与密封圈之间的。

(13)进线嘴压紧后,没有余量或线嘴内缘压不紧密封圈,或密封圈端面与器壁接触不严,或密封圈能活动的。

(14)压盘式进线嘴缺压紧螺栓或压紧螺栓未上紧的。

(15)螺母式进线嘴因乱扣、锈蚀等原因紧不到位或用一只手的手指能使压紧螺母旋进超过半圈的。

(16)使用压紧螺母式进线嘴时,在螺母与密封圈之间缺少金属垫圈的。

(17)电缆在喇叭嘴处能轻易来回抽动的(电缆紧固程度合格与否的判别方法:顺着电缆方向以用手不能将电缆推进接线室为合格)。

(18)高压铠装电缆终端接线盒没有灌绝缘胶,绝缘胶没有灌到电缆终端分叉口以上,绝缘胶裂纹而能相对活动的。

8.隔爆插接装置有如下情况时为失爆:

(1)煤电钻插销的电源侧应接插座,负荷侧接插销,如接反即为失爆。

(2)电源电压低于1140V的,缺少防止突然拔脱的装置者,电压在1140V以上的插接装置缺少电气联锁装置者。

(3)插销在触头断开的断电瞬间,外壳隔爆接合面的最大直径差和最小有效长度不符合规定的。

二、井下防爆电气设备的管理

井下防爆电气设备的运行、维护和修理,必须符合防爆性能的各项技术要求。防爆性能遭受破坏的电气设备,必须立即处理或更换,严禁继续使用。使用中外壳检查应无损坏、裂纹、变形现象。井下电气设备防爆管理工作,由防爆设备检查组全面负责,集中统一管理。同时为了防止煤矿井下失爆的设备带病服役,根据行业管理部门制定的《井下防爆电气设备检查标准》,加强井下防爆电气设备的选用、检查。

(一)选用

井下防爆电气设备的选用,应该遵守《煤矿安全规程》的规定,不同矿井、不同的使用地点要选用符合要求的防爆设备,见表7–3。

表7–3　　　　　　　　　　井下电气设备选用规定

<table>
<tr><th rowspan="3">使用场所类别</th><th rowspan="3">煤(岩)与瓦斯(二氧化碳)突出矿井和瓦斯喷出区域</th><th colspan="5">瓦斯矿井</th></tr>
<tr><th colspan="2">井底车场、总进风巷和主要进风巷</th><th rowspan="2">翻车机硐室</th><th rowspan="2">采区进风巷</th><th rowspan="2">总回风巷、主要回风巷、采区回风巷、工作面和工作面进回风巷</th></tr>
<tr><th>低瓦斯矿井</th><th>*高瓦斯矿井</th></tr>
<tr><td>1.高低压电机和电气设备</td><td>**矿用防爆型(矿用增安型除外)</td><td>矿用一般型</td><td>矿用一般型</td><td>矿用防爆型</td><td>矿用防爆型</td><td>矿用防爆型(矿用增安型除外)</td></tr>
<tr><td>2.照明灯具</td><td>***矿用防爆型(矿用增安型除外)</td><td>矿用一般型</td><td>矿用防爆型</td><td>矿用防爆型</td><td>矿用防爆型</td><td>矿用防爆型(矿用增安型除外)</td></tr>
<tr><td>3.通信、自动化装置和仪表、仪器</td><td>矿用防爆型(矿用增安型除外)</td><td>矿用一般型</td><td>矿用防爆型</td><td>矿用防爆型</td><td>矿用防爆型</td><td>矿用防爆型(矿用增安型除外)</td></tr>
</table>

注: * 使用架线电机车运输的巷道中及沿该巷道的机电设备硐室内可以采用矿用一般型电气设备(包括照明灯具、通信、自动化装备和仪表、仪器);

** 煤(岩)与瓦斯突出矿井的井底车场的主泵房内,可使用矿用增安型电动机;

*** 允许使用经安全检测鉴定,并取得煤矿矿用产品安全标志的矿灯。

(二)入井

《煤矿安全规程》第452条规定:防爆电气设备入井前应检查其“产品合格证”“煤矿矿用产品安全标志”及安全性能,检查合格并签发合格证后,方准入井。因此防爆电气设备入井前要严把入井关,必须由经过考试合格的防爆电气设备检查员按照本条款规定检查其安全性能,并取得合格证后,方准入井。

(三)井下防爆电气设备的检查

使用中的防爆电气设备的防爆性能检查,每月进行1次,每日应由分片负责电工对其外部进行1次检查。为了保证井下防爆电气设备的安全运行,做到防患于未然,应建立防爆设备的检查、检修制度,按照《煤矿安全规程》规定,对井下防爆电气设备的防爆性能及主要电气设备的绝缘水平、各种保护装置的可靠性等进行定期检查和试验,发现问题应及时处理。

具体要检查的内容有:部件是否齐全完好;间隙、宽度、粗糙度是否满足要求;螺纹拧入深度、啮合扣数是否符合规定;电缆接线盒和引入装置是否完好;联锁装置、内部电气元件、保护装置是否完好、动作可靠;安装地点的淋水情况、围岩是否坚固;设备放置是否与地面垂直,最大倾角是否符合规定。详见《井下防爆电气设备检查标准》。

(四)井下防爆电气设备检查标准

标准1　山西煤炭工业管理局《井下防爆电气设备检查标准》

1.鸡爪子。

(1)橡套电缆的连接不采用硫化热补或同等效能的冷补者；

(2)橡套电缆(包括通信、照明、信号、控制以及高低压橡套电缆)的连接不采用接线盒的接头；

(3)铠装电缆的连接不采用接线盒或不灌注绝缘充填物和充填不严密(漏出芯线)的接头。

2.羊尾巴。

在供配电电缆的末端不接装防爆电气设备或防爆元件者为羊尾巴。距离电气设备接线嘴(包括五小电气元件)2m内的不合格接头或明线破口者均属羊尾巴。

3.明接头。

电气设备与电缆有裸露的导体或明火操作者均为明接头。

4.破口。

(1)橡套电缆的护套损坏,露出芯线或露出屏蔽层者；

(2)橡套电缆的护套损坏伤痕深度达最薄处1/2以上,长度达20mm,或沿周长1/3以上者。

出现以上四种情况之一者(包括安全火花型电气元件)均为电缆不合格接头,均属防爆电气设备的安全隐患点。

5.高低压防爆电气设备的机械闭锁装置起不到闭锁作用者为失爆。

6.隔爆外壳结合面的表面粗糙度应不大于Ra5um,操纵杆的表面粗糙度应不大于Ra2.5um,否则为失爆。隔爆外壳结合面有锈迹,用棉纱擦后,仍留有锈蚀斑痕者属于失爆。

7.隔爆外壳结合面有锈迹,用棉纱擦后,只留云影不留锈蚀,也不为失爆(但在井上修理防爆电气设备时不允许有云影)。

8.云影:经擦掉锈迹后,留下呈青褐色氧化亚铁云状痕迹,用手摸无感者。

9.隔爆外壳结合面上的小针孔,在1mm^{2}的范围内不超过5个,且其直径不超过φ0.5mm,深度不超过1mm的结合面不为失爆。

10.隔爆外壳结合面,对于机械伤痕的深度、宽度均不超过0.5mm,其伤痕的投影长不超过对应容积结合面宽度的50%,个别伤痕深度不超过1mm,其伤痕距结合面最短无伤痕距离相加不小于对应容积规定的结合面宽度不算失爆,但其中有一项超过均为失爆。

11.隔爆外壳结合面上不允许涂有油漆和存在机械性杂物,否则为失爆(如属于无意造成的油漆痕迹不超过隔爆面宽度的1/8不在此限)。

12.隔爆外壳结合面应涂以适量的中性凡士林等合格的防锈油(如医用凡士林油)或进行磷化处理(磷化后也可涂凡士林油),如无防锈油或磷化面脱落均属失爆。涂油应在结合面上形成一层薄膜为宜,涂油过多为不完好。如磷面脱落小于隔爆外壳结合面宽度的1/5并涂有防锈油可不算失爆,但为不完好。

13.隔爆外壳结合面宽度减去超限间隙部分的宽度不得小于所规定的结合面宽度,否则为失爆。

(1)转盖式或插盖式的隔爆外壳结合面宽度不小于25mm,间隙不大于0.5mm。

(2)隔爆外壳静止结合面的间隙与宽度如下表：

隔爆空腔净容积(L)	≤0.5	0.5~2	>2
间　　隙(mm)	≤0.3	≤0.4	≤0.5
结合面 宽 度(mm)	≥8	≥12.5	≥25

(3)隔爆外壳活动部分(操纵杆及电机轴)结合面间隙与宽度如下表：

隔爆空腔净容积(L)		< 0.5	≥0.5	备 注
结 合 面 宽 度(mm)		≥12.5	≥25	
间 隙 (mm)	操纵杆及孔	≤0.3	≤0.5	
	电机轴及孔	≤0.4	≤0.6	

14.隔爆外壳变形长度超过50mm，凸凹深度超过5mm为失爆，整形后低于此规定仍为合格。

15.隔爆外壳内外有锈皮脱落为失爆。油漆脱落、锈蚀严重为不完好。

16.密封圈须采用邵氏硬度45°~50°的橡胶制造，否则为失爆。密封圈的分层侧在接线时，应朝向接线腔里面，否则为不完好(但煤电钻除外)。

17.密封圈尺寸须符合以下规定，如有一项达不到要求均属失爆。

(1)密封圈外径与接线装置内径差应符合下表：

D(mm)	D_0–D(mm)	备 注
D≤20	≤1	D_0:表示接线装置内径 D :表示密封圈外径
20 < D≤60	≤1.5	
60 < D	≤2	

(2)密封圈内径与电缆外径的配合为±1mm，但如属于4mm²及以下电缆者，密封圈内径应不大于电缆外径。

(3)密封圈的宽度不小于电缆外径的0.7倍，且不小于10mm。

(4)密封圈的厚度不小于电缆外径的0.3倍(70mm²的电缆除外)，且不小于4mm。

18.密封圈用刀削后应整齐圆滑，不得出现锯齿状，锯齿直径差大于2mm(包括2mm)为失爆，小于2mm为不完好。

19.不使用的进出线嘴要分别用密封圈和挡板依次装入、压紧后封堵，否则为失爆。螺旋式进出线嘴如上金属圈时应装在挡板外面，否则也属于失爆。

20.挡板直径与进出线装置内径之差应不大于2mm，厚度不小于2mm，金属圈外径与进出线装置内径之差应不大于2mm，厚度应不小于公称尺寸1mm，否则均属失爆。

21.进出线嘴压紧要有余量，余量不小于1mm，否则为失爆。进出线嘴应平行压紧，两压紧螺丝入扣差应不大于5mm，否则为不完好。

22.当进出线嘴已全部压紧仍不能将密封圈压紧时，只能用一个厚度适当、不开口的金属圈来调整，不得充填其他杂物(包括再加密封圈等)。金属圈的内外径应与接线嘴伸入壁规格一致，螺旋式接线嘴也只限装接一个金属圈，否则均属失爆。

23.卡兰式进出线嘴以压紧胶圈后一般用单手搬动进出线嘴上下左右晃动时，进出线嘴无明显晃动为准。螺旋式进出线嘴最少啮合扣数不得低于6扣，拧紧程度一般用单手向下用力拧不动为合格，否则均属失爆。

24.进出线嘴外部缺损，且不影响防爆性能者为不完好。

25.凡有电缆压线板的电器，引入引出电缆必须用压线板压紧，压线板未压紧电缆，均属失爆，但不得把电缆压扁，如压紧后电缆的直径比原直径减少10%，属不完好。

26.紧固件应齐全、完整、可靠。同一部位的紧固件（螺母、螺栓）其规格要求一致。螺栓的裸露部分一般不得超过三扣，否则，本设备为不完好。凡用螺栓连接紧固的部件，其间夹有弹性物者（如密封圈和橡套电缆）可不再加弹簧垫圈。

27.隔爆外壳结合面的紧固件（螺栓、螺母）要上满扣，不满扣为失爆。紧固螺钉伸入螺孔长度应不小于螺纹直径的尺寸（铸铁、铜、铝件等不小于直径的1.5倍），如螺孔深度不达螺纹直径尺寸，则螺钉必须拧满螺孔，否则，均属失爆。

28.隔爆结合面紧固件（螺栓）应加装弹簧垫圈或背帽（用弹簧垫圈时其规格应与螺栓保持一致，紧固程度应以将其压平为合格），螺栓松动，无弹簧垫圈（或背帽）和弹垫不合格均为失爆。

29.低压隔爆开关接线腔不允许由电源侧进出线至负荷侧接线，或由负荷侧进出线至电源侧接线，磁力启动器的小接线嘴严禁进出动力线。否则均属失爆。

30.橡套电缆的护套伸入接线腔器壁内要符合5~15mm的要求，小于5mm为失爆；大于15mm为不完好。当粗电缆穿不进接线嘴时，可将伸入器壁部分的护套锉细。

31.接线应整齐（不扭弯）、紧固，导电良好、无毛刺。卡爪（或平垫圈）弹簧垫圈（双帽）齐全（使用线鼻子可不用平垫圈）。接线后，卡爪（或平垫圈）不压绝缘胶皮，芯线裸露距卡爪（或平垫圈）不大于10mm；出现以上不符合要求之一者均属不完好。

32.两相低压导线裸露部分的空气间隙：500V以下不小于6mm；500V以上不小于10mm。否则为失爆。

33.高压电缆的连接，一律采用压接技术，接线柱使用压线板接线时，压板凹面一律朝下，否则为不完好。

34.接线腔接地线的长度应适宜，以松开接线嘴卡兰拉动电缆后，三根火线拉紧或松脱时，接地线不掉下为宜。接地螺栓、螺母、垫圈不允许涂绝缘物。卡爪（或平垫圈）要镀锌或镀锡，如出现不符合以上要求者均为不完好。

35.采用铠装电缆供电时，使用密封圈要全部套在铅（铝）包上，或者用绝缘胶浇灌至三叉口以上。未使用的接线嘴应用同等厚度的法兰盘和堵板或用绝缘胶堵死，否则为失爆。

36.接线腔（盒）应保持干净，无杂物和水珠；使用铠装电缆的接线腔内允许有少量的油，但应定期擦干，否则为不完好。

37.隔爆电气设备的隔爆腔之间严禁直接贯通，必须保持原始设计的防爆性能，否则为失爆（接线柱、接线座有裂缝也属失爆）。

38.防爆开关闭锁后，接线板正面的带电螺栓应用绝缘材料封堵（隔离）带电体，否则为不完好。

39.防爆开关的保护装置和附属元件必须齐全、完整、可靠。损坏、拆除或失效均为不完好。

40.防爆开关和电磁元件的安放应平、直、稳。接线后，盖板和转盖应一律朝外，便于检修和维护，接线嘴严禁朝上，接线嘴电缆出口处应平滑，不得出现死弯，否则均为不完好。

41.煤电钻插销的电源侧应接插座，负荷侧应接插销，如反接为失爆。

42.接地线使用镀锌钢绞线时，接头处可用(最少)两道U型卡子连接。使用镀锌铁板时，一般用两道镀锌螺栓紧固(并加装弹垫或加背帽)，螺栓直径不得小于10mm。

43.井下防爆电气设备必须有合格的接地装置，接地不合格的电气设备为不完好；变电硐室、配电点的防爆电气设备必须有系统和局部接地；采、掘、开拓工作面所用的防爆电气设备要有系统接地，综合保护器和漏电继电器要有合格的主、辅接地极；采用串联接地的防爆电气设备为不完好。

44.硐室的防爆电气设备必须有标志牌(注明：编号、容量、用途、整定值、整定日期、负荷情况、短路电流、负责人等)，如无标志牌或标志与实际不符者，该防爆电气设备为不完好。

45.局部通风机和掘进工作面的防爆电气设备，必须全部实现风电闭锁(三专两闭锁)，在局部通风机的专供电源线路上不得接入其他机电设备。

46.对于只接电源，不接负荷的防爆电气设备也属于防爆检查范围。

47.防爆型电气设备无论在矿井任何地方安装使用，均要按防爆设备的标准要求进行检查和维护，地面选煤楼电气设备也要安装防爆型设备，同时按防爆设备要求进行维护、保养、检查。防爆电气设备如用于地面非爆炸环境中，只按设备完好标准的要求进行检查。

48.关于国外引进的防爆电气设备，虽不符合我国国家标准，但经煤炭部特许批准后仍能保持防爆电气设备原始性能者，在防爆检查中不按失爆论处。

49.防爆检查中发现防爆电气设备有失爆现象时，应当场积极处理，但仍按失爆计算。

50.本补充规定，如与国家标准和煤炭工业部标准以及相关规定有抵触时，应以国家标准和煤炭工业部标准以及相关规定为准。

标准2　山西焦煤集团公司企业标准《井下防爆电器检查标准》

1.隔爆结合面

(1)隔爆结合面(Ⅰ类)的最大间隙、直径差或最小有效长度(宽度)必须符合表7–4的规定，但快动式门或盖的隔爆接合面的最小有效长度须不小于25mm。

表7–4　　I类外壳隔爆结合面的最小宽度和最大间隙

接合面宽度L (mm)	与外壳容积V(cm^3)对应的最大间隙(mm)	
	V≤100	V＞100
平面接合面和止口接合面 6≤L＜12.5 12.5≤L＜25 25≤L	 0.30 0.40 0.50	 — 0.40 0.50
操纵杆和轴 6≤L＜12.5 12.5≤L＜25 25≤L	 0.30 0.40 0.50	 — 0.40 0.50

续表 7-4

带滑动轴承的转轴 6≤L＜12.5 12.5≤L＜25 25≤L＜40 40≤L	0.30 0.40 0.50 0.60	— 0.40 0.50 0.60
带滚动轴承的转轴 6≤L＜12.5 12.5≤L＜25 25≤L	0.450 0.60 0.750	— 0.60 0.750

①对于操纵、轴和转轴，其间隙是指最大的直径差；

②如果操纵杆或轴的走私超过了表现所规定的隔爆接合面的最小宽度，其接合面宽度应不小于操纵杆或轴的直径，但不必大于25mm；

③如果转轴的直径大于表7-4所规定的隔爆接合面的最小宽度，带有滑动轴承的隔爆轴承盖的火焰通路长度，当转轴直径不大于25mm时，应不小于转轴直径；当转轴直径大于25mm时，应不小于25mm。

(2)如果接合面被紧固螺栓孔或类似物的孔分隔，则孔与外壳内外侧间的距离最大值1应满足：1)当L＜12.5mm时，l≥6mm；2)当12.5mm≤L≤25mm时，l≥8mm；3)当L≥25mm时，l≥9mm。

(3)隔爆电动机轴与轴孔的隔爆接合面在正常工作状态下不应产生摩擦。用圆筒隔爆接合面时，轴与轴孔配合的最小单边间隙不少于0.75mm；用滚动轴承结构时，轴与轴孔的最大单边间隙须不大于表7-4所规定的轴承盖允许最大间隙的2/3。

(4)隔爆结合面的表面粗糙度Ra不大于6.03μm；操纵杆的表面粗糙度Ra不大于3.2μm。

(5)隔爆结合面的法兰减薄厚度，应不大于原设计规定的维修余量。

(6)对于隔爆结合面的缺陷或机械伤痕，将其伤痕两侧高于无伤表面的凸起部分磨平后，不得超过下列规定：

①隔爆面上对局部出现的直径不大于1mm，深度不大于2mm的砂眼，在40mm、25mm、15mm宽的隔爆面上，每1cm^{2}范围内不超过5个；10mm宽的隔爆面上不得超过2个。

②产生的机械伤痕，宽度与深度不大于0.5mm，其长度应保证剩余无伤隔爆面有效长度不小于规定长度的2/3。

(7)隔爆接合面不得有锈蚀及油漆，应涂防锈油或磷化处理。如有锈迹，用棉纱擦净后，留有青褐色氧化亚铁云状痕迹，用手摸无感觉者仍算合格。对无意造成的油漆，其痕迹不超过隔爆面宽度的1/8仍算合格。涂防锈油时，以在隔爆面上形成一层薄膜为宜，涂油过多为不完好；油不得干硬，油中不得有机械性杂物或其他颗粒状杂物(油脏为不完好)。

凡不符合上述任意一项者均为失爆。

2.隔爆外壳与隔爆腔

(1)防爆外壳变形长度不得超过50mm,凸凹深度不得超过5mm,否则为失爆。整形后低于此规定仍为合格。

(2)防爆外壳内外不得有锈皮脱落,否则,为失爆。油漆脱落、锈蚀严重为不完好。

(3)隔爆设备的隔爆腔之间严禁直接贯通,必须保持原设计的防爆性能,否则此设备为失爆。接线柱、接线座有裂纹,接线座晃动,接线柱跟转均属失爆。

(4)防爆外壳无开焊,观察窗孔胶封良好,无破损、无裂纹,否则为失爆。透明度差为不完好,观察窗孔玻璃表面不应有伤痕,伤痕深度小于1mm为不完好,否则为失爆。

(5)操作手柄与隔爆外壳盖间的闭锁关系正确可靠,闭锁(包括机械和电器两类)不起作用者为失爆。

(6)接线(室)盒内应保持干净,无杂物和水珠;使用铠装电缆的接线室内允许有少量的油,但应定期擦干,否则该设备为不完好。

(7)快动式门或盖打不开者为失爆。

3.进出线嘴

(1)接线后紧固件的紧固程度以轴拉电缆不串动为合格。

(2)线嘴压紧后应有余量,余量不小于1mm。

(3)线嘴与密封圈之间密封圈与连通节之间只限安装一个金属圈,不得充填其他杂物(包括再加密封圈等)。

(4)压叠式线嘴压紧电缆后,其压扁量不准超过电缆直径的10%。

(5)隔爆腔的空闲接线嘴,应用密封圈及厚度不小于2mm的钢垫板封堵压紧。

(6)进出线嘴的压紧程度:螺旋线嘴一般用单手正向用力拧不动为合格;压叠式线嘴用单手晃动,喇叭嘴无明显晃动为合格。

(7)高压隔爆开关空闲的接线嘴,应用与线嘴法兰厚度、直径相符的钢垫板封堵压紧,其隔爆结合面的间隙应符合表1的规定。

(8)螺纹隔爆结构:螺纹精度不低于3级,螺距不小于0.7mm,螺纹接合面的最小啮合扣数为5扣,当容积大于100cm³时,最小啮合轴向长度为8mm;当容积不大于100cm³时,最小轴向啮合长度为5mm。对于圆柱形螺纹,螺纹部分至少有8mm,并且至少6扣螺纹。

凡不符合上述任一规定者均为失爆。

(9)线嘴应平行压紧,两压紧螺栓入扣差大于5mm,喇叭嘴外部缺损但不影响防爆性能者,属不完好设备。

4.密封圈、挡板、金属圈

(1)密封圈材质须用GB/T6031标准规定的硬度IRHD变化量不超过20%的橡胶制造,否则为失爆。密封圈分层侧应面向接线腔内,否则为不完好。

(2)密封圈各部分尺寸应符合以下规定,凡不符合以下任一规定者,均为失爆。

①密封圈内径与电缆外径差应小于1mm,4mm2及以下电缆的密封圈内径不得大于电缆外径。

②密封圈外径与进线装置内径间隙应符合表7–5的规定。

表7–5　　密封圈外径与进线装置内径间隙(mm)

密封圈(挡板、金属圈)外径D	密封圈(挡板、金属圈)外径与进线装置内径间隙
D≤20	≤1.0
20 < D≤60	≤1.5
D > 60	≤2.0

③密封圈宽度应大于电缆外径的0.7倍,电缆直径不大于20mm时密封圈非压缩轴向长度最小为20mm,电缆直径大于20mm时密封圈非压缩轴向长度最小为25mm。

④密封圈厚度应大于电缆外径的0.3倍,且必须大于4mm(70mm电缆除外)。

(3)密封圈无破损,刀削后应整齐平滑,不得出现锯齿状,锯齿直径差大于2mm(含2mm)为失爆,小于2mm为不完好。

(4)电缆与密封圈之间不得包扎其他物体,否则为失爆。

(5)四小线的密封圈因缆线被猛力拖拽致使密封圈分层严重外凸达密封圈宽度的1/3者为失爆。

(6)低压隔爆开关引入铠装电缆时,密封圈应全部套在电缆的铅皮上,否则为失爆。

(7)挡板厚度应不小于2mm,其直径与进线装置内径间隙应符合表7–5的规定,否则为失爆。

(8)金属圈外径与进线装置内径间隙应符合表7–5的规定,厚度应不小于公称尺寸1mm,否则为失爆。

(9)螺旋式空闲喇叭嘴的密封圈、挡板、金属圈应依次装入,且都只能装一个,否则为失爆。

5.紧固件

(1)紧固用的螺栓、螺母、垫圈等齐全、紧固,无锈蚀。

(2)同一部位的螺栓、螺母规格应一致,平垫、弹簧垫的规格应与螺栓直径相符合。

(3)螺母紧固后,螺栓螺纹应露出螺母1~3个螺距,不得在螺母下面加多余的垫圈来减少螺栓的伸出长度。

(4)紧固在护圈内的螺栓,其上端平面不得超出护圈高度,并需用专用工具才能松紧。

(5)隔爆结合面紧固螺栓要齐全,螺母、透眼螺孔应拧满扣。

(6)用螺栓紧固不透眼螺孔的部件,紧固后螺孔须留有大于2倍防松垫圈厚度的螺纹余量。螺栓拧入螺孔长度应不小于螺栓直径,铸铁、铜、铝件不应小于螺栓直径的1.5倍。不透孔处距内腔的壁厚应不小于螺栓直径的1/3,且至少不小于3mm。

(7)隔爆接合面紧固螺栓应加弹簧垫或背帽(用弹簧垫时其规格应与螺栓一致),其拧紧程度应以压平弹簧垫圈为合格。螺栓不得松动,不得加原设计结构以外的平垫或其他物品。

(8)弹簧垫不得破损,不得推动弹性。

凡不符合1~4条者为不完好,凡不符合5~8条者为失爆。

6.接线工艺

(1)接线螺栓和螺母的螺纹无损伤,无放电痕迹,接线零部件齐全,有卡爪、弹簧垫、背帽等,否则为不完好。

(2)接线要整齐,无毛刺,卡爪不压胶皮或其他绝缘物,也不得压或接触屏蔽层,芯线裸露距卡爪不大于10mm,否则均为不完好。

(3)接线室内地线长度应以松开线嘴卡兰拉动电缆时,相线被拉松或拉脱而地线不掉为宜。接地螺栓、螺母、垫圈不允许涂绝缘物,卡爪(或平垫圈)要镀锌或镀锡,否则为不完好。

(4)高压电缆间的连接一律采用压接技术,接线柱使用压板接线时,压板凹面一律朝下,否则为不完好。

(5)固定设备的接线应符合下列要求:

①设备引入(出)线的终端接头应用线鼻子或过渡接头。

②导线连接牢固可靠,接头温度不得超过导线温度。

(6)隔爆腔内导线的电气间隙和爬电距离应符合表7–6和表7–7要求,否则为失爆。隔爆电动机斜面接线盒盒盖严禁反装,否则为失爆。

表7–6　　隔爆腔内导线的电气间隙

额定电压(V)	电气间隙(mm)
500以下	6
660	10
1140	18
3000	36
6000	60

表7–7　　隔爆腔内导线的爬电距离

额定电压(V)	爬电距离(mm)			
	a	b	c	d
36	4	4	4	4
127	6	7	8	10
220	6	8	10	12
660	12	16	20	25
1140	24	28	35	45
3000	45	60	75	90
6000	85	110	135	160

(7)隔爆开关闭锁后,接线板正面的带电螺栓应用绝缘材料封堵隔离带电体,断路器应装设隔离护罩,否则为不完好。

(8)隔爆设备和元件应放置平、直、稳。接线后,盖板和转盖一律朝外,便于检修和维护,喇叭嘴严禁朝上,喇叭嘴电缆出口处应平滑,不得出现死弯,否则为不完好。

(9)低压隔爆开关接线室不允许由电源侧进出线至负荷侧接线,或由负荷侧进出线至电源侧接线;磁力启动器的小喇叭嘴严禁引入引出动力线,否则为失爆。

(10)煤电钻插销的电源侧应接插座,负荷侧应接插销,如反接为失爆。

(11)电缆护套(铅皮)伸入器壁长度要符合5~15mm的要求,小于5mm为失爆,大于15mm为不完好。电缆粗穿不进时,可将伸入器壁部分锉细,但护套与密封圈结合部位不得锉细,否则为失爆。

(12)接地线使用镀锌钢绞线时,接头应使用专用连接卡板连接(卡板长度不得小于150mm);使用镀锌扁铁时,应用两道镀锌螺栓进行紧固,并加弹簧垫或背帽,螺栓直径不得小于10mm。

(13)高压隔爆开关接线盒引入铠装电缆后,应用绝缘胶灌至电缆三叉以上,否则为失爆。

7.电缆线路

(1)鸡爪子:

①橡套电缆的连接不采用硫化热补或同等效能的冷补者;

②电缆(包括通信、照明、信号、控制、监控以及高低压橡套电缆)的连接不采用接线盒的接头;

③铠装电缆的连接不采用接线盒和不灌注绝缘填充物或填充不严密、露出芯线的接头。

(2)羊尾巴:

①电缆的末端不安装防爆电气设备或防爆元件者为羊尾巴。

②电气设备接线嘴(包括五小电气元件)2m内的不合格接头。

(3)明接头:

电气设备和电缆有裸露导体或明火操作者均属明接头;开关零位带电也属明接头。

(4)破口:

①橡套电缆的护套损坏,露出芯线或屏蔽层者。

②橡套电缆伤痕深度达最薄处1/2以上,长度达20mm以上,或沿电缆围长1/3以上者。

出现上述任一情况者,均为电缆不合格接头,属于电气安全隐患点,非本质安全型电器为失爆。

(5)橡套电缆在喇叭嘴出口处出现死弯,致使橡套电缆(包括四小线)绝缘外护套与相线分相绝缘橡胶分层属于失爆。

8.各种保护装置

(1)变电硐室、单独装设的高压电气设备、配电点、采掘工作面分路开关、风电联锁开关、高压接线盒均须装设局部接地极,三台及以上的开关或三台以上电气设备在一起时(其中两台电气设备的距离不大于5m),也必须装设局部接地极。

(2)照明信号、煤电钻综保和检漏继电器要有合格的主、辅接地极(采用附加直流保护原理的检漏继电器必须有辅助接地极),主辅接地极间距不得小于5m。

(3)采用串联接地的设备为不完好设备,接地不合格的设备为不完好设备。

(4)各种防爆电气设备的保护装置和附属元件必须齐全、完整、可靠,整定正确。严禁损坏、拆除、短接,严禁短接接触器而使用隔离开关控制电动机,否则为电气安全隐患点,此设备为不完好设备。

(5)高压真空开关的绝缘监视保护必须使用,移动变电站高压隔离开关必须实现开盖闭锁和急停。移动变电站的开盖闭锁和高低压联锁不起作用者均为失爆。

(6)严禁电气设备“大马拉小车”而使保护装置不起作用,否则该设备为不完好设备,视为电气安全隐患点。

(7)干线漏电保护应坚持“日就地试验”“月远方试验”制度(煤电钻综保应每班就地试验一次),严禁甩掉不用或不起作用。

9.井下电气设备管理

(1)井下防爆电气设备在入井前应由指定的、经集团公司考试合格的电气设备防爆检查员检查其防爆性能及“两证一标志”,取得防爆合格证后方可入井,严禁电工在井下补贴。无防爆合格证的电气设备(元件)视为不完好。

(2)井下电工应配备便携式瓦斯报警仪,必须严格执行测瓦斯、停电、验电、放电、连地线的安全作业程序。普通型携带式电气测量仪表,只准在瓦斯浓度1%以下的地点使用,并实时监测使用环境的瓦斯浓度。

(3)电气设备必须台台上架,并悬挂标志牌,注明设备编号、容量、用途、整定值、整定日期、负荷情况、最远点两相短路电流、包机人等。标志牌应与实际相符,否则该设备为不完好设备。

10.其他

(1)井上下设置的瓦斯抽放管路不得同带电物体接触,并有防止砸坏管路的措施。

(2)立式旋转电机必须防止垂直落下的异物进入通风孔;在正常工作状态下,外风扇、风扇罩、通风孔挡板和它们的紧固零件相互间的距离最小为风扇最大直径的1/100,且不小于1mm,不必超过5mm。

(3)只接电源,不接负荷的电气设备也属检查范围。

(4)防爆型电气设备(包括本质安全型电气设备)无论在矿井下任何地点安装使用,均应按此标准进行检查、维护。地面选煤楼(特别是原煤系统)电气设备也应安装防爆型电气设备,并应按防爆设备要求进行检查、保养、维护。

(5)对于进口设备,虽不符合我国标准但经上级有关部门特许后,仍能保持其设备原性能者,检查中可不按失爆论处。

(6)检查中发现设备有失爆现象应积极处理,处理后本次检查仍按失爆论处。

(7)本标准为山西焦煤集团公司企业标准,集团公司下属各单位必须严格遵照执行,本标准解释权属山西焦煤集团公司机电处。

(五)设备的出井

暂时不用的设备,要及时组织运往地面,运送过程中严禁连滚带摔、碰坏零部件,同时隔爆接合面要多加爱护,防止划伤、锈蚀等损害。

第二部分　专业核心知识点

本章专业核心知识点包括以下内容：

1.矿用电气设备的类型及标志。

2.矿用隔爆型、本质安全型、增安型电气设备的结构、原理、完好标准及检查要求。

3.矿用隔爆型电气设备的常见失爆现象。

4.矿用隔爆型电气设备失爆现象的分析。

第三部分　专业技能训练

技能一　矿用隔爆型电气设备的维护

要使矿用隔爆型电气设备具有防爆性能，必须加强维护、精心保养隔爆外壳及隔爆接合面。

1.做好防水、防潮工作，防止接合面锈蚀。

2.定期清除隔爆外壳及隔爆面上的煤粉尘。

3.对于螺栓连接的隔爆接合面，打开时，要将全部螺栓松动后，再将盖揭开，以防损伤接合面。

4.检修时要特别注意防止铁屑、砂子等刮伤接合面或检修工具碰伤接合面。

5.检修完毕，要注意隔爆面的防锈处理，并用塞尺检查所有隔爆间隙是否符合要求，对于不合格者，必须立即查明原因并进行处理，严禁投入使用。

6.开闭盖时不能用锤子、铁棍等敲打隔爆外壳。

7.防止矸石、铁器等对外壳的碰、砸，以免造成变形。

8.搬迁、移动电气设备时，不要连滚带拽地挪动，防止损坏外壳。

技能二　本质安全型电气设备的维护

本质安全型电气设备的维护除了应遵守矿用隔爆型电气设备的维护要求外，还应该注意：

1.为了防止静电感应或电磁感应影响本质安全型电气设备，应尽量远离大功率电气设备。

2.定期检查本质安全型电气设备保护电路的整定值和动作可靠性。

3.禁止用非防爆仪表测量本质安全电路。

4.更换本质安全电路及关联电路中的电气元件时，不得改变电气参数和本质安全性能，也不得改变规格、型号。

技能三　矿用隔爆型电气设备的防爆及失爆现象的判断处理

该部分内容已在本章系统理论部分中详细作了介绍。

复习题

1.矿用防爆型电气设备有哪些类型？其标志符号各是什么？说明其特点及适用范围。

2.什么是隔爆型电气设备的耐爆性和隔爆性？如何保证这两个性能？

3.隔爆接合面的防锈处理法有哪几种？

4.电气设备常见的失爆现象有哪些？

讨论题

1.煤矿井下工作条件对矿用电气设备有哪些要求？

2.如何保证防爆电气设备的防爆性能？

3.防爆电气设备入井前应做哪些检查？检查时应注意什么问题？

第八章　煤矿常用电工工具、测量仪器、仪表

第一部分　系统理论知识

第一节　煤矿常用电工工具

煤矿常用电工工具是指专业电工一般都要运用的工具,包括验电器、旋具、电工刀、电工用钳、电烙铁、压接钳、手电钻等。电工工具是电气操作的基本工具,操作人员必须掌握电工常用工具的结构、性能和正确的使用方法。

常用电工工具基本分为三类:通用电工工具(测电笔、螺丝刀、钢丝钳、活络扳手、电工刀、剥线钳等)、线路装修工具(电工用凿、冲击电钻、管子钳、剥线钳、紧线器、弯管器、切割工具、套丝器具等)、设备装修工具(用于拆卸轴承、连轴器、皮带轮等紧固件的拉具,安装用的各类套筒扳手及加热用的喷灯等)。

一、测电笔

测电笔是检验低压导线、电器和电气设备是否带电的一种电工常用工具。笔体中有一氖泡,测试时如果氖泡发光,说明导线有电,或者为通路的火线。

使用测电笔时,人手接触电笔的部位一定在测电笔顶端的金属,而绝对不是测电笔前端的金属探头。笔握好以后,用笔前端的金属探头笔尖去接触测试点,并同时观察氖管是否发光。如果氖管发光微弱,切不可断定不带电,也许是测电笔的金属探头笔尖或被测带电体测试点有污垢,也可能测试的是带电体的地线,这时必须擦干净测电笔或者重新选测试点。反复测试后,氖管仍然不亮或者微亮,才能最终确定不带电。

使用时应注意:

1.测电笔是否完整无损,并在已知电源上试一下,检验其是否损坏。

2.使用测电笔时,氖管小窗要背光,以便看清它测出带电体带电时发出的红光。

3.为防止人身触电和短路,使用时应注意防止人手或别的导体与笔尖相碰。

4.要防止测电笔受潮或强烈震动,平时不得随便拆卸。

二、螺丝刀

螺丝刀又名改锥、起子。按照其头部形状不同可分为一字形和十字形改锥。

一字形螺丝刀以柄部以外的刀体长度表示规格,单位为mm,电工常用的有100mm、

150mm、300mm 等几种。

十字形螺丝刀按其头部旋动螺钉规格的不同，分为四个型号：Ⅰ、Ⅱ、Ⅲ、Ⅳ号，分别用于旋动直径为2~2.5mm、6~8mm、10~12mm等的螺钉。其柄部以外刀体长度规格与一字形螺丝刀相同。

使用螺丝刀时，应按螺钉的规格选用合适的刀口。

三、电工刀

电工刀主要用于剖削导线绝缘层、剖削电线头、削制木榫、切割木台缺口等。刀柄处没有绝缘，不能用于带电操作。使用时刀口应朝外，以免伤手。剖削导线绝缘层时，刀面与导线应成锐角倾斜切入，以免割伤芯线。

四、钢丝钳、剥线钳

钢丝钳俗称钳子，是电工用于剪切或夹持导线、金属丝、薄工件的常用钳类工具。

钢丝钳由钳头和钳柄组成，其中钳头上的钳口用于弯绞和钳夹线头或其他金属、非金属物体；齿口用于旋动螺钉螺母；刀口用于切断电线、削剥导线绝缘层等。铡口用于铡断硬度较大的钢丝、铁丝等。

钢钳丝按钳头形状可分为尖嘴钳、断线钳。

尖嘴钳头部尖细，适用于在狭小空间操作。主要用于切断较小的导线、金属丝、夹持小螺钉、垫圈，并可将导线端头弯曲成形。

断线钳(斜口钳、偏嘴钳)，专门用于剪断较粗的电线，其柄部带有绝缘管套。

剥线钳主要用于削剥直径较小导线的塑料或橡胶绝缘层。

注意：使用钢丝钳、剥线钳前应检查绝缘套是否完好，绝缘套破损的钳不能使用。在切断导线时，不得将相线或不同相位的相线同时在一个钳口处切断，以免发生短路。

第二节　测量仪器、仪表

煤矿常用的电工测量仪器、仪表有电流表、电压表、兆欧表、万用表、接地电阻测量仪、塞尺、游标卡尺及千分尺等。

一、万用表

万用表又叫万能表，由于它测量功能多，携带方便，所以是煤矿电气检修、安装人员使用的基本测量工具之一。万用表可以用来测量直流电流、直流电压、交流电流、交流电压、电阻、电容、电感、阻抗及晶体管的参数及检测线路故障等。

(一)万用表的组成

万用表种类很多，有数字式、机械指针式万用表等，尽管外形各异，但基本结构和使用方法是相同的。机械指针式万用表由于指示准确、稳定，适合大量程测量，所以得到了广泛应用。目前煤矿广泛使用的万用表主要是MF500型，它由表头、测量电路、两个选择开关及表笔插孔等组成。

1.表头

指针式万用表头的满刻度偏转电流一般为几个微安到数百微安。满刻度偏转电流越小,则灵敏度越高,表头特性就越好。万用表的表盘印有多种符号、刻度线和数值。如:符号A-V-Ω表示这只表可以测量电流、电压和电阻。表盘上印有多条刻度线,其中标有“Ω”的是电阻刻度线,其一端为零,另一端为∞(无穷大),刻度值分布是不均匀的;符号“-”或“DC”表示直流,“~”或“AC”表示交流,“$\underset{\sim}{-}$”表示交流和直流共用的刻度线。刻度线下的几行数字是与选择开关的不同档位相对应的刻度值。

表头上还设有各档零位调整旋钮,用以校正指针零位。

2.测量线路

一般万用表的测量线路是以直流电流为基础的,将其他被测参数转化为直流,然后进行测量。

3.选择开关

万用表的选择开关是一个多档位的旋转按钮,通过选择开关实现对不同测量项目及量程的测量目的。一般的万用表的每个测量项目又划分为几个不同的量程以供电气人员选择。

4.表笔和表笔插孔

表笔分为红、黑二支。使用时应将红色表笔插入标有“+”号的插孔,黑色表笔插入标有“-”或“×”号的插孔。

(二)万用表的使用注意事项

1.测试前,首先把万用表置于水平状态以免造成误差,表针应处于零点,若表针不处于零点,则应采用平口起子调整表头下方的“机械零位调整”,使表针回零(一般不必每次都调)。

2.一般红色表笔要插入正极插口,黑色表笔要插入负极插口,如果位置接反,将会测试错误或烧坏表头。

3.根据被测量项目,正确选择万用表上的测量项目及量程选择开关。如测量电压时应将转换开关放在相应的电压档,测量电流应放在相应的电流档等。如已知被测量的数量级,则选择与其相对应的量程即可;如不知被测量值的数量级,则应从选择最大量程开始测量,当指针偏转太小而无法精确读数时,再把量程减小。一般以指针偏转角不小于最大刻度的2/3为合理量程。

4.使用欧姆档测量时,应注意倍率档选择,并且不要忘记进行调零。测量中应尽量使指针指在刻度较稀的部分,指针越接近中心位置,读数越准。应特别注意,欧姆档绝不能带电测量,否则外加电压不仅使测量结果错误,而且可能烧坏表头。

5.万用表上有多条刻度线,它们分别适用于不同的被测对象。测量时应在对应的刻度尺上读数,读数时视线应和表盘刻度线垂直,同时还应注意读数和量档的配合,避免出错。

6.在测量某被测量项目时,不能在测量的同时换档,尤其是在测量高电压或大电流时更应注意,否则会使万用表毁坏。如需换档,应先断开表笔,换档后再去测量。

7.万用表使用完毕，应将量程选择开关置于交流电压最高档或空档。

8.在测量过程中，为了保证测量准确及人身安全，不要用手去接触表笔的金属部分。

(三)万用表的使用

1.测量电阻值

将旋钮调到合适的电阻档后，将两表笔短接，看一看指针是否指在刻度盘的电阻刻度零位，如指针不在零位，调节欧姆调零电位器使指针指在电阻刻度零位。

注意：每换一次电阻档后都要先进行欧姆调零；选电阻档原则是尽可能使指针指在刻度的20%~80%弧度范围内；测量电路中的电阻阻值时，要求被测电路不带电。

测量时两手手指不要分别接触表笔与电阻的引脚，以免人体电阻的分流作用而产生测量误差。

2.测量电流值

将旋钮调到合适的电流档，然后将万用表两表笔按正负极性串联接到被测电路上，根据刻度就可读出被测的电流值。

测量时应注意：把万用表串接在被测电路中时，应把红表笔接电流流入的一端，黑表笔接电流流出的一端。如果不知被测电流的方向，可以在电路的一端先接好一支表笔，另一支表笔在电路的另一端轻轻地碰一下，如果指针向正常读数方向摆动，说明接线正确；如果指针低于零点反向摆动，说明接线不正确，应把万用表的两支表笔位置调换。

3.测量电压值

电压值测量分直流电压和交流电压的测量。

测量时将万用表红表笔插入“+”插口，黑表笔插入“-”或“×”插口，转换旋钮至合适的电压档，然后将两表笔并联接到被测电路两端，视线和表盘刻度线垂直，读出刻度盘上电压值。

选择电压档时应注意，当不能预计被测电压数值时，先选最大量程，然后根据指示值大约数值，再选择适当的量程，使指针的偏转角度为最大刻度的2/3以保证读数准确；当指针反向摆动时，说明接线不正确，这时将与被测电路相碰的表笔互换就可测出数值。

4.晶体管的测量

把万用表的量程转换到欧姆档R×100或R×1K档来测量二极管。不能用R×10，R×10K档。因为两者一个电阻太小，一个电阻太大，前者通过二极管的电流太大，易损坏二极管，后者则因为内部电压较高，容易击穿耐压较低的二极管。如果测出的电阻只有几百欧到几千欧(正向电阻)，则应把红、黑表笔对换一下再测，如果这时测出的电阻值应是几百千欧(反向电阻)，说明这只二极管可以使用。当测量正向电阻值时，红表笔所测的那一头是二极管的负极，而黑表笔所测的一头是该二极管的正极(二极管的单向导电特性)。通过测量正反向电阻值，可以检查二极管的好坏，一般要求正向电阻越小越好，反向电阻则是越大越好。

二、兆欧表

兆欧表又称摇表、高电阻表和迈格表，它是用来测量大电阻和绝缘电阻的，它的计量单位是兆欧(MΩ)。

兆欧表的接线柱有三个，上面标有“线路”(L)、“接地”(E)、“屏蔽保护”(G)。

1.兆欧表的选用

兆欧表的选用主要是选择其额定电压及测量范围，以使其与被测的电气设备或线路相适应。

一般选择兆欧表额定电压的原则：选用时为了安全，切不可选用电压过高的兆欧表，以免将被测设备的绝缘击穿。同样不能选用电压太低的兆欧表，否则这样测量的结果，不能真实反映被测设备或线路在额定工作电压下的绝缘电阻。测量500 V以下的电气设备或线路的绝缘电阻时，选用500V或1000 V的兆欧表；测量500 V以上的电气设备或线路的绝缘电阻时，应选用1000V或2500V的兆欧表。

选择兆欧表测量范围时，要使测量范围适应被测绝缘电阻的数值以免读数时产生较大的误差。如用于测定处在潮湿环境中的低压电气设备的绝缘电阻(这种设备的绝缘电阻有有可能小于1 MΩ)，而选用读数不是从零开始，而是从1 MΩ或2 MΩ开始，兆欧表测量可能得不到读数，容易误认为绝缘电阻为零，而得出错误结论。

2.兆欧表的使用注意事项

(1)测量前，应将被测设备表面擦拭干净，以免漏电影响测量结果。使用兆欧表时，要放置平稳，以免摇动发电机手柄，表身晃动而影响读数。有水平调节的兆欧表，要先调好水平位置。

(2)未接线前，应先摇动兆欧表达到额定转速，观察指针是否在“∞”处，然后将“线路”(L)与“接地”(E)两接线柱短接，慢慢摇动兆欧表，观察指针是否在零处，经检查后，证明兆欧表完好方可进行测量。

(3)为避免测量数据不准确，测量时引线应使用专用的测量线，或绝缘强度较高的两根单芯多股软线，不应使用绞型绝缘软线。

(4)测量时，被测电气设备必须与电源断开，对大容量的设备或线路进行绝缘测量前，必须先进行放电以免发生触电事故，同时在测量中禁止他人接近被测设备。

(5)测量时应记录测量物周围的温度和湿度，以便于事后对绝缘电阻进行分析。

(6)在兆欧表没有停止摇动和设备未放电以前，禁止用手去触及测量部分和兆欧表的接线柱，以免发生触电事故。

(7)测量时，仪表放置地点应远离有大电流流过的导体和有强磁场的场所，以免影响测量结果。

(8)测量时，为了避免指针摆动，摇动手柄要由慢到快，不要忽快忽慢，应使兆欧表保持额定转速120 r/min，持续1min，待兆欧表指针稳定后读数较准确。

3.兆欧表的使用

(1)测量电力线路或照明线路的绝缘电阻时，将兆欧表接线柱“L”接被测线路，将兆欧表接线柱“E”接地。按顺时针方向由慢到快摇动手柄，持续1min后读数，这时读出的数值即被测线路的对地绝缘电阻值，单位兆欧(MΩ)，如图8-1所示。

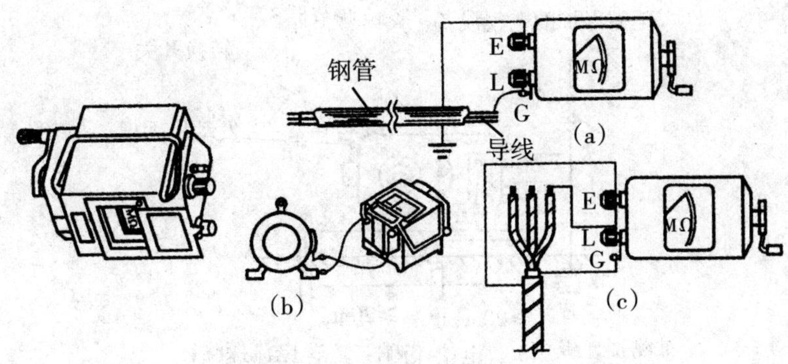

图8-1　兆欧表的接线方法

(a)测量照明或动力线路绝缘电阻；(b)测量电机绝缘电阻；(c)测量电缆绝缘电阻

(2)测量电缆的对地绝缘电阻时，为使测量结果准确，消除线芯绝缘层表面漏电所引起的测量误差，还应将兆欧表接线柱"G"接到电缆的绝缘层上，接线柱"L"接电缆芯线。按顺时针方向由慢到快摇动手柄，持续1min后读数，这时读出的数值即为被测电缆该芯线的对地绝缘电阻值，单位兆欧(MΩ)。

(3)测量电动机的绝缘电阻时，将兆欧表接线柱"L"接电机绕组，将兆欧表接线柱"E"接地(外壳)。按顺时针方向由慢到快摇动手柄，持续1min后读数，这时读出的数值即为电动机的绝缘电阻，单位兆欧(MΩ)。

三、接地电阻测量仪

接地电阻测量仪也叫接地兆欧表，它是用来测定煤矿井下电气设备保护接地的接地电阻值的测量仪表。主要由手摇发电机、电流互感器、电位器、电位辅助极等组成。

常用的接地电阻测量仪有ZC-8型、ZC-18型，ZC-18型为矿用本质安全型接地电阻测量仪。下面主要介绍ZC-18矿用本质安全型接地电阻测量仪的使用。

ZC-18矿用本质安全型接地电阻测量仪有3端钮(C、P、E)型及4端钮($C_1P_1C_2P_2$)型。有4个端钮时如图8-2所示，应将端钮P_2和C_2短接后再接至被测的接地体。3端钮接地电阻测量仪的C_2P_2已在内部短接，故只引出一个端钮E，测量时直接将E接至被测接地体即可。

(一)准备

1.准备测量时所必需的工具及仪器，并将接地探针表面影响导电能力的污垢及锈渍清理干净。

2.使被测接地极E'脱离所有连接关系成为独立体。

3.在测量前应将仪表放平，然后调零，使零位调节器S_0指针指在零位上(中间红线上)。

(二)测量

1.将两个接地探测针P'、C'沿接地体辐射方向分别插入距接地体大于20m、40m的地下，P '位于中间，插入深度为400mm，如图8-2所示。

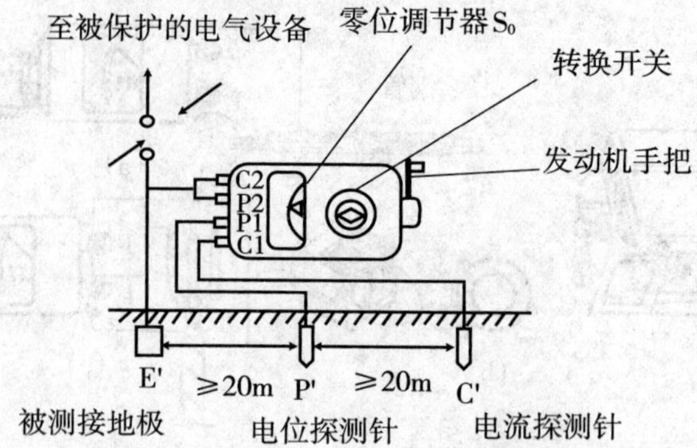

图8-2　四端钮接地电阻测量仪操作示意图

2.将接地电阻测量仪平放于接地体附近，并进行接线，接线方法如下：

(1)四端钮的测量仪用专用导线将接地测量仪的接线端钮P_2和C_2短接后的公共端与接地极E '相连；三端钮的测量仪用专用导线将接地测量仪的接线端钮E与接地极E '相连。

(2)用专用导线将电流探测针与测量仪的接线钮"C_1"（四端钮）或C（三端钮）相连。

(3)用专用导线将电位探测针与测量仪的接线端"P_1(P)"相连。

(4)将转换开关的"倍率标度"（粗调旋钮）置于最大倍数档，并慢慢地转动发电机手把，指针开始偏移，同时旋动转换开关的"测量标度盘"（细调旋钮），使检流计指针逐渐返回零位，即指向中心线（零位）。

(5)当检流计的指针接近于零位时，加快摇动发电机手把转速，使其转速达到120r／min以上，同时调整"测量标度盘"（细调旋钮），使指针指向中心线（零位）。此时指针所指刻度盘上的数值即为测量所得的读数。

(6)读出准确读数并计算测量结果，即接地电阻值为"倍率标度"读数乘以"测量标度盘"读数。

注意：如果"测量标度盘"（细调旋钮）的读数小于1不易读准确时，说明倍率标度倍数过大。此时应将"倍率标度"开关置于较小的一档，重新进行测量并读出准确读数，计算测量结果。

测量多接地点的保护接地网的接地电阻时，应取2个至3个测量点测量，然后取其平均值，以消除不同测量点的接触电阻、仪表安放位置、探针不同位置等原因引起的误差。禁止在有雷电或被测对象带电时进行测量。

ZC-18矿用本质安全型接地电阻测量仪主要规格及量程如下表：

ZC-18矿用本质安全型接地电阻测量仪主要规格及量程

规格	量程	最小分格值
1-10-100	0～1 Ω	0.01 Ω
0～10	4 Ω	0.1 Ω
0～100	6 Ω	1 Ω
10-100-1000	8 Ω	0.1 Ω
0～100 Ω	1 Ω	
0～1000 Ω	10 Ω	

四、游标卡尺

游标卡尺是煤矿测量钢丝绳实际直径的测量仪器，测量钢丝绳实际直径时，要用合适的游标卡尺，即游标卡尺的钳口宽度不得小于相邻两股的宽度。1987年冶金部标准所在湖北召开的钢丝绳标准审定会上通过的新钢丝绳国家标准中，对钢丝绳实际直径的测量，亦作出同样规定。

（一）游标卡尺组成和各部件的用途

游标卡尺是工业上常用的测量长度的仪器，它由尺身及能在尺身上滑动的游标组成，如图8-3所示。游标与尺身之间有一弹簧片，利用弹簧片的弹力使游标与尺身紧紧靠拢。游标上部有一紧固螺钉，可将游标固定在尺身上的任意位置。松开紧固螺钉，可以推动游标。测量后将紧固螺钉拧紧，保持游标不动再进行读数。尺身和游标都有量爪，利用内测量爪可以测量槽的宽度和管的内径，利用外测量爪可以测量零件的厚度、宽度和管的外径。深度尺与游标尺连在一起，可以测槽和筒的深度和高度。

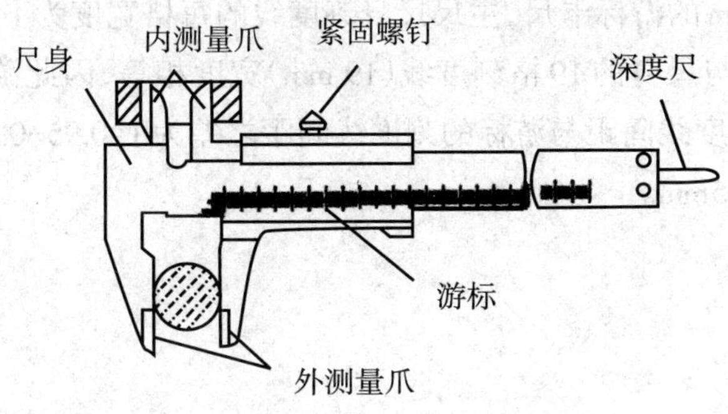

图8-3　游标卡尺

（二）游标卡尺的读数

尺身和游标上面都有刻度。游标卡尺能够测出的最小尺寸就是游标卡尺所能测量的精度。游标卡尺有0.1mm、0.05mm和0.02mm三种最小读数值，也就是能测量三种精度。

以精确到0.1mm的游标卡尺为例，尺身上的最小分度是1mm，游标尺上有10个小的等分刻度，总长9mm，每一分度为0.9mm，与主尺上的最小分度相差0.1mm。量爪并拢时尺身和游标的零刻度线对齐，它们的第一条刻度线相差0.1mm，第二条刻度线相差0.2mm，第三条刻度线相差0.3mm……第10条刻度线相差1mm，即游标的第10条刻度线恰好与主尺的9mm刻度线对齐。

当测量爪间所量物体的宽度为0.1mm时，游标尺向右应移动0.1mm。这时它的第一条刻度线恰好与尺身的1mm刻度线对齐，说明两量爪之间有0.1mm的宽度。同样当游标的第六条刻度线跟尺身的6mm刻度线对齐时，说明两量爪之间有0.6mm的宽度……以此类推。

在测量大于1mm的长度时，整的毫米数从游标"0"线与尺身相对的刻度线读出，然后看游标上第几条刻度线与尺身的刻度线对齐，读出小数部分。

(三)游标卡尺的使用

1.使用前用软布将量爪擦干净，使其并拢，查看游标和主尺身的零刻度线是否对齐。如果对齐就可以直接进行测量，如没有对齐则要记取零误差。游标的零刻度线在尺身零刻度线右侧的为正误差，在尺身零刻度线左侧的叫负误差(这件规定方法与数轴的规定一致)。

2.测量时，右手拿尺身，大拇指移动游标，左手拿待测物体，使待测物位于测量爪之间，当与测量爪紧紧相贴时，即可读数。读数时先读尺身上的整数部分，再读游标上的小数部分。

3.计算出测量结果。测量结果 = 整数部分 + 小数部分 - 零误差

(四)游标卡尺的读数方法举例

常用游标尺的读数值有0.1mm、0.05mm和0.02mm三种，其读数方法如下：

1.例1 图8-4 、图8-5所示为用0.05mm游标卡尺进行测量

(1)检查零误差、熟悉卡尺及精度。

图8-4中，0.05mm的游标卡尺，主尺尺身刻度线的每格宽度为1mm，游标上共有20格刻度线，第20刻度线与尺身的19格刻度线(19 mm)宽度相等，因此游标上每格宽度为19/20=0.95mm，主尺的刻度线间距与游标的刻度线间距之差为1-0.95=0.05mm，即游标的读数精度值(分度值)为0.05mm。

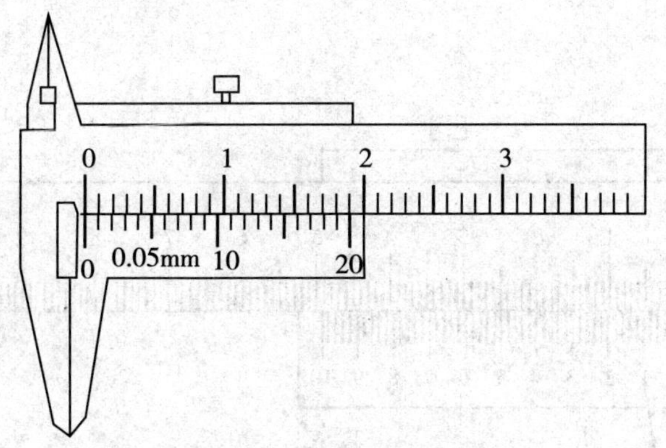

图8-4　0.05mm游标卡尺

判断游标卡尺精度值也可采用以下简单方法：先确定游标上的格数*n*（可直接读出），精度值（分度值）等于游标格数的倒数，即i=1/n。

如果游标部分格数为50，则游标卡尺精度值分度值为i=1/50=0.02mm。

测量前，该游标零刻度线和主尺身的零刻度线是对齐的，表示没有零误差。

（2）测量。

图8-5中，先读整数，即看游标零线的左边，主尺上与游标零线最近的一条刻度线的数值为5mm。再读小数，即看游标零线的右边，游标第19条刻度线与主尺刻度线对齐，则被测圆柱体的小数部分为19×0.05=0.95 mm。

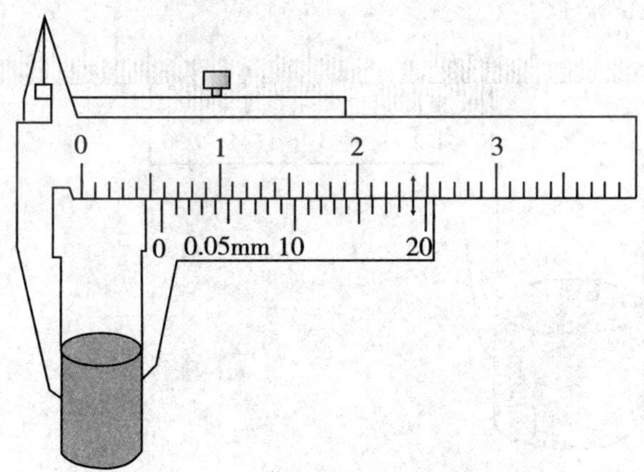

图8-5　用0.05mm游标卡尺进行测量圆柱

（3）计算出测量结果。

测量结果 = 整数部分 + 小数部分 − 零误差

卡尺测得的尺寸为5+0.95−0=5.95mm。

为了测量准确，有时需测量几次取平均值，但不需要每次都减去零误差，只要从最后结果减去零误差即可。

2.例2 图8−6、图8−7所示为用0.02mm游标卡尺进行测量

（1）检查零误差、熟悉卡尺及精度。

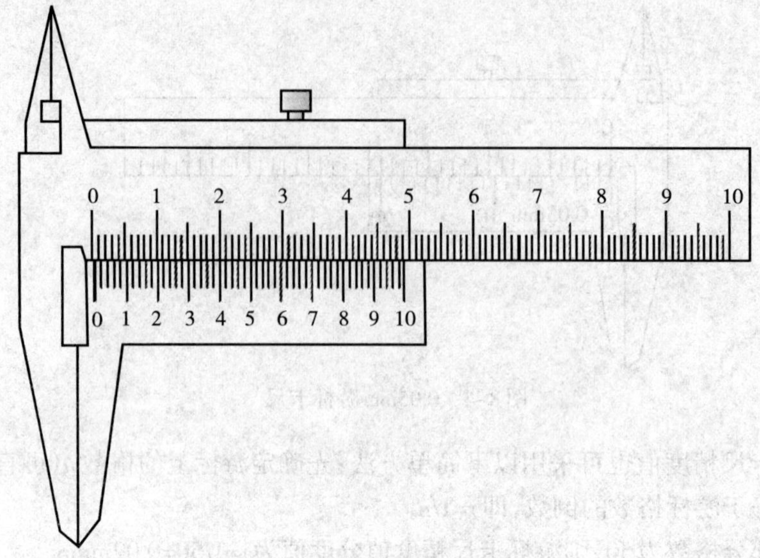

图8-6 0.02mm的游标卡尺

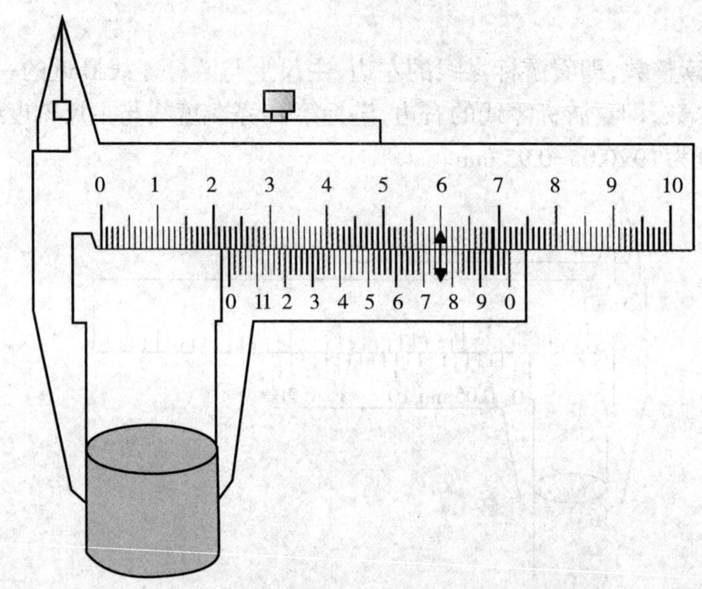

图8-7 用0.02mm游标卡尺进行测量

图8-6中，0.02mm的游标卡尺，尺身刻度线的每格宽度为1mm，游标上共有50小格刻度线与尺身的49格刻度线宽度相等，因此游标上每小格宽度为49/50=0.98mm，主尺的刻度线间距与游标的刻度线间距之差为1−0.98=0.02 mm，即游标的读数精度值（分度值）为0.02mm。

测量前，该游标和主尺身的零刻度线是没有对齐的（图8-6），游标零刻度线在主尺身右侧，再观察发现，该游标第16刻度线与主尺身刻度线对齐，因此零误差为+0.32 mm（16×0.02）。

（2）测量。

图8-7中，先读整数，即看游标零线的左边，主尺上与游标零线最近的一条刻度线的数值为22mm。再读小数，即看游标零线的右边，游标第38条刻度线与主尺刻度线对齐，则此时测量爪之间的小数部分为38×0.02=0.76 mm。

（3）计算出测量结果。

测量结果＝整数部分＋小数部分－零误差

卡尺测得的尺寸为22+0.76−0.32=22.44mm。

同样，为了测量准确，有时需测量几次取平均值，但不需要每次都减去零误差，只要从最后结果减去零误差即可。

（五）游标卡尺的检查、使用、维护保养

游标卡尺是比较精密的测量工具，为保证测量的精度，防止损坏卡尺，应加强对游标卡尺的检查、使用、维护保养。

1.游标卡尺的检查

（1）使用前要进行检查量爪测量面和测量刃口是否平直无损，将两量爪贴合时应无漏光现象，游标应活动自如。

（2）不可用砂布或普通磨料来擦刻度尺表面及量爪测量面的锈迹和污物，应用软布进行擦拭。

2.使用时应注意

（1）测量时，应先拧松紧固螺钉，移动游标不能用力过猛。两量爪与待测物的接触不宜过紧，不能使被夹紧的物体在量爪内强行挪动。

（2）测量物体外尺寸时，两量爪应张开到略大于被测物体外尺寸，然后再进行测量工作。以尺身量爪贴靠被测物体，用轻微的推力把游标活动量爪推向被测物体，卡尺测量面的连接线应垂直于被测量表面，不要歪斜。

（3）测量物体内尺寸时，两量爪应张开到略小于被测物体尺寸，然后再进行测量内孔尺寸，这时再慢慢张开并轻轻地接触被测物体的内表面，两测量刃应在孔的直径上，不要偏歪以免测量值不准确。

（4）为防止滑动，可用紧固螺钉将游标固定在尺身上再读数，读数时视线应与尺面垂直。

3.游标卡尺的维护保养

（1）测量结束时，为避免尺身弯曲变形要把卡尺平放。

（2）带深度尺的游标卡尺，使用完毕应将测量爪合拢，以免深度尺变形、折断。

（3）测量结束长时间不用，要把游标卡尺擦干净并涂上黄油或机油，放置在专用盒内，防止生锈、损坏。

（4）游标卡尺受损后，不允许用锤子、锉刀等工具自行修理，应由专门修理部门修理，并经鉴定合格后方能使用。

（5）不准把卡尺的两个量爪当扳手或画线工具使用，也不准将卡尺在被测件上使劲推拉，以免磨损卡尺，影响测量精度。

五、塞尺

塞尺又叫厚薄规(如图8-8所示),由不同厚度的钢片组成,是用于检验间隙的测量工具之一,在煤矿井下常用来检查电气设备隔爆间隙的大小。其横截面为直角三角形,在斜边上有刻度,利用直角三角形正弦定理直接将短边的长度表示在斜边上,这样就可以直接读出间隙的大小了。

塞尺使用前必须先清除塞尺和工件上的污垢与灰尘。使用时可根据实际用一片或数片重叠插入间隙,当然片数愈少测量的精度愈高,以有拖滞感为宜,这时,组合的钢片厚度和就是间隙的大小。测量时动作要轻,不允许强行插入,以免塞尺弯曲变形甚至折断,也不允许测量温度较高的零件。

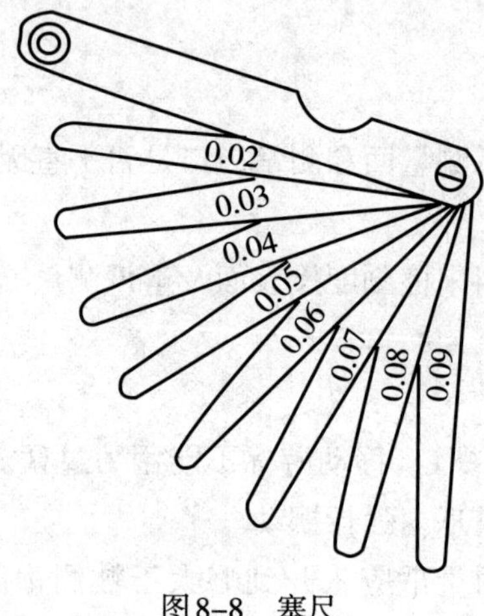

图8-8　塞尺

第二部分　专业核心知识点

本章专业核心知识点包括以下内容：

1.接地电阻测量仪的使用及注意事项。
2.兆欧表的使用及注意事项。
3.万用表的使用及注意事项。
4.测电笔的使用及注意事项。
5.使用万用表测量电阻、电流、电压值的方法。
6.塞尺的使用。

第三部分　专业技能训练

技能一　接地电阻测量仪的使用(见图8-2)

1.准备接地电阻测量仪、接地探针、专用导线三根。

2.将接地探针表面影响导电能力的污垢及锈渍清理干净。

3.将被测接地极脱离所有连接关系成为独立体。

4.将接地电阻测量仪放平,然后调零,使零位调节器指针指在零位上(中间红线上)。

5.将两个接地探测针P '、C '沿接地体辐射方向分别插入距接地体不小于20m、40m的地下,P '位于中间,插入深度为400mm。

6.四端钮的测量仪用专用导线将接地测量仪的接线端钮P_2和C_2短接后的公共端与接地极E '相连;三端钮的测量仪用专用导线将接地测量仪的接线端钮E与接地极E '相连。

7.用专用导线将电流探测针与测量仪的接线钮“C_1”(四端钮)或C(三端钮)相连。

8.用专用导线将电位探针测量探针与测量仪的接线端“P_1(P)”相连。

9.将转换开关的“倍率标度”置于最大倍数,并慢慢地转动发电机手把,指针开始偏移,同时旋动转换开关的“测量标度盘”(细调旋钮),使检流计指针指向中心线(零位)。

10.当检流计的指针接近于中间零位时,加快摇动发电机手把转速,使其转速达到120r / min以上,同时调整“测量标度盘”(细调旋钮),使指针逐渐返回零位指向中心线(零位)。

11.读出准确读数并计算测量结果。

12.取多个测量点按照上述步骤进行测量。

13.取其平均值。

技能二　兆欧表的使用(见图8-1)

1.测量电力线路或照明线路的绝缘电阻

(1)将兆欧表接线柱“L”接被测线路,将兆欧表接线柱“E”接地。

(2)按顺时针方向由慢到快摇动手柄,持续1min以上。

(3)读数即为被测线路的对地绝缘电阻值,单位兆欧(MΩ)。

2.测量电缆的对地绝缘电阻

(1)将兆欧表接线柱“L”接被测相,将兆欧表接线柱“E”接地。

(2)将兆欧表“屏蔽保护”接线柱“G”接到电缆的绝缘层上。

(3)按顺时针方向由慢到快摇动手柄,持续1min以上。

(4)读数即为被测电缆该芯线的对地绝缘电阻值,单位兆欧(MΩ)。

3.测量电动机的绝缘电阻

(1)将兆欧表接线柱“L”接电机绕组,将兆欧表接线柱“E”接地。

(2)按顺时针方向由慢到快摇动手柄,持续1min以上。

(3)读数即为电动机的绝缘电阻,单位兆欧(MΩ)。

上述测量,必须在断开被测电路或被测体,使其不带电的前提下才可以进行。

技能三　万用表的使用

1.电阻值的测量

(1)断开被测电路,使其不带电。

(2)将旋钮调到合适的电阻档,尽可能使指针指在刻度的2/3左右弧度范围内。

(3)将两表笔短接,看一看指针是否指在刻度盘的电阻刻度零位,如指针不在零位,调节欧姆调零电位器使指针指在电阻刻度零位。

(4)将两表笔分别接触被测电阻。

(5)视线和表盘刻度线垂直,读出刻度盘Ω标度尺指示值,即为测量的电阻值。

2.测量电流值

(1)断开被测电路,使其不带电。

(2)将旋钮调到合适的电流档。

(3)将万用表红表笔接到被测电路电流流入的一端,黑表笔接电流流出的一端。

(4)视线和表盘刻度线垂直,读出刻度盘电流标度尺指示值,即为测量的电流值。

3.测量电压值

(1)断开被测电路,使其不带电。

(2)将旋钮调到合适的电压档量程。

(3)将万用表红表笔插入"+"插口,黑表笔插入"-"或"×"插口。

(4)将两表笔并联接到被测电路两端。

(5)视线和表盘刻度线垂直,读出刻度盘电压标度尺指示值,即为测量的电压值。

技能四　测电笔的使用

1.检查试电笔的适用电压是否高于欲测试的带电体的电压,从外观上检查试电笔是否有破裂损坏,有无受潮或进水。擦净测电笔的金属探头笔尖或被测带电体测试点污垢。

2.笔握好,人手接触电笔的顶端。

3.用笔前端的金属探头笔尖去接触测试点,并同时观察氖管是否发光。

4.如果氖管不亮或发光微弱,就表示不带电;如果氖管亮,就表示带电。

复习题

1.使用测电笔时应注意些什么?

2.煤矿常用的电工测量仪器、仪表有哪些? 各有哪些用处?

3.使用万用表时应注意些什么?

4.万用表可以测量哪些参数?

5.如何使用万用表测量电阻、电流、电压值?

6.兆欧表是用来测量什么参数的?

7.使用兆欧表时应注意些什么?

8.如何使用兆欧表测量电力线路或照明线路的绝缘电阻、电缆的对地绝缘电阻、电动机的绝缘电阻?

9.使用接地电阻测量仪怎样测量接地电阻值?

10.游标卡尺的作用是什么?

11.怎样使用游标卡尺对钢丝绳直径进行测量?

12.塞尺在煤矿井下主要是用来干什么的?

讨论题

1.煤矿常用的电工工具有哪些? 各有哪些用处?

2.使用接地电阻测量仪测量接地电阻阻值时,接地探针、专用导线的选用应注意什么?

3.使用塞尺前应做哪些准备工作?

第九章　新技术、新设备、新工艺

矿用一般兼矿用本质安全型智能综合保护器简介

一般兼矿用本质安全型智能综合保护器(以下简称智能保护器)是针对煤矿供电系统研发的新一代矿用保护器，适用于10kV、6kV电网中性点不接地供电系统或中性点经消弧线圈接地系统。

DSI智能保护器具备完善的保护、测量、控制与监视功能。除此以外，特别针对煤矿井下供电系统普遍存在线路短、多级变电所级联的特点，装置具有防越级跳功能。当故障发生后，除了本级保护出口外，同时亦可防止上级保护的越级跳闸，使得供电范围扩大，供电时间缩短，有效提高了安全生产效率。

智能保护器也可以接入煤矿供电监控系统中，既能够把井下电气设备的电气参数、设备运行参数、电量信息、故障信息及故障录波等相关工况数据及时发送到地面调度中心，同时也可以接收地面调度主站发出的遥控分、合闸，定值设定和信号复归等命令，实现高压开关的遥控、遥测、遥信等功能。

智能保护器可安装在各系列矿用隔爆型高压开关内或者矿用一般型配电柜内，可替代各种老式模拟保护器和数码显示电脑保护器，实现老开关的改造、更新，保证井下电网的安全运行。

一、产品型号及其意义

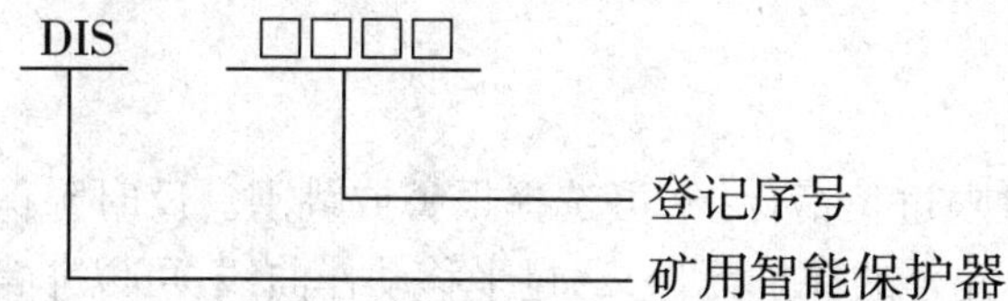

二、防爆型式及防爆标志

防爆型式：一般兼矿用本质安全型；

防爆标志：[Exib]I。

三、安装条件

10(6)kv智能保护器是隔爆兼本质安全型高压真空配电装置腔内的一个关联设备。不能独立工作，使用时需安装于隔爆兼本安型配电装置的隔爆腔内，用于爆炸性气体(甲烷混合物)矿井中。

保护器的通讯接口电路(以太网电口)采用本安型设计。通讯接口自身能量水平很低,在正常工作或故障条件下,均低于点燃爆炸性气体的临界条件。能够保证不对其他关联设备带来任何影响,很大程度上提高了整个系统的安全型。

四、功能原理

1.三段式定时限过流保护

装置设置三段定时限三相过流保护,每段过流保护均带一个时限,任一相电流大于整定值,保护经整定延时跳闸。

如果线路本身负荷比较大,诸如当线路上有很多电动机负载,并同时启动时,纯过流保护很容易动作。当加上低电压闭锁判据时就可以判断是否真正发生短路故障,真正发生短路故障时,电压会急剧下降,如果只是电流大于定值,而电压正常,就表示线路没有故障,保护不动作。如果电流大于定值的同时电压也低于定值,此时保护跳闸。

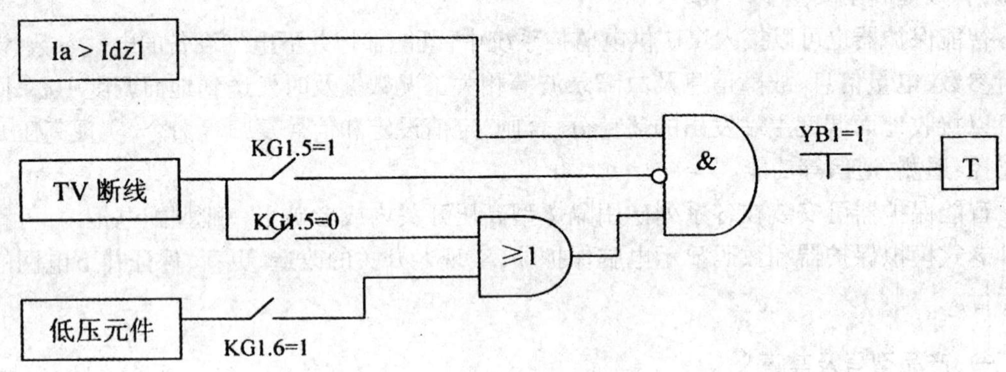

图1　A相过流I段逻辑图

2.反时限过流保护

装置设置有反应过载的反时限过负荷保护,可选择报警或跳闸。反时限保护是动作时限与被保护线路中电流大小自然配合的保护元件,通过平移动作曲线,可以非常方便地实现全线配合。反时限过电流保护的动作时限与被保护线路故障电流的大小成反比。反时限保护特性如下:

时间 / 过载电流	整定位置			
	1	2	3	4
1.05	∞	∞	∞	∞
1.2	40″~60″	1′~2′	2′~3′	3′~6′
1.5	20″~40″	30″~60″	1′~1′30″	1′30″~2′30″
2.0	11″~20″	14″~20″	20″~40″	40″~60″
6.0	>8″	>8″	>8″	>8″

图2　过负荷反时限逻辑图

3.过电压保护

装置包含一段过电压保护，当任一线电压大于过电压保护定值时，过电压保护经整定延时跳闸。

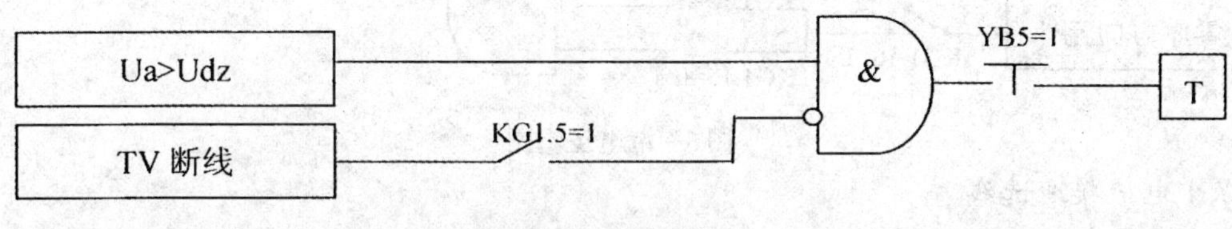

图3　过电压逻辑图

4.低电压保护

装置包含一段低电压保护，当三相线电压全部小于低电压保护定值，并且有电流，低电压保护经整定延时跳闸。为防止PT断线时保护动作，低电压可以经“PT断线闭锁”和“开关分位闭锁”。

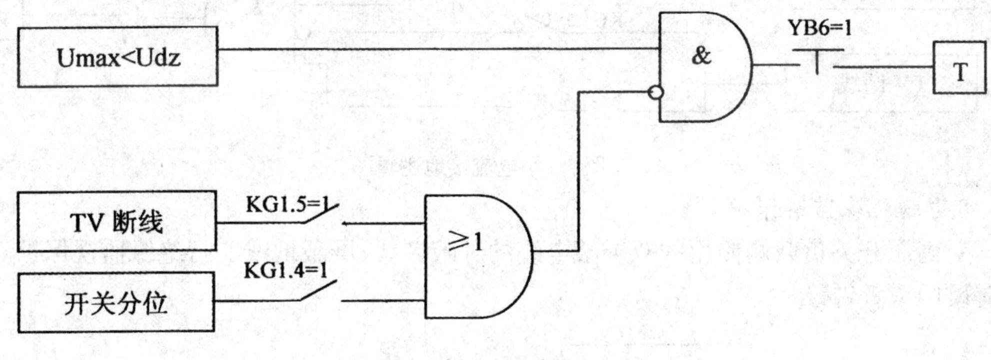

图4　低电压逻辑图

5.失压保护

装置包含失压保护，当三相线电压全部小于失压保护定值时，失压保护经整定延时跳闸。

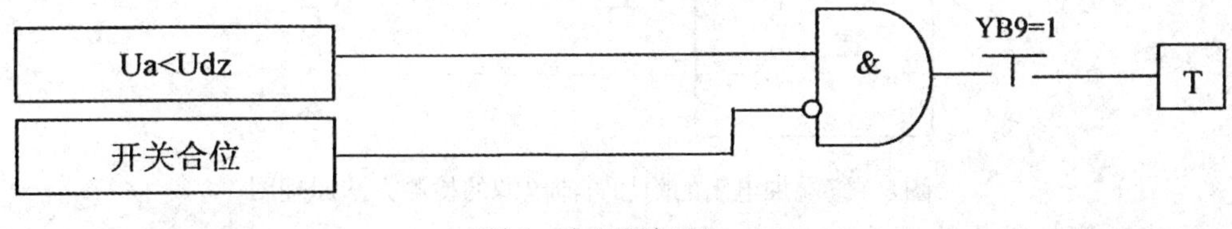

图5　失压逻辑图

6.漏电保护

当电网出现单相接地故障时,采用漏电保护。装置采用基波零序电压启动,可以选择仅通过零序电流法检测漏电保护,也可以选择经过基波零序电流的方向和大小判别接地线路。

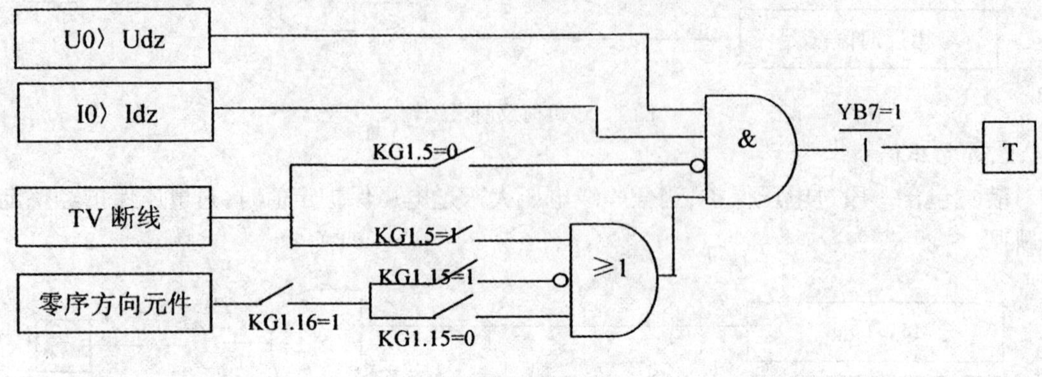

图6　漏电逻辑图

7.小电流接地选线

当电网出现单相接地故障时,采用小电流接地选线保护。装置采用基波零序电压启动,计算零序阻性电流,当零序阻性电流大于整定值时,延时跳闸或告警。

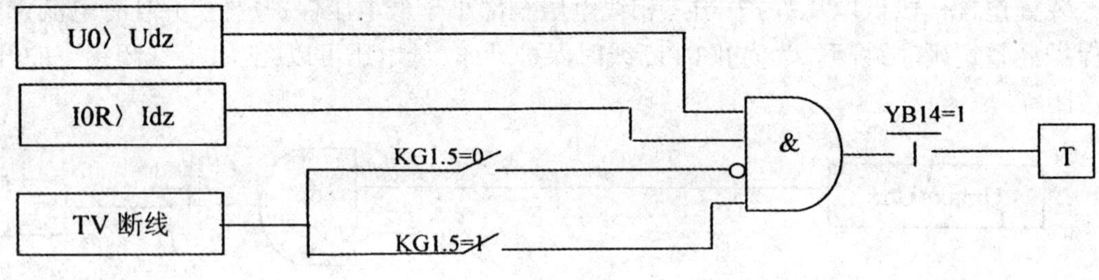

图7　小电流接地逻辑图

8.电缆绝缘监察保护

对高压开关负载侧使用的双屏蔽电缆的屏蔽芯线、屏蔽地线实行绝缘监视保护。可以选择跳闸或者告警。

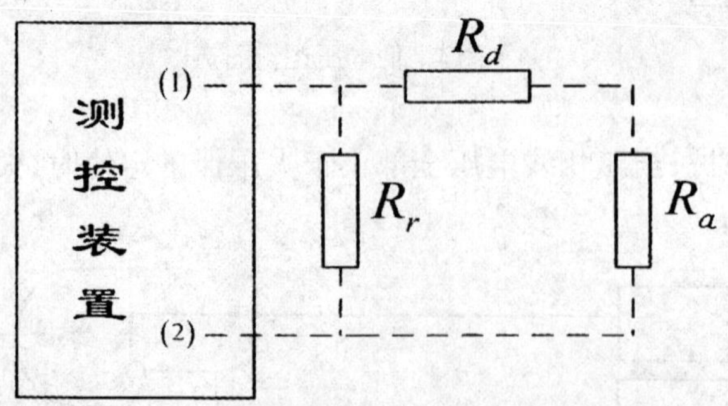

图8　终端加电阻的附加直流电源的检测方法原理图

绝缘监视的动作特性为:

(1)当监视线与接地线之间的回路电阻Rd>1.5kΩ时,绝缘监视可靠动作;Rd<0.8kΩ时,

不允许动作；当0.8 kΩ<Rd<1.5kΩ时，可以动作。

（2）当监视线与接地线之间的绝缘电阻Rr<3.0kΩ时，绝缘监视可靠动作；Rd>5.5kΩ时，不允许动作；当3.0 kΩ<Rd<5.5kΩ时，可以动作。

9.PT断线检测

PT回路监视用来检测PT回路单相断线、两相断线或三相失压故障，在满足以下三个条件之一时，延时9s发PT断线异常信号。

（1）三相电压向量和小于8V且三相电压均小于8V，有电流大于0.125A，判三相失压。

（2）三相电压向量和大于8V，最小线电压小于16V，判两相PT断线。

（3）三相电压向量和大于8V，最大线电压与最小线电压差大于16V，判单相PT断线。

10.防越级跳闸

矿井下供电系统普遍存在线路短、多级变电所级联的特点。这种拓扑结构导致过流保护整定困难，也无法通过增加多个时间级差来保证保护的纵向选择性，因而在发生短路故障时极易出现越级跳闸的情况，对生产安全构成较大隐患。

利用IEC61850的GOOSE通信技术，当故障发生后，采取下级闭锁上级的闭锁模式，实现保护的纵向选择性。

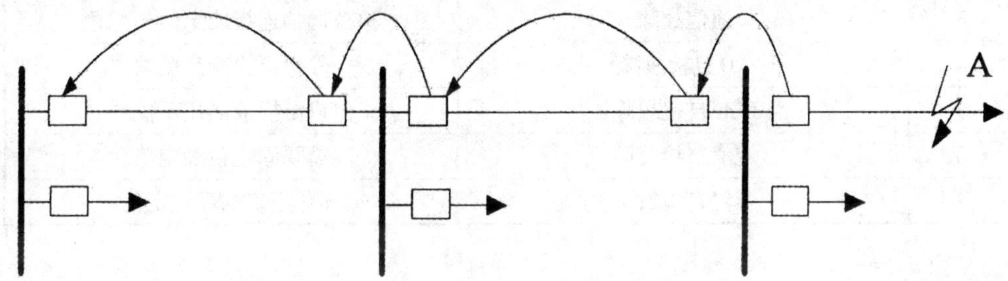

图9　防越级跳原理示意图

如图9所示，各个保护器按照供电走向划分为不同的层级，当故障发生时，保护装置启动的同时向上级装置发出闭锁信号，同时检测下级是否有闭锁信息发出；装置检测到下级装置的闭锁信息则闭锁保护出口，否则经过短延时后跳闸。如果上级装置经过一定时间后仍然检测到故障存在，则后备保护动作。

11.瓦电闭锁、风电闭锁

当装置检测剑局部通风机停止运转时，立即切断局部通风机供风巷中的一切电源，即风电闭锁。

配合电子瓦斯浓度仪表，当瓦斯浓度达到规定浓度后，立即切断超限区域的电源，即瓦斯闭锁。

12.故障录波

录波功能是用来捕捉某一事件前后预定义长度的模拟量数据和状态量数据。录波功能包含该回线所有信息。录波报文采用自定义格式，由维护软件转换成comtrade通用格式，按照每周波20个采样点进行数据记录，每段录波为200ms，每份记录由多段录波组成，累计长度最长可达2s，并可保存最近10次的录波记录。

13.测量功能

实时测量本开关的电压、电流、功率、功率因数、接地电流等信息并上传到监控系统。

14.计量功能

有功电量、无功电量统计,并上传到监控系统。

15.通信功能

装置具有RS485和以太网两种通信方式,通过以太网实现与监控系统的数据交换。

五、故障分析与排除

装置具备定时自检功能,自检包括运行定值、开出回路、采样回路等,发现异常时会上报告警报告,点亮装置异常灯。装置硬件采用模块化组装,哪一个模块发生故障,一般只需更换该模块插件。当发生装置异常时,应立即通知维护人员前来处理,处理方法参见下表。

常见装置故障及处理方法

序号	告警类型	处理办法
1	系统错误	停机更换CPU模块
2	地址错误	地址冲突,设定新地址
3	通信故障	检查通信连接或定值与配置
4	AD自检故障	停机更换交流模块
5	LCD自检故障	停机更换液晶显示模块
6	定值自检故障	需要固化正确定值
7	配置自检故障	固化正确的配置定值

附图

接线图

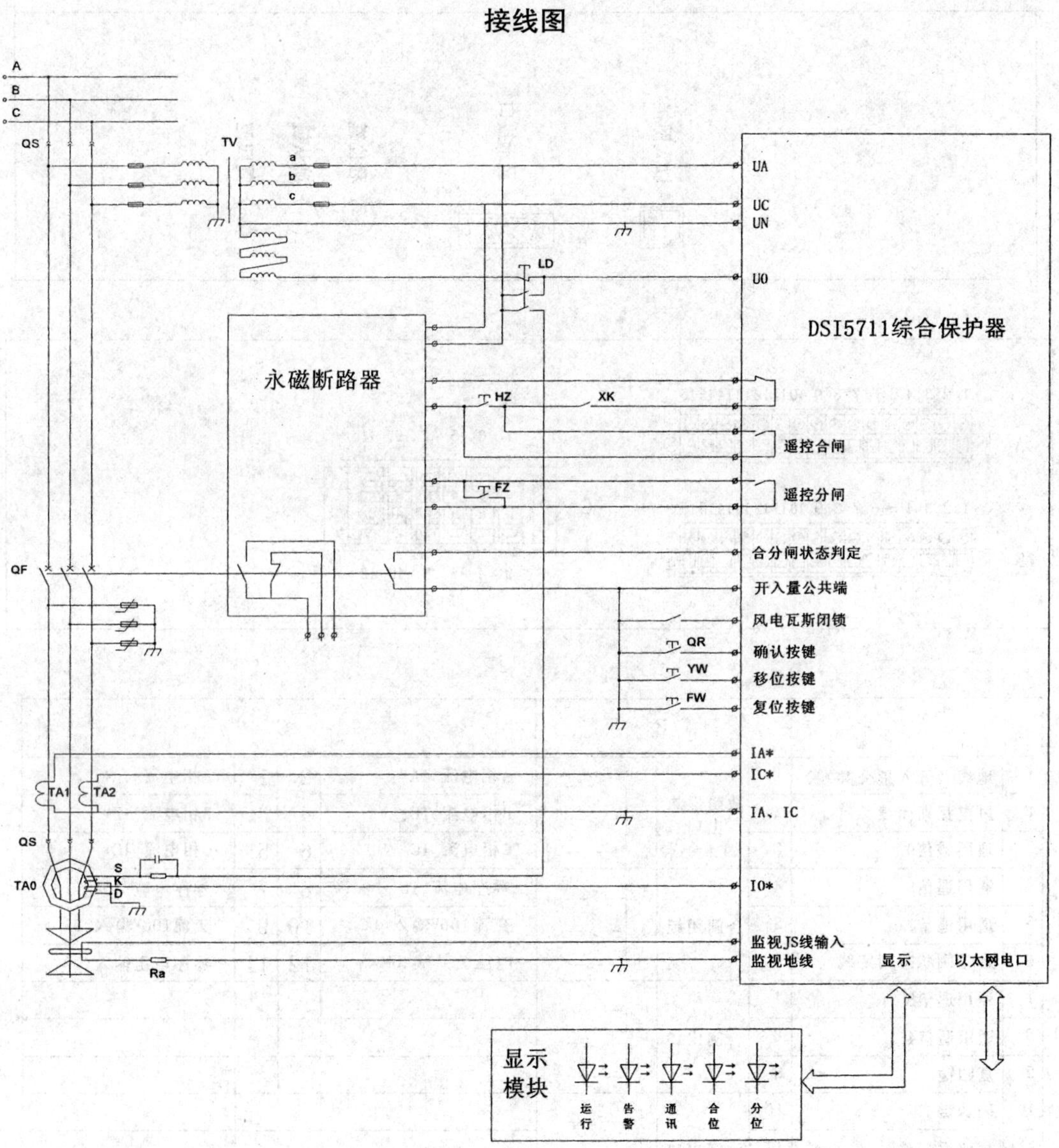

A
B
C
QS
TV
a
b
c
UA
UC
UN
LD
U0
DSI5711综合保护器
永磁断路器
HZ
XK
遥控合闸
FZ
遥控分闸
合分闸状态判定
QF
开入量公共端
风电瓦斯闭锁
QR
确认按键
YW
移位按键
FW
复位按键
IA*
IC*
TA1
TA2
IA、IC
QS
TA0
S
K
D
I0*
监视JS线输入
监视地线
Ra
显示
以太网电口
显示
模块
运行
告警
通讯
合位
分位

保护器端子图

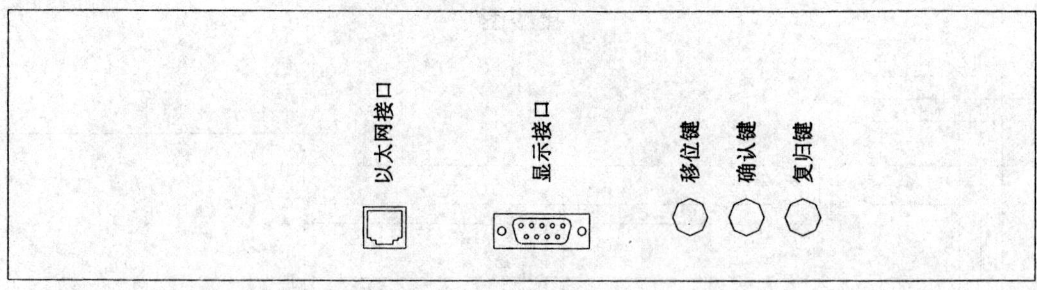

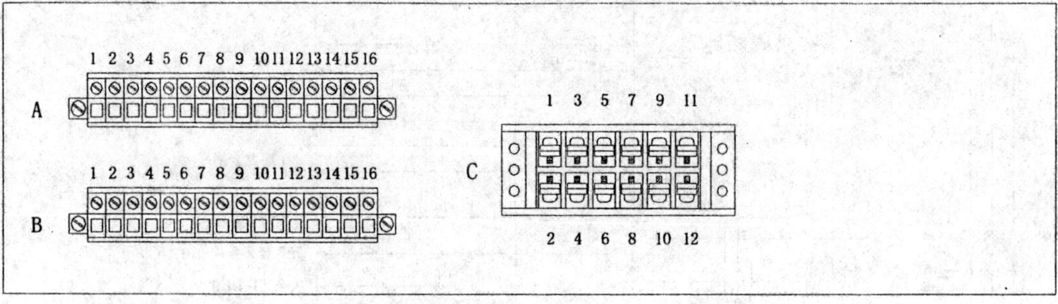

A		B			C			
1	地线（开入量公共端）	1	故障信息出口		A相电流 IA	2	1	A相电流 IA*
2	风电瓦斯闭锁	2			B相电流 IB	4	3	B相电流 IB*
3	通用遥信9	3			C相电流 IC	6	5	C相电流 IC*
4	通用遥信8	4	合闸闭锁		零序电流 I0	8	7	零序电流 I0*
5	通用遥信7	5			交流100V输入 UC	10	9	交流100V输入 UA
6	合分闸状态判定线	6			电压公共端 UN	12	11	零序电压输入 U0
7	通用遥信5	7	合闸出口					
8	通用遥信4	8						
9	复归键	9						
10	确认键	10	跳闸出口					
11	移位键	11						
12	RS485-GND	12						
13	RS485-TRB	13	24V0					
14	RS485-TRA	14	24V0					
15	地线（JS地线）	15	24V+					
16	监视JS线输入	16	24V+					

第十章　山西省煤矿“六个标准”涉及内容

第一节　《山西省煤矿安全质量标准化标准及考核评级办法》有关的条款

一、基本条件

生产矿井不应存在以下情况：

(1)年产6万t及以上的煤矿没有双回路供电系统；

(2)年产6万t及以下煤帮采用单回路供电时，没有备用电源；

(3)主要通风机高低压电源不是引自同一母线，主要通风机装置没有可靠的双电源供电；

(4)使用明令禁止使用或者淘汰的设备。

二、基本要求

1、设备与指标

设备与指标应符合以下要求：

(1)产品合格证、矿用产品安全标志、防爆合格证等证标齐全、合格；

(2)设备综合完好率、防爆率、电缆吊挂合格率、小型电器合格率、矿灯完好率、设备待修率和事故率等达到规定要求。

2、煤矿机械

煤矿机械应符合以下要求：

(1)机械设备完好，各类保护、保险装置齐全可靠；

(2)积极采用新技术、新装置。

3、煤矿电气

煤矿电气应符合以下要求：

(1)矿井有可靠的双回路电源线路；

(2)防爆电气设备防爆性能符合要求，电气无失爆；

(3)矿井主要通风机、提升人员的绞车、抽放瓦斯泵等主要设备房，以及井下变(配)电所、主排水泵房和下山开采的采区排水泵的供电线路符合《煤矿和安全规程》要求；

(4)电气设备完好、继电保护设置齐全可靠；

(5)电气工作票、操作票填写、使用规范。

4、机电基础管理

机电基础管理应符合以下要求：

(1)管理机构健全,制度完善;

(2)机电设备选型论证、购置、安装、使用、维护、检修、更新改造、报废等综合管理程序规范,设备台账、技术图纸等资料齐全;

(3)按规定进行设备技术性能测试,在用设备性能可靠;

(4)各级专业技术人员、管理人员及岗位工人培训合格、持证上岗。

5、文明生产

文明生产应符合以下要求:

(1)现场设备摆放规范、标识齐全、机房、硐室卫生清洁;

(2)作业规范、无违章指挥、无违章作业、无违反劳动纪律的行为。

三、评分方法

按表6-1评分,总分为100分。各小项分数扣完为止。

项目内容中有缺项时按下列计算公式进行折算:

$$A=\frac{B}{B-C}\times D$$

式中　A——本项折合分数;

B——本项标准分数;

C——缺项标准分数;

D——本项检查实得分数。

表10-1　煤矿机电安全质量标准化评分表

项目	内容	基本要求	标准分值	评分方法	得分
一、设备与指标(20分)	设备证标	机电设备应有产品合格证; 纳入安全标志管理的产品应有煤矿矿用产品安全标志,使用地点应符合规定; 防爆设备应有防爆合格证	4	查现场和资料。1台不符合要求不得分	
	设备完好	机电设备综合完好率不低于90%	3	查库存和现场,查设备综合台账。每降低1个百分点扣0.5分	
	固定设备	大型在用固定设备台台完好	2	查现场和资料。发现1台不完好不得分	
	电气防爆	防爆电气设备及小型电器防爆率100%	4	查现场和资料。发现1处失爆不得分	
	小型电器	小型电器合格率不低于95%	1.5	查现场和资料。每降低1个百分点扣0.5分	
	电缆	电缆吊挂合格率不低于95%	1.5	现场抽查电缆合格率为准,每降低1个百分点扣0.5分	

项目	内容	基本要求	标准分值	评分方法	得分
	矿灯	在用矿灯完好率100%,使用合格的双光源矿灯。矿井完好矿灯总数应大于常用矿灯人数的10%以上	1	查现场和资料,井下发现1盏红灯扣0.3分,灭灯扣0.5分,发现1盏不合格不得分;矿井完好矿灯总数未满足要求不得分	
	待修设备	设备待修率不高于5%	1	查现场和资料。每增加1个百分点扣0.5分	
	机电事故	机电事故率不高于1%	1	查现场和资料。达不到要求不得分	
	设备大修改造	设备更新改造按计划执行,设备大修计划应完成90%以上	1	查台账。无更新改造年度计划或未完成不得分,无大修计划或完成率全年低于90%,上半年低于30%不得分	
二、煤矿机械(35分)	主提升系统	1.立井(斜井)绞车提升:(1)各种保护装置应符合《煤矿安全规程》规定;(2)单绳罐笼提升应有防坠装置;(3)主井提升系统应装设定重装置;(4)提升系统通信、信号装置应完善,主副井绞车房有能与矿调度室直通的电话;(5)上、下井口及各水平应装设视频监视装置;(6)副井及负力提升的系统应使用可靠的电气制动;(7)斜井提升制动减速度达不到要求时应装设二级制动装置;(8)立井井口及各水平各种操车设施与提升信号连锁;(9)提升速度大于3m/s的提升系统内,应装设防撞梁,防过卷、过放和缓冲托罐装置,过卷高度和过放距离应符合规定,单绳缠绕式双滚筒绞车应安设地锁和离合器闭锁;(10)机房应装设应急照明装置;(11)应使用变频、直流等低耗、先进、可靠的电控装置;(12)主提升宜采用无人值守全自动控制方式,使用制动系统在线监测装置	5	查现场和资料。(1)~(11)项1处不符合要求扣1分,(12)项不符合要求扣0.1分	
		2.钢丝绳牵引带式输送机:(1)各种保护装置应符合《煤矿安全规程》规定;(2)应在输送机全长任何地点装设可由搭乘人员或其他人员操作的紧急停车装置;(3)下人地点应设声光信号、语音提示和自动停车装置,卸煤口及终点下人处应设防止人员坠入及进入机尾的安全设施和保护;(4)不应人货混乘,超速运人;(5)上、下人和装、卸载处应装设视频监视装置;(6)应使用低耗、先进、可靠的电控装置;(7)专用于原煤运输的输送机宜采用无人值守综合智能控制方式	3	查现场和资料。(1)~(6)项1处不符合要求扣1分,(7)项不符合要求扣0.1分	

项目	内容	基本要求	标准分值	评分方法	得分
		3、钢丝绳芯带式输送机:(1)电动机保护、堆煤保护、防滑保护、防跑偏装置、温度保护、烟雾保护、自动洒水装置、输送带张紧力下降保护、防撕裂保护应齐全可靠,倾斜巷道运输应有可靠的断带保护装置;(2)上运时应装设防逆转装置和制动装置,下运时应装设软制动装置;(3)应有沿线停车装置,装、卸载处应设视频监视装置;(4)应有钢丝绳芯及接头状态检测装备;(5)应使用低耗、先进、可靠的电控装置;(6)带式输送机集中控制硐室应安设与调度室直通的电话;(7)宜采用无人值守集中综合智能控制方式	2	查现场和资料。(1)~(6)项1处不符合要求扣1分,(7)项不符合要求扣0.1分	
	主通风系统	正压计、负压计、全压计等检测仪器仪表齐全可靠; 应有反风设施,抽出式通风应有防爆门; 电动机保护应齐全、可靠; 主要通风机轴承、电动机轴承、电动机定子绕组应使用在线监测装置,有温度检测和超温报警功能; 应装设与矿调度室直通的电话; 每月应倒机、检查1次; 机房应装设应急照明装置; 应使用低耗、先进、可靠的电控装置	3	查现场和资料。1处不符合要求扣1分	
	压风系统	各种保险装置、温度控制、吸气口、油质、风包及管路出口设施应符合《煤矿安全规程》规定; 水冷压风机水质符合要求,应有可靠断水保护; 电动机保护应齐全可靠; 应使用低耗、先进、可靠的电控装置; 机房应装设应急照明装置; 压风自救系统应符合MT390要求; 油润滑的空气压缩机油质符合规定,应装设断油保护; 压风机检测应按照AQ1013规范执行; 宜采用无人值守集中控制方式	2	查现场和资料。第1~8项1处不符合要求扣1分,第9项不符合要求扣0.1分	
	主排水系统	主排水泵房及出口,水泵、管路及配电设备,水仓蓄水能力等满足《煤矿安全规程》规定; 应有可靠的引水装置; 应设有高、低水位声光报警装置; 应使用低耗、先进、可靠的电控装置; 电动机保护应齐全、可靠; 主要水泵房应有与矿调度室直通电话; 排水设施、水泵联合试运转、水仓清理等应符合《煤矿安全规程》规定; 宜采用无人值守集中控制方式	3	查现场和资料。第1~7项1处不符合要求扣1分,第8项不符合要求扣0.1分	

项目	内容	基本要求	标准分值	评分方法	得分
	地面瓦斯抽采系统（发电）	应装设防回火装置，水封防爆器等齐全可靠； 各种监测传感器，超温、断水等保护应齐全、可靠； 压力表、水位计、温度表等仪器仪表应齐全； 机房应有应急照明； 电气设备符合防爆要求，保护齐全可靠； 阀门装置（手、电动）灵活	1	查现场和资料。1处不符合要求不得分	
	地面供热、降温系统	热水锅炉应装设温度计、安全阀、超温保护、自动补水装置，系统中应有减压阀，有超压报警和连锁保护，各种保护齐全可靠； 蒸汽锅炉应装设双色水位计或两个独立的水位表，有高低水位报警装置，按规定装设压力表，安全阀，排污阀动作可靠； 热风炉应装设防火门、栅栏、CO检测装置、烟雾保护、温度保护、洒水装置，各种保护灵敏可靠；出风口处电缆有防护措施； 地面永久性降温设备应完好，保护齐全可靠，阀门、安全阀灵活可靠，仪表指示准确	2	查现场和资料。1处不符合要求不得分	
	采煤设备	采（刨）煤机应完好； 采煤机应有停止工作面刮板输送机的闭锁装置； 有机载瓦斯报警断电装置并灵敏可靠； 截齿、喷雾装置、冷却系统应符合规定，内外喷雾有效； 电气保护应齐全可靠； 综采工作面应有照明； 工作面每隔15m及变电站、乳化液泵站、各转载点应有扩音通信装置； 刨煤机工作面至少每隔30m应装设能随时焦止刨头和刮输送机的装置或向刨煤机司机发送信号的装置； 应有刨头位置指示器； 移动电缆应有吊挂、拖曳装置； 采煤机应具备遥控控制功能； 采煤机宜采用先进的启动控制装置	4	查现场和资料。第1~11项1处不符合要求扣0.5分，第12项不符合要求扣0.1分	
	掘进设备	设备应完好，电动机保护应齐全可靠； 掘进机蜂鸣器、照明、急停开关应完整齐全，内外喷雾应有效； 应有机载瓦斯报警断电装置，且灵敏可靠； 钻车及装载设备照明、保护及其他防护装置应齐全可靠； 移动电缆应有吊挂、拖曳装置	3	查现场和资料。1处不符合要求扣0.5分	

项目	内容	基本要求	标准分值	评分方法	得分
	刮板输送机	刮板输送机(含转载、破碎机)应完好; 工作面倾角在12度以上时,应装设防滑、锚固装置; 刮板输送机(含转载、破碎机)与电动机应软连接,液力耦合器应使用水(或耐燃液)介质,应使用合格的易熔塞和防爆片; 刮板输送机应安设能发出停止和启动信号的装置; 各种电气保护应齐全可靠	3	查现场和资料。1处不符合要求扣0.5分	
	带式输送机	带式输送机应完好; 电气保护应齐全可靠; 带式输送机与电动机应软连接,液力耦合器应使用水(或耐燃液)介质,应使用合格的易熔塞和防爆片; 应使用阻燃输送带,有防滑、堆煤、防跑偏、温度、烟雾保护,有自动洒水装置; 机头、机尾应有安全防护设施,行人需跨越处应设过桥; 机头、机尾固定牢固; 机头处应有防灭火器材; 连续运输系统应具有连锁、闭锁控制装置,全线应有通信和信号装置; 下运带式输送机应有阻尼或制动装置; 带式输送机系统宜采用无人值守集中综合智能控制方式	3	查现场和资料。第1~9项1处不符合要求扣0.5分,第10项不符合要求扣0.1分	
	液压系统	液压设备、管路及辅件应合格,耐压等级选择应符合要求,零部件齐全、管路、阀组不窜、漏液,泵站压力应符合要求	1	查现场和资料。1处不符合要求扣0.1分	
三、煤矿电气(25分)	地面供电系统	矿井供电线路应符合《煤矿安全规程》规定,主变压器运行方式应可靠,主变压器容量应满足需要; 主要通风机、提升人员的绞车、抽放瓦斯泵、压风机等主要设备供电应符合《煤矿安全规程》规定; 直供电机开关或带有电容器的开关应有欠压保护; 应有过电流保护; 高压开关柜应具有“五防”和通信功能; 反送电的开关柜加锁且应有明显标志; 继电保护设置齐全、定值准确、动作灵敏可靠,高压配电系统应装设选择性的接地保护; 单相接地电容电流应符合要求,无功补偿应合理可靠; 电气工作票、操作票应符合要求,应有供电系统图; 应定期检测电网谐波,谐波参数不超过规定; 矿井主要变电所应实现综合自动化控制; 变电所应有可靠的操作电源; 矿井变电所的电话应能与电力调度及矿调度室直接联系,并有录音功能; 应有可靠的防雷设施		查现场和资料。第1项不符合要求不得分,第2项不符合要求扣3分,第3~14项1项不符合要求扣1分	

项目	内容	基本要求	标准分值	评分方法	得分
	井下供电系统	1.各水平中央变电所、采区变电所、主排水泵房和下山开采的采区泵房供电线路、运行方式应符合《煤矿安全规程》规定;各级变电所运行管理应符合规定,矿井、采区及采掘工作面等供电地点均应有合格的供电系统设计、应符合现场实际;应按期进行继电保护核算、调校、整定和试验;应实行停送电审批和票证制度;电力调度室、变电所应有停送电记录;井下变电所及高压配电点应设有电话,并能与矿调度室直接联系;井下变电所、配电点应有供电系统图	3	查现场和资料。各水平中央变电所、采区变电所、主排水泵房和下山开采的采区泵房供电线路,运行方式1处不符合要求不得分,其他1处不符合要求扣0.5分	
		2.高压开关应安装欠压释放保护、短路保护、过负荷保护;中央变电所有选择性接地保护装置,真空高压隔爆开关还应装设过电压保护,有通信功能	2	查现场和资料。1处不符合要求扣0.5分	
		3.采掘工作面供电应符合《煤矿安全规程》规定,采掘工作面及规定地点的风电、瓦斯电闭锁应灵敏可靠,按要求进行试验,并有试验记录	1	查现场和资料。1处不符合要求不得分,1处无试验记录扣0.5分	
		4.低压馈电线上应装设短路、过负荷和漏电保护装置,并应有检漏或有选择性的漏电保护装置;按要求进行试验,有试验记录;辅助接地应符合要求	3	查现场和资料。1处不符合要求扣1.5分,1处无试验记录扣1分	
		5.电动机控制开关应使用真空磁力启动器,保护应符合《煤矿安全规程》规定,电动机不运行或检修时应断开隔离开关	3	查现场和资料。甩保护,铜铁保险、开关前盘带电1处扣1分,整定不合理1处扣0.5分,设备不运行或检修时不断开隔离开关1处扣0.2分	
		6.干式变压器、移动变压站保护应齐全可靠,不超负荷、超温运行	1	查现场和资料。1处不符合要求不得分	
		7.保护接地应符合《煤矿井下保护接地装置的安装、检查、测定工作细则》的要求	2	查现场和资料。1处不符合要求扣0.5分	
		8.井下127V供电系统(包括信号、照明及其他电源)应使用综合保护	1	查现场和资料。1处不符合要求扣0.5分	
		9.动力电缆和各种信号、监控监测电缆应使用阻燃电缆,电缆接头及接线方式和工艺应符合要求	3	查现场和资料。动力电缆1处不符合要求扣0.5分,36V以上信号电缆1处不符合要求扣0.2分,本安电缆1处不符合要求扣0.1分	

项目	内容	基本要求	标准分值	评分方法	得分
		10.各种开关接线工艺应符合要求，有整定卡和入井合格证	1	查现场。1处不符合要求扣0.2分	
	管理机构	1.应配有机电矿长、机电副总工程师和机电管理科室，各生产区队应有机电管理人员，责任、分工明确	1.5	查文件。1处不符合要求扣0.5分	
		2.应有供电、电缆、小型电器、防爆、设备、配件、油脂、输送带、钢丝绳等专业化管理小组，职责明确	1.5	查文件。1处不符合要求扣0.5分	
	管理制度	1.矿、专业管理科室应有岗位责任制、操作规程；管理人员巡查、设备、停送电、电气试验、杂散电流、设备定期检修和电缆、小型电器、油脂、配件、输送带、钢丝绳等管理制度健全	1.5	查现场和资料。缺1种制度（规程）或1种制度（规程）执行不到位扣0.5分	
		2.机房、硐室及机电设备岗点应有岗位责任制、操作规程，以及设备包机、交接班、巡回检查、保护试验、设备检修、要害场所管理等制度；应有设备技术特征、设备电气系统图、液压（制动）系统图、润滑系统图等技术资料；应有设备运转、检修、保护试验、管理人员巡查、交接班、事故、外来人员登记等记录	1.5	查现场和资料。缺1种或1种执行不到位扣0.5分	
	设备综合管理	1.机电设备选型论证、购置、安装、使用、维护、检修、更新改造、报告等综合管理程序符合相关规定	1	查现场和资料。1处不符合要求扣0.5分	
		2.设备技术档案健全，采用计算机并实行专人管理；主变压器、主要通风机、主提升机、主压风机、主排水泵、锅炉等大型主要设备应做到一台一档，内容齐全	1.5	查阅技术档案资料。档案无专人管理不得分，1处不符合要求扣0.5分	
		3.矿井主提升、通风、排水、压风、供热、供水、通信、井上下供电等系统和井下电气设备布置等的图纸完整齐全，并及时更新	1	查现场和资料。缺1种图不得分，1处与实际不相符扣0.5分	
四、机电基础管理（16分）	设备技术性能测试	1.大型固定设备更新改造有设计，并有合格验收测试结果和联合验收手续，操作规程及保护试验规定应与更新改造后的设备相符	0.5	查现场和资料。没有或不符合要求不得分	
		2.主提升设备、主排水泵、主要通风机、压风机及锅炉、瓦斯抽放泵等技术测试应符合规定，测试结果合格。主提升机新安装或大修后应进行1次测定，以后每3年应进行1次测定；主排水泵应每年测定1次；主要通风机新安装或大修后应进行1次测定，以后每5年应进行1次测定；压风机应每年测定1次；锅炉、瓦斯抽放泵应按规定进行检验	2	查现场和资料。1处不符合要求扣0.5分	

项目	内容	基本要求	标准分值	评分方法	得分
		3.主要设备的关键零部件(主绞车的主轴、制动杆件、天轮轴、连接装置,主要通风机的主轴、风叶)探伤周期应按规程规定,如无规定应为两年	1	查阅资料。1处不符合要求扣0.5分	
		4.应定期进行电气试验和接地电阻测试	1	查现场和资料。1处不符合要求不得分	
	专业化培训	1.应有机电职工年度轮训计划,不漏项,不漏岗,职工按计划培训	1	查现场和资料。无计划扣0.5分,其他1项不符合要求扣0.25分	
		2.各级专业技术、管理人员及岗位工人应及时按照国家规定的培训、考核、复训时间要求,接受相应有资质的培训机构的培训,考试合格,持证上岗	1		
五、文明生产(4分)	文明生产	1.井下移动电气设备应上架,五小件(电铃、按钮、打点器、三通、四通)应上板,有标志牌,防爆电气设备和五小件应有入井合格证,各种设备、设施表面清洁	1	查资料。1人未培训、未持证上岗或现场口试、笔试不合格扣0.5分,证件逾期、无考核成绩、未盖章者不得分	
		2.机房硐室、机道和电缆沟内外应卫生清洁,窗明几净,无杂物、无积水、无油垢,电缆排列整齐,无锈蚀,无跑、冒、滴、漏现象;防火器材、电工操作绝缘用品齐全合格;各种场所、硐室不使用可燃材料装饰	1	查现场。1处卫生不好或电缆排列不整齐、有锈蚀扣0.2分,防火器材、绝缘用具欠缺或无合格证1处扣0.5分,其他1处不符合要求扣0.5分	
		3.无违章指挥,无违章作业,无违反劳动纪律的行为	2	查现场。现场发现1人次扣1分	

第二节 《山西省煤矿建设标准》有关的条款

第一条 为贯彻落实科学发展观和国家发展煤炭工业的法律、法规及方针、政策、规范、标准,适应完善社会主义市场经济体制的需要,巩固我省煤矿兼并重组、资源整合的成果,建设“七高一文明”的现代化煤矿,制定本标准。

第二条 本标准是为煤矿建设项目决策服务和合理控制矿井建设水平而编制的全省统一标准,是编制、评估和审查矿井项目建议书、项目申请报告、资金申请报告、初步设计和施工图设计的依据,也是监督检查建设过程的标准。

第三条 本标准适用于在山西省境内的煤炭工业新建、改建和扩建矿井建设项目,生产矿井技术改造、产业升级等可参照执行。

第十七条 煤矿企业应当根据生产实际和安全要求,配备足够的、经依法培训合格并取得《煤矿特种作业操作证》的安全员、瓦斯检查员、专职放炮员、井下电钳工、电气设备防爆检查人员、大型设备司机、瓦斯抽采、安全监测监控、防突、探放水等特种作业人员。

第十八条 煤矿企业要积极推行变招工为招生,不断提高新招从业人员中直接招生人数比例,到“十二五”末全部实行变招工为招生,全面提升从业人员素质。

第一百三十六条 矿井机电设备修理车间和器材棚应布置于与副井井口联系方便的位置,机电设备修理车间配置必要的设备,只承担机电设备的日常检修、维修以及材料性设备的修理,不应生产配件。

第一百三十七条 矿井应设存放配件、器材的库(棚)和材料及设备堆放场地并配置必要的起重机。地面必须设坑木加工房及堆场,木材加工房应只承担本矿少量用材的改制加工。矿区有大型坑木加工房时,可不设坑木加工房,但必须设坑木堆场。

第一百三十八条 供电电源点的选取应符合下列规定:

(一)矿井应有两回路电源线路。当任一回路发生故障停止供电时,另一回路应能担负矿井全部负荷。两回路电源线路上都不得分接任何负荷。

(二)矿井供电电源应取自电力网中两个不同区域的变电所或发电厂,确有困难时必须分别取自同一区域变电所或发电厂的不同母线段。

第一百三十九条 矿井供电电压宜采用110kV或35kV,配电电压应优先采用10kV。

第一百四十条 电源线路导线截面应按经济电流密度选择,并应保证当一回路停止送电时,其余线路在电流不超过安全载流量、电压降不超过允许的事故压降的条件下,能担负矿井的全部用电负荷。当负荷较大,采用110kV电源有困难时,宜采用35kV相分列导线。

矿井变电所的主变压器不应少于2台,当1台停止运行时,其余变压器的容量应保证一级和二级负荷用电。110kV变电所的主变压器宜采用有载调压变压器。35kV变电所如经计算普通变压器不能满足用户对电压质量要求时,应采用有载调压变压器。

第一百四十一条 井下供配电应符合下列规定:

严禁由地面中性点直接接地的变压器或发电机直接向井下供电;严禁井下配电变压器

中性点直接接地。

（一）对井下变（配）电所、主排水泵房和下山开采的采区排水泵房供电的线路，不得少于两回路。当任一回路停止供电时，其余回路应能担负全部负荷。向局部通风机供电的井下变（配）电所应采用分列运行方式。

上述供电线路应来自各自的变压器和母线段，线路上不应分接任何负荷。

（二）井下主变电所内的动力变压器不应少于2台。当1台停止运行时，其余变压器应保证一、二级负荷用电。

第一百四十二条　矿井一级负荷设备供电应符合下列规定：

（一）矿井一级负荷包括：矿井主通风机及井下局部通风机、井下主排水泵及下山开采的采区排水泵、升降人员的立井提升机、抽放瓦斯设备及井下移动抽放瓦斯设备。

（二）一级负荷应各有两回路电源线路供电，当一回路停止供电时，另一回路应能担负全部负荷。上述供电线路应来自各自的变压器和母线段，线路上不应分接任何负荷。上述设备的控制回路和辅助设备，必须有与主要设备同等可靠的备用电源。

（三）矿井的掘进工作面正常工作的局部通风机必须配备安装同等能力的备用局部通风机，并能自动切换。正常工作的局部通风机必须采用“三专”（专用开关、专用电缆、专用变压器）供电，专用变压器最多可向4套不同掘进工作面的局部通风机供电；备用局部通风机电源必须取自同时带电的另一电源，当正常工作的局部通风机故障时，备用局部通风机能自动启动，保持掘进工作面正常通风。

第一百四十三条　矿井自动化及安全、生产监控系统，应以采煤、掘进、提升、通风、运输、排水、瓦斯抽采、地面生产系统等矿井主要生产和辅助生产系统为重点，因地制宜合理确定其自动化水平和监测监控范围，并应符合下列规定：

（一）主要生产和辅助生产系统均应根据具体情况，对单机、生产环节或系统采用半自动化、自动化、集中监测和控制。

（二）大型矿井和条件适宜的中型矿井应建立综合自动化系统。

第一百四十四条　矿井自动化及安全、生产监控系统具体包括以下子系统：

1.主井提升控制系统。

2.副井提升控制系统。

3.主通风机监测系统。

4.地面变电所监控系统。

5.选煤厂集控系统。

6.压风机监测系统。

7.地面给排水监测系统。

8.污水处理监测系统。

9.锅炉房控制系统。

10.综采工作面监控系统。

11.井下带式输送机集控系统。

12.井下主排水自动控制系统。

13.井下供配电监控系统。

14.采、掘工作面监控系统。

15.瓦斯抽采系统。

16.矿井安全监控系统。

17.矿井束管监测系统。

18.井下人员定位系统。

19.煤炭产量监测系统。

20.矿井视频监控系统。

21.大屏幕显示系统。

22.其他需要监测监控的生产环节。

对于以上子系统,矿井应结合自身需求选择配置。

第一百四十五条 矿井综合自动化系统应符合下列规定:

(一)先进、可靠,具有良好的兼容性、可扩展性、冗余性、容错性、安全性及软件可升级能力。

(二)综合自动化系统及接入的子系统应具有标准的、成熟的传输协议。

(三)综合自动化系统应单独组网,接入矿井计算机管理系统时,应采取足够的安全隔离措施。

(四)主干传输网络应采用光纤环网。

(五)综合自动化系统将子系统整合集成时,应根据子系统特点确定不同的接入方式;矿井安全监控系统接入综合自动化系统时,应设置专用的传输电(光)缆;矿井视频监控系统直接接入环网交换机进行系统集成时,应对综合自动化系统网络承载能力进行论证。

第一百四十六条 应依据矿区信息化总体规划及矿井对信息化的需求等建设矿井信息化系统;可结合矿井建设情况,依据"总体设计,分步实施"的原则,逐步完善矿井信息化系统。

第一百四十七条 煤矿信息化系统应依托计算机管理系统,全面整合集成矿井综合自动化系统和通信系统,设置煤矿信息化系统管控平台;应依据矿井生产管理的需要,并结合信息化技术发展水平,逐步实现矿井智能化。

第一百四十八条 计算机管理系统是以计算机技术为基础的人—机计算机信息处理系统;系统以综合管理信息系统为核心,实现各子系统间信息互相传输,实现矿井办公自动化。

第一百四十九条 计算机管理系统应包括信息管理系统、综合决策支持系统、物业管理系统。矿井办公自动化系统应具有以下功能:电子账务、电子商务、电子邮件、网络会议、人力资源管理、档案管理、公文管理、信息数据库系统及对互联网的支持。

第一百五十条 矿井应组建计算机局域网,实现全矿井资源的共享。

第一百五十一条 矿井局域网接入互联网的方式应视具体情况确定。局域网直接接入互联网应设置硬件防火墙,必要时可设置路由器。

第一百五十二条 矿井核心网络交换机应选用带有三层交换功能的交换机,主干线路选用光缆。外部光缆宜由两个不同的路由进入矿井网络机房。

第一百五十三条　计算机管理系统应具有足够的安全防范措施,并应设置网络管理系统,对计算机网络进行诊断和维护。

第一百五十四条　矿井通信系统包括行政通信系统和调度通信系统。调度通信系统包括生产调度通信系统、无线通信系统及广播系统。

第一百五十五条　矿井行政通信系统和生产调度通信宜分别设置。行政通信交换设备和生产调度通信交换设备应选用程控数字交换设备。当选用程控数字调度交换机时,矿井行政通信和生产调度通信可合用交换机。矿井其他专业调度总机应根据生产组织系统的实际需要配置。

第一百五十六条　通信交换设备对外中继方式宜采用数字中继。行政通信对外中继线数量宜按行政通信交换设备容量的5%~10%配置。

第一百五十七条　矿井通信交换机应具有与计算机网络设备的通信能力。

第一百五十八条　矿井生产调度通信系统交换机容量应不小于200门;矿井无线通信系统接入容量应不少于200用户。

第一百五十九条　矿井无线通信系统和广播系统应具有接入矿井生产调度通信系统的标准接口。

第一百六十条　通信电缆芯线对数的备用量应符合下列规定:

(一)矿井地面或井下干线20%~30%。

(二)立井井筒50%~100%。

(三)斜井井筒和平硐不少于30%。

第一百六十一条　井筒通信电缆不应少于2条,宜分设于不同的井筒中,相互之间应有联络电缆。

第一百六十二条　矿井救护队和消防队配置专用的无线通信系统;矿井变电所与其上级变电所之间配置专用的通信系统;铁路装车站与铁路调度管理部门之间的配置专用的通信系统。

第一百六十三条　井下主排水泵房、井下主变电所、井下紧急避险设施、上山采区最高处、矿井地面变电所、地面通风机房和瓦斯抽采泵站等处的电话,应能和矿调度室直接联系。

第一百六十四条　矿井及居住区电视系统宜接入矿区有线电视网或当地的有线电视网。条件不具备时,可考虑设置卫星电视地面接收系统,并应遵守相关法律法规的规定。

第二百零七条　电源、电气设备、电缆和各类保护应符合以下规定:

(一)矿井电网高次谐波超标,应配置相应的滤波器;矿井电网因无功冲击造成主配电母线电压波动超标,应配置动态无功补偿装置。

(二)矿井电网若单相接地电容电流超过10A,应采取相应抑制措施。

(三)采区电气设备使用3300V供电时,必须制定专门的安全措施。

(四)必须根据矿井瓦斯等级和使用场所,确定井下(含井筒)电气设备的防护等级。与井下(含井筒)有关的机电设备必须取得煤矿矿用产品安全标志。

(五)井下硐室外严禁使用油浸式低压电气设备。

(六)矿井井下(含井筒)必须选用取得煤矿矿用产品安全标志的阻燃电缆。严禁采用铝包电缆,低压电缆不应采用铝芯,采区低压电缆严禁采用铝芯。

(七)应根据《煤矿安全规程》等相关规程规范的要求设置各类电气保护。

第二百零八条 矿井防雷、接地等电位联接应符合以下规定:

(一)矿井地面应根据《煤矿安全规程》等相关规程规范的要求设置各类防雷保护,并采取防止将雷电引入井下的措施。

(二)矿井接地网的设置及接地电阻值应满足《煤矿安全规程》的要求。

(三)矿井地面独立建筑物和井下变电所及配电点的内部设备、管线、金属件等应采取等电位联接。

附 录

附录一 国际单位制(SI)、静电单位制(CGSE)和电磁单位制(CGSM)的关系

名 称	名制的单位		
	SI	CGSE	CGSM
力	1牛[顿](N)	10_5达因(dyn)	10_5达因(dyn)
功	1焦[耳](J)	10_7尔格(erg)	10_7尔历(eyg)
电流	1安[培](A)	3×10^9	10^{-1}
电量	1库[仑](C)	3×10^9	10^{-1}
电位	1伏[特](V)	$3^{-1}\times10^{-2}$	10^8
电场强度	$1\frac{\text{伏【特】}}{\text{米}}(\frac{V}{m})$	$3^{-1}\times10^{-4}$	10^6
介电常数	$1\frac{\text{伏【拉】}}{\text{米}}(\frac{F}{m})$	$4\pi\times9\times10^9$	$4\pi\times10\times10^{-11}$
电阻	1欧[姆](Ω)	$9^{-1}\times10^{-11}$	10^9
电容	1法[拉](F)	9×10^{11}	10^{-9}
磁场强度	$1\frac{\text{安【培】}}{\text{米}}(\frac{A}{m})4\pi\times3\times10^7$	$4\pi\times10^{-3}$	奥[斯特](Oe)
磁感应(强度)	1特[斯拉](T)	$3^{-1}\times10^{-6}$	10^4高斯(Gs)
磁通	1韦[伯](Wb)	$3^{-1}\times10^{-6}$	10^4高斯(Gs)
磁导率	$1\frac{\text{享【利】}}{\text{米}}(\frac{H}{m})$	$\frac{9^{-1}\times10^{-13}}{4\pi}$	$\frac{10^7}{4\pi}$
磁通率	1安[培](A)	$4\pi\times3\times10^9$	$4\pi\times10^{-1}$吉柏(Gb)
电感、互感	1享[利](H)	$9^{-1}\times10^{-11}$	10^9

附录二　电气图用图形符号和文字符号新旧对照

编号	名称	新国际GB 4728-85		旧国际GB 312-64	
		图形符号	文字符号	图形符号	文字符号
	开　关		QS		K
1	单极开关	 或	QS	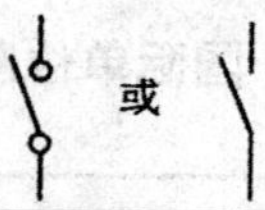 或	K
	三极开关	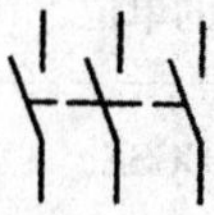	QS	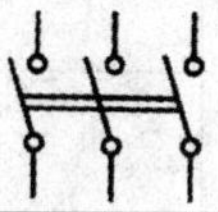	K
	隔离开关	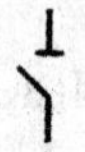	QS	同上	GK
	负荷开关		QL		FK
	断路器		QF	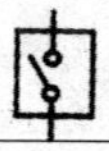	DL
	控制器或操作开关	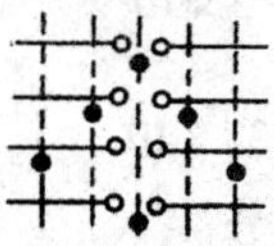	SA	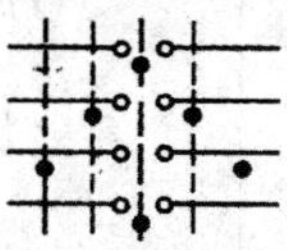	ZK
	位置开关		SQ		XWK
2	常开触点		SQ		XWK
	常闭触点		SQ		XWK
	复合触点	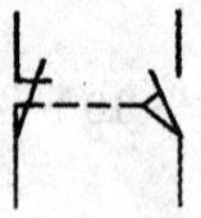	SQ	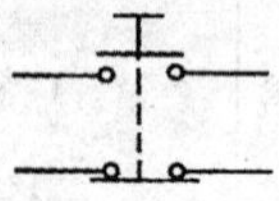	XWK
	按　钮		SB		A
3	启动按钮		SB		QA
	停止按钮	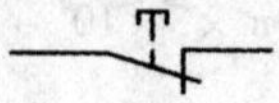	SB	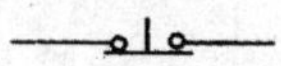	TA
	复合按钮	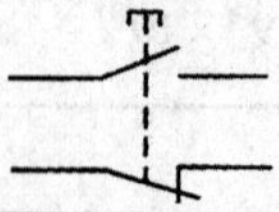	SB		

编号	名称	新国际GB 4728-85		旧国际GB 312-64	
		图形符号	文字符号	图形符号	文字符号
	接触器		KM		C
4	线圈		KM		C
	常开触点		KM		C
	常闭触点		KM		C
	带灭弧装置的常开触点		KM		
	带灭弧装置的常闭触点		KM		C
	继电器		KA		J
5	一般线圈		KA		J
	欠压继电器	U<	FV	U<	QYJ
	过流继电器	I>	FA	I>	QLJ
	常开触点	或	KA	或	J
	常闭触点		KA		J
	时间继电器		KT		SJ
6	断电延时线圈		KT		SJ
	通电延时线圈		KT		SJ
	瞬间闭合常开触点		KT		SJ
	瞬间闭合常闭触点		KT		SJ
	延时闭合常开触点	或	KT		SJ
	延时断开常闭触点	或	KT		SJ

编号	名　称	新国际GB 4728-85		旧国际GB 312-64	
		图形符号	文字符号	图形符号	文字符号
	继电器		KA		SJ
6	延时闭合常开触点	或	KT		SJ
	延时断开常闭触点	或	KT		SJ
	热继电器		FR		RJ
7	热元件		FR		RJ
	常闭触点		FR		RJ
8	熔断器		FU		RD
9	变压器		T		B
	电动机		M		D
10	三相鼠笼式异步电动机	M 3~	M		D
	三相鼠绕线异步电动机	M 3~	M		D
	串励直流电动机	M	M		D
	并励直流电动机	M	M		D

附录三　禁止井工煤矿使用的设备及工艺目录

（第一批）

（安监总规划〔2006〕146号　2006年7月20日）

1.采用DW10断路器的矿用隔爆型馈电开关。

2.QC83-80／660、QC83-80／660 N、QC83-120／660(380)、QC83-225／660（380）矿用隔爆型电磁启动器(禁止用于控制40kW以上电动机)。

3.煤矿用隔爆型插销开关。

4.PB2、PB3、PB4型矿用隔爆高压开关。

5.油浸式低压电气设备(井下硐室外禁止使用)。

6.BJ02、BJ0 3系列隔爆型三相异步电动机。

7.KJ1 600／1220单筒缠绕式矿井提升机。

8.非防爆运输机车(除低瓦斯矿井进风主要运输巷和采用专门措施的高瓦斯矿井进风大巷外,禁止使用)。

9.钢丝绳牵引的耙装机(高瓦斯区域、煤与瓦斯突出危险区域煤巷掘进工作面禁止使用)。

10.ZYZ、ZY3型液压支架。

11.单光源矿用安全帽灯。

12.柳条(藤条、竹条)矿用安全帽。

13.非阻燃抗静电输送带。

14.非阻燃电缆。

15.非阻燃抗静电风筒。

16.铝包电缆。

17.铝芯电缆(井下低压电缆禁止使用)。

18.黑火药、冻结或半冻结的硝化甘油类炸药。

19.导爆管、普通导爆索和火雷管。

20.高瓦斯矿井(区域)、煤与瓦斯突出矿井、开采易自燃和自燃煤层(薄煤层除外)矿井的采煤工作面采用的前进式采煤方法。

附录四　　禁止井工煤矿使用的设备及工艺目录

（第二批）

1.QC8、QC10、QC12系列电磁启动器（发布之日起一年后禁止使用）。

2.采用CJ8、CJ10系列接触器的矿用隔爆型电磁启动器（发布之日起一年后禁止使用）。

3.采用JR0,JR9,JR14,JR15,JR16-A、B、C、D系列热继电器的矿用隔爆型电磁启动器和综合保护装置（发布之日起一年后禁止使用）。

4.采用DZ10系列塑壳断路器的矿用隔爆型馈电开关（发布之日起一年后禁止使用）。

5.HD6、HD3-100、HD3-200、HD3-400、HD3-600、HD3-1000、HD3-1500型刀开关（发布之日起一年后禁止使用）。

6.GL动圈式反时限过流继电器（发布之日起一年后禁止使用）。

7.KSJ、KSJL系列变压器（发布之日起一年后禁止使用）。

8.油断路器（发布之日起一年后禁止使用）。

9.TKD型绞车电控（发布之日起一年后禁止使用）。

10.非本质安全电话机（包括普通电话机和矿用隔爆磁石电话机和矿用隔爆磁石电话机，发布之日起禁止使用）。

11.非防爆柴油机无轨胶轮车（发布之日起禁止使用）。

12.单缸防爆柴油机无轨胶轮车（发布之日起禁止使用）。

13.JKA型矿井提升机（发布之日起一年后禁止使用）。

14.KJ型矿井提升机（发布之日起一年后禁止使用）。

15.XKT型矿井提升机（发布之日起一年后禁止使用）。

16.水阻调速的调度绞车（发布之日起一年后禁止使用）。

17.JBT局部通风机（发布之日起一年后禁止使用）。

18.回采工作面木支柱支护（800毫米以下煤层除外，2008年底起禁止使用）。

19.回采工作面金属摩擦支柱支护（2009年底起禁止使用）。

20.仓储式采煤法（2008年底起禁止使用）。

21.巷道式采煤（系指不能形成全风压通风，没有两个安全出口，以掘代采的采煤方式，发布之日起禁止使用）。

22.高落式采煤（系指开采厚煤层或急倾斜煤层时，作业人员进入无支护空顶区，通过挑顶或放顶人工回收顶煤的方式，发布之日起禁止使用）。

附录五　国家安全监管总局国家煤矿安监局

关于发布禁止井工煤矿使用的设备及工艺目录(第三批)的通知

各产煤省、自治区、直辖市及新疆生产建设兵团煤矿安全监管和煤炭行业管理部门,各省级煤矿安全监察机构,司法部直属煤矿管理局,有关中央企业:

根据《安全生产法》(446号)等法律法规的有关规定和《国务院关于进一步加强企业安全生产工作的通知》(国发〔2010〕23号)有关要求,为淘汰不符合国家有关法律法规规定、安全性能低下、危及安全生产的落后技术、工艺和装备,提高煤矿安全保障能力,预防煤矿事故,国家安全监管总局、国家煤矿安监局研究制定了《禁止井工煤矿使用的设备及工艺目录(第三批)》,现予以发布,请遵照执行。

国家安全生产监督管理总局

国家煤矿安全监察局

2011年1月27日

禁止井工煤矿使用的设备及工艺目录

（第三批）

1.YB系列隔爆型三相异步电动机(机座号63-355mm,电压660v及以下)(发布之日起2年后禁止使用)

2.BKD9系列矿用隔爆型真空馈电开关(发布之日起2年后禁止使用)

3.采用DW80空气断路器的馈电开关(发布之日起1年后禁止使用)

4.3吨直流架线式井下矿用电机车(发布之日起1年后禁止使用)

5.8吨以上采用电阻调速的防爆特殊型电机车(发布之日起2年后禁止使用)

6.7吨以上(含7吨)电阻调速架线式工矿电机车(发布之日起2年后禁止使用)

7.JTK型矿用提升机(发布之日起2年后禁止使用)

8.使用继电器结构原理的提升机电控装置(发布之日起2年后禁止使用)

9.6DA多级泵(发布之日起2年后禁止使用)

10.ZH15隔绝式化学氧自救器(2013年6月底后禁止使用)

11.一氧化碳过滤式自救器(发布之日起1年后禁止使用)

12.电动锚杆钻机(发布之日起1年后禁止使用)

13.支腿式电动凿岩机(发布之日起1年后禁止使用)

14.煤矿用滑片式空气压缩机(发布之日起1年后禁止使用)

15.干式混凝土喷射机(发布之日起1年后禁止使用)

16.钴酸锂离子蓄电池(发布之日起1年后禁止使用)

17.单体支柱放顶煤(不包括悬移和滑移支架放顶煤)开采工艺(发布之日起1年后禁止使用)

主要参考文献

1.煤矿井下供电的三大保护细则(合订本).姜庆乐.煤炭工业出版社

2.煤矿电工学.王红俭,王会森主编.北京.煤炭工业出版社2005

3.工矿企业供电.张学成主编.北京.煤炭工业出版社2005

4.煤矿井下电钳工.国家安全生产监督管理总局宣传教育中心编写.北京.冶金工业出版社2007

5.煤矿井下电钳工.李谨主编.徐州.中国矿业大学出版社2007

6.采掘电钳工.刘光明主编.北京.煤炭工业出版社2005

7.晋城煤业集团煤矿机电实训教材.晋城煤业集团实训教材编委会编写.中国矿业大学出版社2008

8.煤矿电气设备原理及应用.杨来和,赵青梅主编.北京.煤炭工业出版社2006

9.煤矿安全规程.国家安全生产监督管理总局.国家煤矿安全监察局

10.煤矿电工学.刘用中,段浩钧编.北京.煤炭工业出版社1984

11.煤矿机电安全技术.万长慈,袁钟慧等.北京.煤炭工业出版社1990

12. 矿井供电(修订本).李景恩编.北京.煤炭工业出版社1996

13.部分厂家产品使用说明书

14.山西省煤炭工业局《井下防爆电气设备检查标准》

15.山西焦煤集团公司企业标准《井下防爆电器检查标准》